ZEŁENSKI

WOJCIECH ROGACIN

ZEŁENSKI

BIOGRAFIA

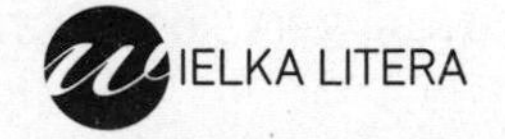

Projekt okładki
Karolina Żelazińska

Zdjęcia na okładce
*Zełenski: Laurent Van der Stockt for Le Monde/Getty Images;
Zełenski z Oleną: Ukrinform/East News*

Zdjęcie autora
Beata Jarzębska

Redaktor prowadząca
Dorota Jabłońska

Redakcja
Małgorzata Maruszkin

Korekta
*Martyna Tondera-Łepkowska
Paulina Kostrzyńska*

Fotoedycja
Elżbieta Łanik

Wszystkie wykorzystane materiały przełożył Autor,
chyba że zaznaczono inaczej.

Wielka Litera Sp. z o.o.
ul. Kosiarzy 37/53
02-953 Warszawa

Skład i łamanie
TYPO 2 Jolanta Ugorowska

Druk i oprawa
Drukarnia Pozkal

ISBN 978-83-8032-787-0

Spis treści

Jak rodzi się legenda i przywódca. I czy zmieni bieg historii?

Zaskakiwać potrafił od zawsze. Podczas występu swojego kabaretu w Berlinie uderzył widza-prowokatora, który krzyczał, że Krym jest rosyjski. W trakcie praktyk na studiach prawniczych, kiedy uznał, że proces na sali sądowej jest nudny, zdecydował, że musi sobie w życiu poszukać „innej sceny". Mógł dostać lukratywną posadę w firmie w Moskwie, jednak odrzucił ją, wybierając niepewną przyszłość z własną grupą artystyczną. A ogłoszeniem w sylwestrową noc decyzji o kandydowaniu na prezydenta zaskoczył nawet własną żonę.

Zresztą i decyzja o kandydowaniu, i wygrana zdumiały nie tylko jego rodzinę. Jak to możliwe, by fikcyjny prezydent z serialu *Sługa narodu* powtórzył scenariusz w realnym życiu i trafił na szczyty władzy?

Media na całym świecie przyglądały się tej niespodziewanej kandydaturze i nie szczędziły przytyków: „komik", „komediant" „klaun". Od ponad trzydziestu lat zajmuję się zawodowo sprawami wschodnimi, jednak kiedy wiosną 2019 roku w Ukrainie na prezydenta wybrany został Wołodymyr Zełenski, nie tylko mnie wprawiło to w spore zadziwienie.

Świat wiedział tyle, że kandydat z branży rozrywkowej pokonał zawodowych polityków i sięgnął po najwyższy urząd w państwie. Pamiętałem oczywiście z polskiej historii najnowszej podobne przedsięwzięcia – Polską Partię Przyjaciół Piwa czy aktorów kandydujących do parlamentu. Pamiętałem całkiem świeży przypadek innego komika, Beppe Grillo, który ledwie kilka lat wcześniej wstrząsnął włoską sceną polityczną, tworząc ruch społeczny i wprowadzając go do parlamentu. Jednak te inicjatywy pozostawały bardziej ciekawostkami albo nie miały kluczowego wpływu na politykę.

Tymczasem wygrana Wołodymyra Zełenskiego wywróciła polityczny stolik w Ukrainie. Na dodatek wywodzący się z show-biznesu prezydent od samego początku grał ostro, jak wytrawny polityk, mimo braku doświadczenia. Prasa zachodnia zaczęła go porównywać do Emmanuela Macrona – ledwie o miesiąc starszego, o którym też nie było głośno, zanim w 2017 roku został prezydentem Francji. Tyle że Macron miał już obycie polityczne. A Zełenski?

Jak powiedział mi w rozmowie na potrzeby tej książki Aleksander Kwaśniewski, który również został prezydentem, mając 41 lat, wiek nie jest w polityce przeszkodą: – Nie z powodu wieku człowiek odnosi sukcesy czy ponosi porażki – stwierdził.

Dlatego to musiała być interesująca historia. Wcale nie tak prosta, jak wielu do dziś ją postrzega i przedstawia, bo Zełenski to postać niejednoznaczna: po wybraniu na najwyższy urząd stopniowo tracił poparcie i dopiero postawiony w obliczu wydarzeń nadzwyczajnych, w tym wojny, okazał się urodzonym przywódcą. W każdym razie wtedy, w 2019 roku, zacząłem się postacią Zełenskiego mocno interesować.

Nie wiedziałem, że niespełna trzy lata później Rosja wypowie Ukrainie regularną wojnę. Choć jak przekonuje mnie w jednej z rozmów przeprowadzonych przy okazji pracy nad tą ksiażką Witalij Portnikow, znany ukraiński politolog i publicysta, wygrana wyborcza Zełenskiego musiała oznaczać przyszły atak Rosji. A to dlatego – jak twierdzi – że Putin nie doceniał nowego prezydenta Ukrainy, miał o nim błędne informacje. Spodziewał się, iż Zełenski będzie miękkim przywódcą, że przy pomocy oligarchów da się nim sterować wprost z Kremla. Tymczasem okazał się człowiekiem zupełnie innym, o twardym kręgosłupie, czego na Kremlu wcześniej nie dostrzeżono. Znający Zełenskiego wiedzieli, że nie będzie uległy, a to może doprowadzić do konfrontacji.

Jednak nawet ci, którzy spodziewali się wojny, nie mogli przewidzieć, że prezydent Zełenski stawi jej czoło w zupełnie niezwykły sposób. Że stanie się symbolem walki wolnego świata z imperium zła.

Przez te wszystkie lata obserwowałem zawodowo i z osobistym zainteresowaniem losy i rządy Zełenskiego. Nie bez pewnego zdumienia patrzyłem, jak skazywany na klęskę w konfrontacji ze skorumpowanym i opanowanym przez ukraińskich oligarchów światem politycznym prezydent – dawny showman – wychodzi ze starcia obronną ręką. W każdym razie nie został pożarty na dzień dobry. Krążyły pogłoski, że stoi za nim oligarcha patron Ihor Kołomojski, jednak od początku prezydentury Zełenski się od niego dystansował (choć, przyznajmy, nigdy się do końca od tych oskarżeń nie uwolnił).

Próbował, mniej lub bardziej udanie, reformować państwo i modernizować Ukrainę. Czasami wysuwał populistyczne i mało realne pomysły. Niekiedy działał pod publiczkę, chaotycznie, pośpiesznie. I w zderzeniu z praktyką szybko się przekonał, że wyobrażenie o władzy i rządzenie to dwie różne rzeczy. W zetknięciu z machiną administracyjną musiał odejść od niektórych swoich haseł wyborczych – ot, choćby od tego, że obiecywał oddać prezydencką rezydencję na dom dla młodzieży, czego ostatecznie nie spełnił. Wysiłki Zełenskiego, aby przestawić państwo na nowoczesny kurs, były jednak na tyle udane, że na jego nieszczęście ściągnęły na Ukrainę złowieszcze oko rosyjskiego Saurona. Mógł to podejrzewać, ale nie mógł o tym wiedzieć. Nie mógł też wiedzieć, jak radzić sobie w takiej sytuacji.

Zgłębiając jego życiorys, zrozumiałem, że to, jak mężnie radzi sobie w obliczu rosyjskiej agresji, nie jest dziełem przypadku. Bo już prowadząc działalność biznesową – aktorstwo było tylko jednym z wielu pól jego aktywności – ujawnił charakter lidera. Świetnie kierował firmami, których obroty sięgały dziesiątek milionów dolarów, zatrudniał setki osób – przy niektórych projektach nawet tysiące, tworzył produkcje filmowe, które wygrywały światowe konkursy. I jeśli uznać współczesną – i nie tylko – politykę za rodzaj przedstawienia, teatralnej inscenizacji, gdzie kreacja, narracja i doskonały PR są nieodłącznym elementem sukcesu, to Zełenski miał w ręku wszystkie atuty. Zarówno realne osiągnięcia – podkreślmy: poparte katorżniczą nieraz pracą, jak i mistrzostwo w ich przedstawianiu.

Z genem lidera zwykle się rodzimy. U niego było to widać już od najmłodszych lat. Na podwórku blokowiska w rodzinnym przemysłowym Krzywym Rogu, w szkole, w decyzji o trenowaniu zapasów, aby stawić czoło miejskim opryszkom. Poszukując informacji z lat jego dzieciństwa i młodości, natykałem się na pełnego uroku, ale wyjątkowo ambitnego dzieciaka, nastolatka i dojrzałego już chłopaka, który zawsze gonił za czymś więcej niż rówieśnicy. Nie odpuszczał, nie bał się ryzyka, a jednocześnie chciał być częścią grupy, wobec której pozostawał do bólu lojalny.

Jak zawsze w sytuacji osób, które wybijają się ponad przeciętność, nie wiemy, o czym zdecydowały wychowanie i środowisko, ile mu dały wrodzone cechy, na co wpłynął splot przypadków. Jednak gdy pojawiały się sprzyjające okoliczności, Zełenski był gotowy i potrafił je w pełni wykorzystać.

Co mu pomagało? Z pewnością ogromne wsparcie rodziców i dziadków, niezwykła mądrość jego żony. Miłość, która – jak mówią – cały czas jest gorąca. Rodziców oczywiście nie zawsze słuchał, ale to właśnie oni nauczyli go nie wynosić się ponad innych, co tak ujęło ukraińskich wyborców.

Życie często pisze zaskakujące scenariusze. Dla zewnętrznego świata takim ewenementem był najpierw sam wybór Zełenskiego na prezydenta Ukrainy. Jednak już absolutnie dla wszystkich – w tym może dla niego samego – zdumiewa jego postawa w obliczu rosyjskiej agresji. Czasy kryzysu, czasy trudne, odsłaniają w ludziach cechy, jakich wcześniej nie dostrzegało otoczenie, ba – jakich oni sami w sobie nie dostrzegali.

I tak właśnie stało się z Zełenskim. Po ataku Rosji Ukrainie dawano ledwie kilka dni. Jednak pod przywództwem Zełenskiego kraj jest w stanie nie tylko bronić się wielokrotnie dłużej, lecz i zadawać napastnikom bolesne ciosy. A sam prezydent zdołał poruszyć niemal cały wolny świat i zmobilizować go do niesienia pomocy walczącej Ukrainie. Kto by się tego spodziewał 20 maja 2019 roku, w dniu inauguracji prezydenta komika, jak do dziś niektórzy o nim mówią? Tymczasem to właśnie on wyrósł na prawdziwego męża stanu, podczas gdy wielu przywódców schodzi do roli komediantów.

Nie wiemy, jak w perspektywie miesięcy, lat i dekad potoczą się losy Ukrainy. Choćby dlatego, że w sytuacji największego kryzysu i największej wojny w Europie od II wojny światowej nie jesteśmy w stanie przewidzieć nawet tego, co przyniesie kolejny tydzień. Możliwe są wszystkie scenariusze – od kruchego niby-pokoju, jak ten po napaści Rosji w roku 2014, poprzez eskalację agresji, bestialstwa i konfliktu. Od przywrócenia jedności Ukrainy, przez podział państwa. Ale nawet jeśli za miesiąc, rok czy pięć lat jakiś scenariusz się zrealizuje, to przy takim sąsiedzie jak Rosja może okazać się bardzo nietrwały. Wariantów rozwoju sytuacji jest tak wiele, że nikt nie może niczego prognozować.

Jednak już wiemy, i to się nie zmieni, że Zełenski pozostanie legendą i symbolem, i to niezależnie od finału tej wojny. Gdy wojna jeszcze trwa, wielu publicystów, polityków i zwykłych Ukraińców zastanawia się, czy można było się do niej lepiej przygotować. Czy można było jej uniknąć? A jeśli tak, to za jaką cenę i czy taką cenę w ogóle można zapłacić?

Po II wojnie światowej Winston Churchill, który prowadził Brytyjczyków do zwycięstwa, stracił stanowisko. Po wygranej przez Izrael wojnie Jom Kipur z 1973 roku powołano komisję do zbadania zapobiegawczych działań rządu Goldy Meir. Niezależnie jednak od tego, jak Ukraińcy będą oceniać ten konflikt, Zełenski już zyskał status przywódcy kraju skazywanego na klęskę, który mimo to podjął nierówną walkę w obronie godności i prawa do życia w wolności, a nie pod rosyjskim butem.

Zełenski pozostanie dowodem, że każdy z nas, na swoją miarę, może dokonać rzeczy wyjątkowych, jeśli w godzinie próby podejmiemy właściwe decyzje i będziemy konsekwentni. Oczywiście opowiadając się wcześniej po właściwej stronie.

Dlaczego Zełenski potrafił stawić czoło ekstremalnie trudnej sytuacji? Pracując nad tą książką, zrozumiałem, że jego odpowiedź jest zaskakująco prosta: „Wystarczy być zawsze uczciwym wobec samego siebie i nie starać się być tym, kim się w rzeczywistości nie jest. Przyznawać się do swoich słabości, dostrzegać problemy innych, nie uważać siebie za lepszego tylko z powodu stanowiska, ale też mieć pełną świadomość swoich atutów”. To jest klucz do całej dotychczasowej postawy

Zełenskiego – od lat dziecinnych, przez studia, karierę w show-biznesie aż po prezydenturę.

Na rynku od lat mamy zalew biografii Putina, który rujnuje światowy pokój i dopuszcza się najgorszych zbrodni wojennych. Najwyższy czas to zmienić i opowiedzieć o człowieku, który jako pierwszy stara się temu przeciwstawić. Który próbuje zmienić bieg historii.

I

W Krzywym Rogu

Od narodzin do początków kariery

W TYM ROZDZIALE

Nie da się zrozumieć Zełeńskiego, nie wiedząc, w jakich warunkach dorastał. Górnicze miasto, młodociane gangi na ulicach. To albo cię deprawuje, albo daje siłę na całe życie i wtedy, gdy już wdasz się w walkę, nie uciekasz.

Gdy wrócił z Mongolii, nie znał przekleństw. A w Krzywym Rogu wulgaryzmy padały na każdym kroku. Mały Wołodia bez zahamowań pytał, co znaczy słowo na „ch". Rodzice czerwienili się, a ludzie wokół płakali ze śmiechu.

Ojciec uderzył Wołodię tylko raz, gdy rozrywka tak wciągnęła syna, że narobił sobie zaległości z matematyki. Podziałało jak sole trzeźwiące i chłopak bez kłopotów zdał na studia.

Bagatelizuje żydowskie pochodzenie, choć w domu szanowano pamięć o przodkach. Jako 16-latek dostał stypendium na studia w Izraelu. Gdy ojciec zablokował wyjazd, był wściekły i rzucał w tatę kapciami.

Wołodia Zełeński zawsze we wszystkim chciał być pierwszy. Tacy zbyt ambitni zwykle nie są lubiani przez rówieśników. Andrij Zasławski, jego kolega ze szkoły, opowiada, że mimo aspiracji Wołodia miał tyle uroku i normalności, że nie dochodziło do konfliktów.

Zdaniem Zasławskiego szczególnie dwie cechy zjednywały mu sympatię. Po pierwsze, autentycznie interesował się samopoczuciem kolegów z klasy, przyjaciół i znajomych. Siadał, pytał o problemy i słuchał. Wśród nastolatków, skupionych zwykle na sobie, nie było to takie częste i musiało zwracać uwagę. Po drugie, już wtedy rozmowy z nim nie były błahe: mówił o kinie, o teatrze albo o tym, dlaczego zdolni ludzie w Ukrainie muszą wracać do domu trolejbusem i jeść najgorsze jedzenie, gdy tacy sami mieszkańcy innych krajów żyją lepiej. „Czy to normalne?" – pytał nastoletni Zełenski.

– No, nie – dopowiada sobie Zasławski i dodaje: – Dlatego już wtedy, w szkole, uważano, że Wowa nie jest takim przeciętnym chłopakiem.

Ten chłopak – Wołodymyr Ołeksandrowycz Zełenski – urodził się w Krzywym Rogu, przemysłowym, lecz prowincjonalnym mieście, leżącym 415 kilometrów na południowy wschód od Kijowa. Dosłownie i w przenośni jest dzieckiem tego miasta: tu się wychował, tu ukształtowały się jego cechy charakteru – ciekawość życia, nieustępliwość, odwaga i ambicja, ale też otwartość na innych. Tu poznał przyszłą żonę i się zakochał, także tu się kształcił, rozwinął swój talent i zawiązał przyjaźnie na całe życie. Tu wreszcie zaczęła się jego wielka kariera.

Miasto

– Krzywy Róg to moja dusza i moje serce. Wszystko, co osiągnąłem w życiu, czym jestem i co otrzymałem, zawdzięczam Krzywemu Rogowi. Ja to miasto kocham – powiedział nie bez wzruszenia w wywiadzie rzece, udzielonym w 2018 roku znanemu ukraińskiemu dziennikarzowi i komentatorowi politycznemu Dmytro Gordonowi.

Zełenski przed wojną nie udzielał wielu wywiadów. Trzygodzinna rozmowa z Gordonem, przeprowadzona w grudniu 2018 roku, zanim ogłosił swój start w wyborach prezydenckich, była najgorętszym newsem tamtych dni w Ukrainie. I to w tej rozmowie ujawnił wiele informacji na temat swojego życia i swojej filozofii życiowej.

W dniu urodzin Wołodymyra Zełenskiego, 25 stycznia 1978 roku, w mieście panował kilkustopniowy mróz, a świeży śnieg prószył na rdzawy osad przykrywający miejskie chodniki i place. Dymy z dziesiątków kominów górujących nad miastem i brunatny pył z kopalni rud metali rozsianych wzdłuż zabudowań często wisiały nad Krzywym Rogiem i osadzały się na całym terenie.

Dla krzyworożan ten smog nie był niczym nadzwyczajnym. Wielkie osiedla mieszkaniowe sąsiadują tu z ogromnymi kraterami kopalni odkrywkowych, a mieszkańcy mówią o pomarańczowych deszczach. Powstają one wówczas, kiedy opady atmosferyczne zbierają unoszący się w górze pył z kopalń rudy. Krajobraz wygląda wtedy niczym marsjański, a po deszczu cała okolica robi się rdzawoczerwona. To było i wciąż jest jedno z najbardziej zanieczyszczonych miast Ukrainy.

Jednak dla małego Wowy Zełenskiego, jak nazywano go w domu i jak do niego mówili koledzy, dzieciństwo w Krzywym Rogu to był raj – całkowita beztroska, zabawy z rówieśnikami, jazda na pierwszym rowerku. Rodzice pracowali, ale dziadek zabierał go na strzelnicę i uczył strzelać z wiatrówki, a babcia prowadzała do przedszkola. Był oczkiem w głowie dziadków. Wołodymyr pamięta srogie zimy i przeszywające wiatry – w Krzywym Rogu panuje klimat stepowy. Czasem w drodze do przedszkola babcia musiała zasłaniać dziecku twarz, ochraniając przed wiatrem i śniegiem.

– Strasznie go ciągnęło do przedszkola – opowiadała jego matka, Rimma Zełenska, w wywiadzie dla gazety „KP w Ukrainie". – Był tam w centrum uwagi, gromadził wokół siebie dzieci, wymyślał gry. A jak wracał z przedszkola, to przede wszystkim uwielbiał bawić się... maszynką do mięsa – tą starą, sowiecką!

Wowa był dzieckiem żywym i rezolutnym, a buzia mu się nie zamykała. Lubił wszystko komentować, nawet przy dorosłych, czasami powodując u nich zażenowanie.

– Ty nie możesz spokojnie pomilczeć, zawsze musisz coś palnąć – mawiała jego babcia.

W Ukrainie mówi się, że jeśli coś zasługuje na uwagę, to musi o tym powstać piosenka. Krzywy Róg swoją ma:

Mój rodzinny Krzywy Rogu,
Moje nieustępliwe miasto.
Nie znajdziesz takiego nigdzie indziej na świecie.
Na rozległych placach,
W kopalniach i wielkich piecach
Wszystko wre,
Wszystko się zmienia, szybko rośnie.

Krzywy Rogu, miasto moje,
Niech ta piosenka dla ciebie
Wzbije się wysoko w niebo.
Jesteś perłą kraju,
Jego dumą i sławą.
Kłaniam się losowi, że ciebie mam.

W czasach młodości Wołodymyra Zełenskiego nie było to jednak miejsce, w którym można było się zakochać.

Krzyworoskie osiedle Murasznik, czyli mrowisko, to skupisko wznoszonych w latach 60., ułożonych w kształt ogromnej litery C, dwunastopiętrowych bloków, każdy po 500–900 mieszkań, ze ścianami z białej cegły pokrytymi płytkami ceglastej barwy. Pod blokami trochę ławek, a na środku podwórka poprzyklejane do siebie garaże. Kiedy Zełenski był nastolatkiem, osiedla coraz bardziej podupadały. I tak też wyglądały jeszcze kilka lat temu, kiedy został prezydentem: odrapane klatki schodowe, tu i ówdzie odpadające od ścian brązowe lub szare płytki, powyłamywane i pogięte skrzynki pocztowe. Na dużym podwórku stare samochody, huśtawki dla dzieci, śmietnik.

Na tym osiedlu Wołodymyr Zełenski spędził dzieciństwo i młodość. Tutaj do dziś mieszkają jego rodzice. Przed 40 laty nie było tu bezpiecznie. „Mały, dawaj pieniądze" – takie słowa Wowa i jego koledzy mogli nieraz usłyszeć z ust podrostków i chuliganów, czatujących w ciemnych zaułkach. Osiedle i panująca na nim atmosfera nauczyły młodego Zełenskiego, że czasami trzeba ustąpić, a czasami – walczyć, nawet jeśli straci się kieszonkowe czy pieniądze przeznaczone na trening, a potrafił się bronić. Dłonie miewał poobijane, ale to wszystko, jak wspomina, w imię sprawiedliwości.

– Jeśli się wdaję w walkę, to już nie uciekam. Mogę ostatecznie przegrać, ale nie zwieję w trakcie. Nie. Biała flaga nie jest moją flagą! – mówił Zełenski w pamiętnym wywiadzie.

Jak pokażą późniejsze wydarzenia z życia Wołodymyra Zełenskiego, reguła niewywieszania białej flagi, walki do końca bez wycofywania się, pozostała immanentną cechą jego osobowości i dała o sobie znać w wielu sytuacjach. W takich, w których działał intuicyjnie. Wydaje się, że to nie tyle zasada przyjęta świadomie, co przyswojona w wyniku dorastania i wychowania w takim mieście jak Krzywy Róg.

Ten olbrzymi ośrodek industrialny ma dzisiaj kształt wielkiego rogala, zajmującego w linii prostej 66 kilometrów, jednak aby przejechać ulicami całe miasto, trzeba pokonać przeszło 120 kilometrów. Nowe osiedla budowano bowiem wzdłuż powstających kopalni, hut i fabryk. Nie ma też tam jednego centrum – miasto jest podzielone na dzielnice z ich własnymi minicentrami. Krzywy Róg liczy dzisiaj niespełna 700 tysięcy mieszkańców. W czasach dzieciństwa Zełenskiego wyglądał podobnie – mieszkańców było pół miliona, a długość miasta była niewiele mniejsza.

Ogromne pokłady rudy żelaza, należące do najzasobniejszych na Ziemi, odkryto w tym miejscu już w XIX wieku. Jednak dopiero po II wojnie światowej z całego Związku Sowieckiego ściągały tu tysiące ludzi, by pracować w przemyśle wydobywczym i hutniczym. Rosło typowe, robotnicze miasto komunizmu, bez jednorodnej tkanki społecznej, trochę na podobieństwo polskiej Nowej Huty. A wielkie odległości i olbrzymia przewaga liczebna robotników utrudniały powstawanie tradycyjnego społeczeństwa miejskiego, tym bardziej że część mówiła po ukraińsku, a większość – po rosyjsku.

W czasach dzieciństwa Wołodymyra Zełenskiego samych kopalni węgla i rud żelaza było w Krzywym Rogu ponad 30. Oprócz nich funkcjonowały huty żelaza, zakłady produkcji maszyn dla górnictwa, przemysłu ciężkiego, metalurgicznego i drzewnego. Wtedy powstała gigantyczna fabryka surowców, pokrywająca aż 40 procent zapotrzebowania całego ZSRR na rudy żelaza. Głównie stąd za czasów komunizmu i po jego upadku pochodził surowiec przeznaczony dla polskich hut żelaza.

To miejsce dużych kontrastów – piękne place i zadbane budynki sąsiadują z blokowiskami zostawionymi samym sobie po upadku ZSRR. Obok wieżowców, typowych komunistycznych mrówkowców, rozciągają się osiedla małych jednorodzinnych domków z wąziutkimi uliczkami i wszechobecnymi blaszanymi ogrodzeniami.

Zarówno geografia miasta – jego rozległość – jak i specyficzna struktura społeczna sprzyjały narastaniu przestępczości.

– Brak związków pomiędzy napływową ludnością i brak perspektyw dla młodych ludzi w latach dziewięćdziesiątych, czyli w czasach przełomu po upadku ZSRR, sprawiały, że przestępczość kwitła. Rywalizowały gangi z poszczególnych dzielnic – opowiada mi jedna ze znajomych Zełenskiego.

W tamtym czasie wyjście wieczorem poza swoją dzielnicę wiązało się z dużym ryzykiem. Zwłaszcza dla młodego chłopaka. Żeby w miarę bez szwanku przetrwać w mieście pełnym rywalizujących gangów, trzeba było rozumieć zasady i nieformalne prawa, jakimi rządziła się ta społeczność. Zapewne miało to duży wpływ na Zełenskiego, który zawsze – w szkole, w karierze artystycznej i w polityce – trzyma się w większej grupie i pielęgnuje stare przyjaźnie.

Zełenski znał zasadę panującą w Krzywym Rogu: idziesz sam po mieście, mogą cię zaczepić.

– Ale obowiązywała reguła, że kiedy szedłeś z dziewczyną, chłopaki cię nie ruszali – mówił Zełenski w wywiadzie dla Gordona. I dodawał żartem, że dlatego w starszych klasach chłopcy rozglądali się za dziewczynami, z którymi mogliby chodzić.

Nie tyle w celu zaimponowania kolegom, co głównie dla własnego bezpieczeństwa kilkunastoletni Wołodia Zełenski zapisał się na zapasy klasyczne, a później na podnoszenie ciężarów. Rodzice przychylnie patrzyli na treningi syna, bo wiedzieli, że to dobry sposób na przystosowanie się do twardych reguł życia w Krzywym Rogu. Doświadczenie w zapasach okazywało się przydatne także na ulicy. Zamiłowanie do ćwiczeń zostało mu na dłużej – codziennie trenował w domowej siłowni.

Z tego czasu Zełenski wyniósł jeszcze jedną naukę, pomocną w późniejszej karierze, zwłaszcza kiedy stawiał czoło dużym problemom.

– To jest tak, jak z podnoszeniem dwustukilogramowej sztangi. Nawet najsilniejszy ciężarowiec nie udźwignie jej bez wcześniejszej zaprawy. Tak samo do pokonania życiowych kłopotów trzeba się dobrze przygotować – mówił w jednym z wywiadów dla zagranicznych mediów.

Jednak było jeszcze coś charakterystycznego dla jego rodzinnego miasta. Zełenski później robił karierę w Moskwie i Kijowie, jednak to Krzywy Róg zapamiętał jako najbardziej gościnne środowisko.

– W Moskwie nawet drzwi sąsiadów są przed tobą zamknięte. W Krzywym Rogu wszystkie są otwarte. Tu mój tata, mama, babcia, wszyscy żyją według zasady: przyjąć, ograć i nakarmić – opowiadał w tym samym wywiadzie.

Rodzice

Chociaż komunistyczne molochy sprzyjały anonimowości, to jednak w Krzywym Rogu ludzie się znali. Dorośli codziennie schodzili na podwórko, by grać w szachy – to zresztą zwyczaj popularny na europejskim obszarze byłego ZSRR. O rodzicach Wołodymyra wszyscy mówią w samych superlatywach: „porządni, uczciwi, skromni". Podobną opinię przenoszą na ich syna.

– Wowa też tu przychodził z ojcem i grał z nami – opowiadają dziennikarzom programu informacyjnego TSN emeryci pod blokiem, gdzie mieszkał Zełenski. Kiedy został prezydentem, Telewizijna Służba Nowyn należąca do popularnego kanału 1+1, nagrała o nim program.

– On jest kropka w kropkę jak jego tata, kulturalny, miły – mówi jeden ze starszych mężczyzn. – A ojciec wciąż z nami gra.

Rodzice Wołodymyra sprzedali dwa mniejsze mieszkania i kupili czteropokojowe na osiedlu Murasznik. W latach 60. i 70. ubiegłego wieku mieszkanie w tym kompleksie nowych bloków było marzeniem.

W domu Zełenskich nigdy nie było luksusów, do dziś ściany są oklejone popularnymi w tym regionie tapetami, a na nich wiszą zdjęcia Wołodii. Andrij Zasławski, kolega Zełenskiego z dzieciństwa, niejednokrotnie go odwiedzał.

– Mieszkanie Wołodymyra nie różniło się od mieszkań innych kolegów i koleżanek czy od mojego – wspomina. – Urządzone było prosto, ale gustownie. Kiedy przychodziłem do Wowy, od razu szliśmy do jego pokoju, w którym wszystko wyglądało jak w pokojach nastolatków: zwykłe łóżko, dywan, na ścianie plakat z piękną dziewczyną – opowiada mi Andrij Zasławski.

Rodzice Zełenskiego prowadzili typowy tryb życia rosyjskojęzycznej inteligencji w przemysłowym mieście Związku Sowieckiego. Ojciec, Ołeksandr Zełenski, jest z wykształcenia matematykiem, ma też tytuł profesora nauk technicznych w dość zawile brzmiącej dziedzinie: automatyzacji wspomagania geologiczno-geometrycznego w górnictwie. Specjalizuje się w projektowaniu kopalń i fabryk. Od 1995 roku kieruje katedrą Cybernetyki i Informatyki w Państwowym Instytucie Ekonomicznym w Krzywym Rogu.

Matka, Rimma, studiowała w Krzywym Rogu i została inżynierem technologii, a po 40 latach pracy w zawodzie, już w wolnej Ukrainie, otrzymała 1600 hrywien emerytury miesięcznie. To równowartość około 55 dolarów.

Chociaż rodzice Wołodymyra byli wykształceni i zajmowali dobre stanowiska, statusem materialnym się nie wyróżniali. Zarówno matka, jak i ojciec unikają rozmów z mediami, zwłaszcza Ołeksandr Zełenski.

Telewizji internetowej Hromadske.com udało się porozmawiać z matką Zełenskiego, kiedy ich syn już kandydował na prezydenta.

– Żyliśmy bardzo skromnie – wspominała w tej rozmowie Rimma Zełenska. – Poprawiło się nam dopiero, kiedy *papa* zrobił karierę naukową i awansował. Jednak Wołodia nie wychowywał się w bogatej rodzinie. I tak, skromnie, nauczyliśmy go żyć – dodała.

Ojciec, niskiej postury, z serdecznym wyrazem twarzy, jest powściągliwy, ale z wypowiedzi tych, którzy go znają, wyłania się obraz bardzo uczciwego i honorowego człowieka z klasą. Typ naukowca – ubrany schludnie, ale skromnie, spodnie zaprasowane w kant, koszula, sweter lub marynarka. W wypowiedziach dla mediów sąsiedzi rodziców Wołodymyra o obojgu wypowiadają się z szacunkiem i uznaniem.

Rimma Zełenska również jest spokojna, drobna, szczupła z charakterystyczną bujną i starannie uczesaną fryzurą. I – jak mówią sąsiedzi – bardzo serdeczna wobec innych. Kiedy koledzy przychodzili do Wołodii, zawsze pytała, co u nich słychać, czy wszystko w porządku. I – jak trzeba było – nakarmiła.

– Ja właściwie od matki Wołodymyra doznałem w dzieciństwie więcej serdeczności i zainteresowania niż od własnego ojca – opowiada mi Zasławski.

W końcówce lat 70. gospodarka ZSRR, kierowana przez stetryczałą, konserwatywną ekipę Leonida

Breżniewa, pogrążała się w stagnacji. Płace w prowincjonalnych miastach, takich jak Krzywy Róg, też były więcej niż skromne. Dotyczyło to zwłaszcza inteligencji, traktowanej przez system gorzej niż klasa robotnicza. Związek Sowiecki prężył muskuły na arenie międzynarodowej, wydawał miliony na zbrojenia, pozował na kosmiczne, militarne i gospodarcze mocarstwo. W roku narodzin Wołodymyra Zełenskiego ZSRR wysłał w kosmos sześć lotów załogowych. W statku Sojuz 30 w czerwcu tamtego roku poleciał w kosmos pierwszy Polak Mirosław Hermaszewski. W tym samym czasie ludziom brakowało podstawowych dóbr, a modne ciuchy czy sprzęt gospodarstwa domowego były marzeniem. Zełenscy dużo pracowali i próbowali związać koniec z końcem, codziennie walcząc o zdobycie podstawowych produktów.

W porównaniu z tym, jak żyli jego rówieśnicy, w jego domu i tak było dość zasobnie. – Koledzy często do nas wpadali, bo wiedzieli, że zawsze dostaną coś do jedzenia – dodawał. Wielu jego rówieśników w Krzywym Rogu jadało mięso raz w tygodniu albo i rzadziej. O rybach mogli tylko pomarzyć – tych w sklepie nie było.

Kiedy Wołodymyr Zełenski wystartuje na prezydenta, będzie mówił, że wie z własnego doświadczenia, jakie problemy mają zwykli mieszkańcy jego kraju.

Aby podnieść poziom życia, ludzie chwytali się różnych rozwiązań. Dla rodziny Zełenskich szansą, która tylko trochę poprawiła ich sytuację, okazała się propozycja złożona ojcu Wołodymyra na przełomie lat 70. i 80. Wśród mongolskich stepów, gdzie odkryto potężne złoża miedzi i molibdenu, w 1974 roku, a więc kilka lat przed narodzinami Wołodii Zełenskiego, rozpoczęto budowę nowego miasta – ośrodka górniczego Erdenet. Wznoszono je właściwie pośrodku głuchego pustkowia. Mongolia była w tym czasie podporządkowana Moskwie i wszystkie przemysłowe inwestycje powstawały dzięki finansowaniu ze Związku Sowieckiego. Budowali je również sowieccy specjaliści. Jednym z nich był ojciec Wołodymyra, który stawiał w Erdenet zakłady wydobywcze i przetwórcze rud metali.

Rodzina Zełenskich wyjechała do Mongolii w 1982 roku, kiedy Wowa miał cztery lata.

– W pewnym momencie mówiłem lepiej po mongolsku niż po rosyjsku – wspominał później w wywiadzie dla „Bulwaru Gordona". W Erdenet chodził do pierwszej klasy jedynej funkcjonującej tam sowieckiej szkoły, a wraz z nim uczyły się dzieci różnych narodowości: Żydzi, Buriaci, Kałmucy, Rosjanie. Nikt nie zwracał uwagi na pochodzenie. Nie istniało pojęcie piątej kolumny, które na terenach ZSRR od czasów stalinowskich dawało się czasami słyszeć. Po powrocie do Krzywego Rogu mały Wołodia dziwił się, że wśród uczniów istnieją podziały narodowościowe.

On sam z domu i z Mongolii wyniósł brak tego typu uprzedzeń.

W Erdenet poznał za to, czym w czasach gospodarki socjalistycznej był chroniczny brak wszystkiego. Słowem, które najlepiej zapamiętał z języka mongolskiego, było „baihgui" – „nie ma". Kiedyś zobaczył, że do Erdenet przywieziono arbuzy. Poprosił mamę, żeby mu kupiła. Stanęli w ogonku, jednak zanim doczekali się na swoją kolej, wszystkie arbuzy sprzedano. Wołodia płakał, a sprzedawczyni go pocieszała: – Nie martw się, za miesiąc znowu przywiozą.

Z czteroletniego pobytu w Mongolii zapamiętał również pogodę – jeszcze bardziej nieprzyjazną niż zimy w Krzywym Rogu. Erdenet, leżący wśród niewielkich wzgórz na stepie, nie był osłonięty przed przeszywającymi wiatrami i doświadczał gwałtownych zmian pogody. Bywało tak, że Wowa wychodził rano po chleb w krótkich spodenkach, bo przygrzewało słońce, a kiedy wracał, na dworze szalała śnieżyca. Małemu Wołodii pozostały w pamięci także kwiaty, które wiosną okrywały okoliczne wzgórza niczym kolorowy dywan.

To z powodu surowego klimatu Wołodia z matką po czterech latach pobytu w Erdenet wrócili do Krzywego Rogu. Rimma, która źle znosiła mongolską aurę, podupadła na zdrowiu. Ołeksandr został jeszcze na kontrakcie, by zarabiać, ale przyjeżdżał do rodziny od czasu do czasu. W sumie pracował w Mongolii 20 lat i doczekał się nawet tablicy zasłużonego budowniczego miasta. Większość dzieciństwa Wołodia spędził bez ojca.

Być może to właśnie naturalna tęsknota za ojcem sprawiła, że od dziecka chłopiec był w niego wpatrzony i darzył go podziwem. Ojciec był zawsze niezwykle pryncypialny. Nie szedł na kompromisy, aż do bólu trzymał się zasad uczciwości. Jako profesor na uczelni wykształcił wielu ekspertów w naukach matematycznych i informatycznych. Wielu z nich wyjechało z Ukrainy, gdyż za granicą, na Zachodzie, czekały większe szanse kariery oraz lepsze warunki zatrudnienia.

Zełenski opowiadał Gordonowi, że kiedyś do ojca zajrzał były student, który po ukończeniu nauki znalazł świetną pracę w Stanach Zjednoczonych i już na początku otrzymał pensję w wysokości 5000 dolarów miesięcznie, później dorobił się jeszcze większego majątku. Kiedy więc przyjechał do Ukrainy, odwiedził Ołeksandra Zełenskiego, swego dawnego profesora, któremu tyle zawdzięczał. Przywiózł drobny upominek – jakieś słodycze i koniak. Następnego dnia ojciec zaniósł te podarki do Instytutu, żeby poczęstować współpracowników. Nie mógł zachować prezentu dla siebie.

Zełenski czuł wobec ojca podziw, ale i swego rodzaju respekt. Wspominał, że już kiedy był u szczytu kariery artystycznej i w mediach społecznościowych czasami wypisywano o nim jakieś kłamliwe rzeczy, nie chciał odpowiadać, wiedząc, że to często robota internetowych trolli. Wtedy jednak ojciec dzwonił do niego i mówił:

– Przecież to wszystko kłamstwa. Jak możesz nie reagować? Czy ty wiesz, jak mi będzie wstyd pokazać się w Instytucie, jeśli tego nie zdementujesz?

Ojciec ma też inną cechę, do której i Wołodymyr Zełenski się przyznaje. To swego rodzaju życiowe gapiostwo.

– W codziennych sprawach jestem całkowicie bezradny, nieprzystosowany i roztargniony – mówił „Bulwarowi". – Jak tato. On przez dziesięć lat pisał pracę naukową, a kiedy jechał na obronę, zostawił ją na siedzeniu w tramwaju i odjechała nie wiadomo dokąd. Ja zapominam o dniach urodzin, ważnych rocznicach. Gubię telefony, pieniądze. Czasami, jak zarobię większe pieniądze, to w niewyjaśniony sposób gdzieś zostawię połowę, a za drugą nakupię prezentów – opowiadał Zełenski. – Na szczęście moi bliscy nie irytują się tym, tylko się śmieją. Traktują mnie jak dorosłe dziecko.

Zełenski wiele wziął od ojca, ale szczególnie zapamiętał jego jedną naukę:

– Jeśli nie wiesz, jak się w danej sytuacji zachować, po prostu zachowaj się honorowo. Wtedy nigdy nie będziesz żałował.

Gimnazjum

Mały Wołodia wrócił z Mongolii do Krzywego Rogu, kiedy miał osiem lat – w 1986 roku. I wtedy rodzice zapisali go do drugiej klasy Krzyworoskiego Gimnazjum nr 95. Była to specjalnie utworzona klasa z rozszerzonym angielskim. W tej szkole Wołodia uczył się aż do matury. Zgodnie z ukraińskim systemem edukacji, gimnazjum dzieliło się wówczas na szkołę podstawową – od pierwszej do dziewiątej klasy – oraz na liceum – klasy 10 i 11.

Dziś to najbardziej znana i najczęściej pokazywana w ukraińskich mediach szkoła. Do dwukondygnacyjnego budynku gimnazjum wchodzi się po kilku stopniach przez duże przeszklone drzwi wprost do obszernego hallu, a dalej widać szerokie schody prowadzące na piętro. Tam znajduje się klasa, w której uczył się Wołodia Zełenski. Kilkanaście ławek ustawionych w trzech rzędach, szafki z jasnego drewna, przestronne okna wychodzące na szkolny podwórzec. Po wielu latach i zwycięstwie Zełenskiego w wyborach prezydenckich na tym dziedzińcu uczniowie gimnazjum przygotowali i nagrali film ze specjalnym występem tanecznym dla starszego kolegi ze szkoły.

Wołodia od razu się zaczął się wyróżniać.

– Interesowało go absolutnie wszystko. Literatura, aktorstwo, sport, wystąpienia publiczne, gra na gitarze, śpiew... Nie przychodzi mi do głowy nic, czego Wowa by się nie imał – mówi mi Zasławski. – Głównie jednak ciągnęło go do wszystkiego, co było związane z popisami artystycznymi.

Właściwie od początku, kiedy zobaczył szkolne występy, marzył, żeby dostać się na scenę: zagrać choćby jakiś epizod, ale trafić na estradę. Wspominał o tym w programie *Kwartał i jego drużyna* [*Kwartał i joho komanda*] nagranym w 2014 roku, kiedy był na szczycie kariery w show-biznesie.

– Kiedy wychodziłem na scenę, najpierw czułem strach, a potem, kiedy już pokonałem strach – zadowolenie. I dlatego mnie ciągnęło na tę scenę. Ciągnęło mnie, żeby śpiewać, a potem grać rozmaite role – opowiadał.

Jego ówczesna nauczycielka śpiewu, Tatiana Sołowiowa, prowadziła chór i grupę wokalną w szkole.

– Przyszedł do mnie taki mały chłopczyk, jak laleczka, a w klasie było czterdzieścioro uczniów już należących do chóru. I mówi: „Ja chcę śpiewać. Ja tak bardzo chcę śpiewać". Tak prosił, aż miał łzy w oczach. Jakże można było odmówić? – wspomina pani Tatiana.

Zgodziła się zatem, żeby mały Wowa uczestniczył w ćwiczeniach chóru. Tyle że on już od dziecka mówił basem. – I kiedy przyszedł na próbę, od razu wiedziałam, jaka nastąpi reakcja. Dzieci zaczynają śpiewać, a on dołącza takim niskim głosem, jak niedźwiadek. Wszyscy w śmiech, koniec zajęć. A on: „Czemu się śmiejecie?".

– Miałem z tego powodu kompleksy, ale przecież nie byłem nierozgarniętym chłopcem, tylko że takie rzeczy się zapamiętuje – mówił później Wołodymyr.

Wicedyrektorka Gimnazjum nr 95, Walentyna Ignatienko, która po wyborze Zełenskiego na prezydenta oprowadzała po szkole wielu dziennikarzy z Ukrainy i z zagranicy, potwierdza, że o młodym Zełenskim było w szkole głośno. – Zawsze pierwszy. Wszystko chciał wiedzieć i wszędzie musiał być. Kiedy w czwartej czy piątej klasie założyliśmy koło tańca towarzyskiego, Zełenski natychmiast się zapisał – wspominała w programie korespondentki TVP Barbary Włodarczyk.

Na przerwach z kolegami wybiegali do sali muzycznej i choćby przez kilka minut grali na instrumentach. Szkolne występy nie mogły się odbywać bez udziału Wołodii.

Dzięki otwartości i przebojowości Wołodia czuł się w gimnazjum w Krzywym Rogu jak ryba w wodzie, mimo że początkowo nieco odróżniał się od rówieśników. Choćby i tym, że kiedy przyjechał z Mongolii, nie znał w ogóle przekleństw. W Erdenet nigdzie ich nie słyszał. W Krzywym Rogu wulgaryzmy padały na każdym kroku, na przystankach, w sklepie, w szkole.

Na początku września 1986 roku, gdy Wowa miał osiem lat, ojciec zaprosił do domu znajomych z pracy. Sam był profesorem Państwowego Instytutu Ekonomicznego w Krzywym Rogu, w mieszkaniu zgromadziła się więc kadra z tej uczelni.

– Kiedy więc wróciłem ze szkoły, zastałem wielu znajomych taty – profesorów, uczonych, słowem: dystyngowane towarzystwo – wspominał Wołodymyr Zełenski po latach. – I powiedziałem jedno z „tych" słów. Nie wiedziałem, co to znaczy, w Mongolii nie używało się przekleństw – opowiadał. – Nastąpiła chwila ciszy, a potem wszyscy nie tyle się śmiali, co umierali ze śmiechu – wspominał Zełenski.

Z rówieśnikami w szkole w Krzywym Rogu nie tylko szybko złapał dobry kontakt, ale stał się klasowym i szkolnym liderem. I to już od najmłodszych lat, jak wspominają znajomi z tamtego czasu. Na jednym ze szkolnych zdjęć, z drugiej lub trzeciej klasy, pozuje grupa około 30 dzieciaków, a w pierwszym rzędzie, pośrodku, roześmiany mały Wołodia w białej koszuli i z pionierską chustą zawadiacko przewiązaną na szyi. Na innym zdjęciu, już w starszej klasie, znów rozradowany Wołodia z dwoma kolegami. Kolejna fotografia: szczupły, z czarną bujną czupryną, gra na gitarze podczas szkolnego występu. Przyznaje, że był wtedy fanem rock'n'rolla i Beatlesów. Zełenski lubił, gdy oczy wszystkich były zwrócone na niego.

Ledwo przyszedł do szkoły, a nauczyciele od razu spostrzegli też inną jego cechę: był niesamowicie wygadany, usta mu się nie zamykały, a już absolutnie nie można było o nim powiedzieć, że jest dzieckiem wstydliwym. Zawsze mówił głośno to, co miał na myśli, nigdy nie gryzł się w język.

– Nie zastanawiał się, czy można coś palnąć czy nie, jak zareagują inni, nic z tych rzeczy – opowiadała wicedyrektorka szkoły Walentyna Ignatienko telewizji Hromadske.

Jego kolega Andrij Zasławski wspomina, że poczucie humoru Wołodia często prezentował podczas zajęć.

– Właściwie każda lekcja stawała się wyjątkowa, kiedy nauczyciel choćby wezwał Zełenskiego do tablicy. W odpowiedź z chemii czy geometrii Wowa wplatał nieoczekiwane dowcipy, humorystyczne aluzje, po których cała klasa się śmiała, choć nauczyciele nie bardzo rozumieli, o co chodzi. Nie bardzo wiedzieli także, jak reagować. Karać chłopaka za to, że odpowiedział na trudne pytanie, ale jednocześnie rozbawił klasę? W efekcie często zajęcia w klasie Zełenskiego zaczynały się od apelu nauczyciela: „Słuchajcie, potraktujmy dzisiejszą lekcję poważnie".

W szkole Wołodia nie był chuliganem, ale bywał łobuziakiem. Przyznaje, że ręce miał często poobijane, gdyż „walczył o sprawiedliwość". Nauczyciele twierdzą, że nie musieli wzywać rodziców Zełenskiego do szkoły przez złe zachowanie syna. On sam jednak przyznaje, że nie był święty.

– Zakłócenie lekcji było dla mnie drobnostką. Podobnie jak oszukanie klasy, że tego dnia zostałem wyznaczony jako odpowiedzialny za sektor kultury masowej, i zabranie wszystkich kolegów do kina – wspominał w 2006 roku w pamiętnym wywiadzie.

Bywało, że oszukiwał też rodziców, chociaż miał na to wytłumaczenie: wolał nie sprawiać im przykrości. Matka pragnęła, by syn nauczył się dobrze grać na pianinie, bo w domu stał instrument: „Skoro jest pianino, ktoś musi na nim grać".

– Nie chciałem denerwować rodziców, więc przez dwa lata opowiadałem im o swoich bezprecedensowych osiągnięciach w nauce muzyki klasycznej. I żeby kłamstwo wyglądało bardziej przekonująco, na koniec każdego miesiąca brałem od nich dwadzieścia dwa ruble na lekcje gry – opowiadał w wywiadzie. – Wraz z kolegami robiliśmy z tych pieniędzy godny użytek. – Przyznawał, że jego palce i poobijane dłonie nie nadawały się wtedy do uderzania w klawisze. Kiedy prawda wyszła na jaw, ojciec pacnął Wołodię kapciem – paska w ich domu się nie używało – ale pogodził się z tym, że o pianistycznej karierze syna można zapomnieć.

W szkole Wołodia siedział w środkowym rzędzie, w drugiej–trzeciej ławce. Był niewysoki, więc nigdy nie siadał na końcu klasy.

Wspomina, że żałował, że nie jest wyższy, bo wtedy mógłby bardziej podobać się dziewczynom. One jednak i tak się w nim podkochiwały. W gimnazjum panował zwyczaj, że uczniowie starszych klas opiekują się młodszymi dziećmi i przygotowują im jakieś zajęcia. Wszystkie dziewczynki z klasy, którą zajmował się Zełenski, były nim zafascynowane.

– Nic w tym dziwnego, bo przy nim zawsze było fajnie, a nie nudno – wspomina Andrij Zasławski. – Prowadziliśmy fascynujące rozmowy. O tych rzeczach, o których dzieci i młodzież zwykle nie rozmawiają w tak młodym wieku. Często były to rozmowy na poważne tematy, o tym, co się dzieje w kraju. On miał przemyślane opinie.

– Dziewczyny kochały się w Wowie, marzyły o spędzaniu z nim wieczorów i zawsze do niego lgnęły. Co tu zresztą mówić, skoro nawet moja szkolna miłość, Olia, codziennie mnie pytała: „Czy Wowa będzie? Co tam u niego słychać?" – wspomina z uśmiechem kolega Wołodii.

Kiedy byli w dziewiątej klasie, nauczycielka literatury zaproponowała, żeby uczniowie wystawili sztukę Gogola *Ożenek*. Zełenski grał rolę asesora Iwana Jajecznicy.

– To była rola drugoplanowa, a jednak po zakończeniu spektaklu właśnie on otrzymał kwiaty – wspominała Walentyna Ignatienko w programie Barbary

Włodarczyk. – Zawsze chciał być i był w centrum uwagi.

Obserwując zaangażowanie Wołodii w szkolne inicjatywy artystyczne, jego koleżanki i koledzy od zawsze wiedzieli: on będzie występować na scenie! Cokolwiek by tam wyczyniał: śpiewał, tańczył czy opowiadał humorystyczne historie – musi być artystą. A on robił wszystko, by taki cel osiągnąć. Bardzo lubił śpiewać, co zresztą wśród Ukraińców nie jest czymś niezwykłym. Kiedyś z Andrijem Zasławskim wracali wieczorem z teatru, a ponieważ tramwaj się zepsuł, poszli przez nocne miasto na pętlę, wsiedli do wagonu i żeby nie dłużył im się czas, zaczęli śpiewać *Yesterday* Beatlesów.

W dziewiątej klasie zaproponował kolegom: – A może założymy zespół? – Zebrała się grupka chętnych. Ktoś grał na gitarze klasycznej, Zełenski na basowej, była też wokalistka. – Kiedyś przygotowali utwór, w którym Zełenski śpiewał na dwa głosy z rówieśnicą z klasy – wspomina wicedyrektorka Walentyna Ignatienko w rozmowie z ukraińską telewizją internetową Hromadske – Nie miał najlepszego słuchu, ale się przykładał. Chodził na próby gry i śpiewu, oswajał się, ćwiczył, aż wreszcie wszystko świetnie wyszło – dodaje Ignatienko. W efekcie jego zespół wystąpił poza szkołą, na imprezie zwanej Amatorską Dzielnicą Sztuki.

W klasie maturalnej Zełenski założył szkolne koło KWN (od rosyjskiego *Kłub Wiesiełych i Nachodcziwych* – Klub Zabawnych i Pomysłowych). Powstały dwie drużyny: uczniów i nauczycieli, które miały rywalizować ze sobą na scenie – kto zaprezentuje dowcipniejszy program. Uczniowie oczywiście nie przepuścili okazji do żartów z grona pedagogicznego. – To była jedyna okazja odegrania się na nich. Gdybyśmy z nimi przegrali, to bym chyba złamał sobie rękę o pokrywę fortepianu. To nie mogło się wydarzyć. Przegrana – to gorsze od śmierci – śmiał się Zełenski, wspominając te czasy w programie *Kwartał i jego drużyna*. Po odejściu Wowy ze szkoły ta uczniowsko-nauczycielska rywalizacja w KWN była kontynuowana bez przerwy przez 15 lat.

Dziennikarzom odwiedzającym szkołę Walentyna Ignatienko pokazuje dziennik z ocenami na zakończenie szkoły. Wołodymyr Zełenski ma niemal same piątki, od góry do dołu. Tylko z dwóch przedmiotów dostał czwórki: z języków ukraińskiego oraz rosyjskiego.

Krzywy Róg, leżący we wschodniej Ukrainie, był i jest w przeważającej mierze miastem rosyjskojęzycznym. W takim języku również mówiło się w domu Zełenskich. Po ukończeniu gimnazjum w 1995 roku Wołodymyr potrafił posługiwać się ukraińskim, ale na średnim poziomie. Porządnie nauczył się języka wiele lat później, w 2017 roku, kiedy był u szczytu kariery w show-biznesie i kiedy zapewne już myślał o wejściu do polityki. Sprawa języka – ukraiński czy rosyjski – była, i zresztą nadal jest, przedmiotem debat politycznych w Ukrainie. We wschodniej jej części jednak nie przykładano do tej kwestii aż takiej wagi. Tu ludzie czuli się Ukraińcami, nawet jeśli w domu mówili po rosyjsku, jak to było u Zełenskich.

Na korytarzu szkolnym wisi tablica z wizerunkami słynnych i wyróżniających się absolwentów szkoły, oczywiście jest również zdjęcie Wołodii Zełenskiego. I jego dyplomy, między innymi za zwycięstwo w szkolnym konkursie tańca towarzyskiego. Ma służyć za wzór kolejnym pokoleniom uczniów Gimnazjum nr 95.

Wśród wszystkich cech, jakimi Wowa Zełenski wyróżniał się w szkole, jedna była wyjątkowo istotna.

– Szczególnie mnie uderzyła jego skłonność – absolutnie niezwykła jak na ten wiek – do interesowania się samopoczuciem kolegów z klasy, przyjaciół, znajomych. Wowa podchodził do każdego lub usiadł przy biurku i pytał: „No, jak się masz dzisiaj?" – wspomina Andrij Zasławski. – Co więcej, to pytanie brzmiało tak szczerze i dociekliwie, że naprawdę chciałem na nie odpowiedzieć! „Opowiedz o swoich problemach, ze wszystkimi szczegółami" – mówił. Zawsze był osobą, której nie są obojętne nastrój i kondycja otaczających go ludzi. To zainteresowanie sprawami innych spowodowało, że Zełenskiego traktowano jak wyjątkowego kolegę, psychologa, a może nawet klasowego psychoterapeutę. Jak osobę, której zawsze możesz opowiedzieć o czymś osobistym i ważnym dla ciebie, czym nikt inny nie musi być zainteresowany. W późniejszych latach wielu jego znajomych podkreśli niezwykłą charyzmę Zełenskiego i jego dar przekonywania. Brało się to zapewne stąd, że od najmłodszych lat potrafił słuchać innych.

– On lubił dzieci, a dzieci lubiły jego – opowiadała Rimma Zełenska w programie *Kwartał i jego drużyna*. – Już w przedszkolu i na podwórku miał wokół siebie wianuszek rówieśników, którzy traktowali go jak przywódcę grupy – dodaje.

– Były to tak wyjątkowe cechy, że uznawano, iż Wowa nie jest przeciętnym chłopakiem – uważa Zasławski.

Rówieśnicy pamiętają, że rozmowy z nim nie były błahe. Jego konikiem były oczywiście dziedziny artystyczne. Mógł godzinami rozprawiać o kinie, teatrze, kreacjach aktorskich, zastanawiać się, czy dana rola została zagrana tak jak należy.

– Uwielbialiśmy z nim rozmawiać, a rozmowa mogła ciągnąć się bardzo długo.

Kiedyś Zasławski rozmawiał z Wołodią, porównując ich kraj do innych, bogatszych. – Dlaczego ludzie mieszkający w naszym kraju, którzy wykonują dokładnie taką samą pracę jak w wysoko rozwiniętych krajach świata, otrzymują znacznie niższe wynagrodzenie? – pytał

Zełenski. – Zwłaszcza jeśli ta praca jest twórcza, jeśli mówimy o tych samych aktorach lub muzykach? No, czy to normalne? – pytał nastoletni Zełenski.

Korzenie

Rówieśnicy byli przekonani, że Wołodia musi zostać aktorem, generalnie – artystą. On sam jako nastolatek miał różne pomysły na przyszłość, a jeden z nich wywołał ostrą kłótnię, wręcz awanturę, z ojcem.

Było to w 1994 roku, kiedy Wołodia miał 16 lat i wszedł w okres młodzieńczego buntu. Jako uczeń klasy z poszerzonym angielskim, młody Zełenski zdawał egzamin językowy TOEFL. Egzamin odbywał się w mieście Dniepropietrowsk, od 2016 roku Dniepr. Dla chłopaka z przemysłowego Krzywego Rogu to milionowe miasto z nowoczesnymi budynkami, leżące nad szeroko rozlaną rzeką, wydawało się innym światem. Jak sam mówił – wtedy dla niego to była zagranica.

Wołodia pojechał na egzamin z koleżanką, Inką Kowaliową. Jak wspominał w wywiadzie dla Dmytro Gordona, napisał test najlepiej z przedstawicieli swojego okręgu i ze zwycięzcami z innych okręgów otrzymał stypendium na bezpłatne studia w Izraelu.

– Zdałem test, mogę jechać na stypendium do Izraela – uszczęśliwiony zakomunikował rodzicom po powrocie.

– Nie pojedziesz – odparł ojciec.

– Dlaczego? Wszyscy, którzy zdali test, jadą i ja też chcę! – argumentował Wołodia.

– Po moim trupie! – zapowiedział ojciec.

Wybuchła wielka kłótnia. Wołodia krzyczał, wygrażał, rzucał w ojca kapciami – a ojciec rzucał w niego. Starszy Załenski był niewzruszony, więc syn wyprowadził się do domu najlepszego przyjaciela, Saszy Pikałowa. Ojciec pozostał nieugięty.

Dlaczego ojciec nie chciał wysłać nastoletniego syna do Izraela? Za rok Wołodia miał kończyć szkołę i aplikowałby na studia. Rodzice marzyli, aby został studentem prawa krzyworoskiego instytutu, który stawał się wtedy filią Uniwersytetu Kijowskiego.

Może był jeszcze inny powód? Początek lat 90. był naznaczony masowym exodusem ludności pochodzenia żydowskiego z obszaru byłego ZSRR do Izraela. Ludzie wyjeżdżali z powodu dającej się czasami odczuć dyskryminacji, jak również w poszukiwaniu lepszych warunków życia. Ołeksandr Zełenski i jego żona Rimma, oboje o żydowskich korzeniach, mogli mieć obawy, że ich jedyny syn po wyjeździe na stypendium może na stałe osiąść w Izraelu. Wówczas zostaliby sami w Ukrainie.

Trudno powiedzieć, czy to było głównym motywem, gdyby jednak wtedy Wołodia wyjechał, być może nie byłoby znakomitego aktora i prezydenta Zełenskiego?

Z drugiej strony rodzice zapewne pamiętali dyskryminowanie przez sowiecką władzę ludzi takich jak oni i rodzin mających pochodzenie żydowskie. Dyskryminacja nasiliła się zwłaszcza w epoce stalinizmu, ale po cichu istniała i później. W czasach ZSRR dla osób pochodzenia żydowskiego najwyższe szczeble kariery państwowej były bardzo trudno osiągalne, jeśli nie całkowicie niedostępne. Dlatego wielu stawiało na solidne wykształcenie, zwłaszcza w naukach ścisłych czy inżynieryjnych, i budowanie pozycji społecznej w taki sposób. Tego typu studia wybrali dla siebie zarówno Ołeksandr, jak i Rimma. Czy taką karierę widzieli również dla syna?

O swoim żydowskim pochodzeniu Wołodymyr Zełenski mówił niewiele. Zapytany o tę sprawę w jednym z wywiadów, z uśmiechem i właściwą sobie ironią odpowiedział: – Pochodzenie żydowskie zajmuje dopiero dwudzieste miejsce na liście moich grzechów. – Po wyborze na prezydenta Ukrainy w wywiadzie dla izraelskiej gazety „The Times of Israel" mówił: – Pochodzę ze zwykłej sowieckiej rodziny żydowskiej. Mam żydowską krew, a jestem prezydentem. Nikogo to nie obchodzi. Nikt mnie o to nie pyta.

W dzisiejszej Ukrainie uprzedzenia wobec Żydów są właściwie marginesem, pojawiają się wśród skrajnych grup, które spotyka się w każdym kraju. Z sondaży wynika, że mieszkańcy Ukrainy są narodem najbardziej akceptującym Żydów spośród społeczeństw krajów Europy Środkowej i Wschodniej.

Niezależnie od faktu, że Zełenski bagatelizował w wywiadach sprawę swojego pochodzenia, to musiało ono odcisnąć pewien ślad na jego życiu. Dziadek Wołodymyra Zełenskiego ze strony ojca, Simon (później Semion), urodził się w 1924 roku, kiedy Krzywy Róg miał około 30 tysięcy mieszkańców, z czego jedną piątą stanowili Żydzi.

Ten region Ukrainy to tradycyjne miejsce osiedlania się Żydów w dawnym imperium rosyjskim. Już w końcu XVIII wieku Krzywy Róg został zaliczony przez władze carskie do tak zwanej strefy osiedlenia dla ludności żydowskiej. Utworzono ją 23 grudnia 1791 roku na mocy ukazu carycy Katarzyny II, wydanego w celu powstrzymania migracji Żydów na ziemie – jak to nazwano – „rdzennie rosyjskie". Jednocześnie zabroniono Żydom osiedlania się na wsi, nawet w obrębie strefy osiedlenia. W 1882 car Aleksander III wprowadził prawa majowe, które zabraniały Żydom zamieszkania także w miejscowościach poniżej tysiąca mieszkańców. Krzywego Rogu to prawo nie dotyczyło, dlatego przez długi czas miasto stanowiło centrum populacji żydowskiej w regionie. Jeszcze w 1900 roku Centralna Synagoga była najwyższym budynkiem w mieście. W 1897, według oficjalnych danych, w mieście żyło 2672 Żydów, 18 procent całej ludności.

Wraz z ustanowieniem reżimu sowieckiego w mieście zlikwidowano żydowskie instytucje. Praktykowanie religii mojżeszowej – podobnie zresztą jak innych – zostało zakazane. Co więcej, według propagandy stalinowskiej Żydzi byli uznawani za „wykorzenionych kosmopolitów" – dla opresyjnej władzy byli grupą mocno podejrzaną.

Po ataku Hitlera na ZSRR w 1941 roku tereny południowej Ukrainy zostały zajęte przez Niemców, którzy rozpoczęli eksterminację ludności pochodzenia żydowskiego. Jesienią 1941 roku w Babim Jarze na obrzeżach Kijowa w ciągu zaledwie kilku dni Niemcy rozstrzelali 33 771 Żydów. Zagłady dokonywali także w innych miejscowościach.

W Krzywym Rogu Niemcy wymordowali całą ludność żydowską pozostałą w mieście. Rodzinę Zełenskiego spotkał inny los. – Mój dziadek ze strony ojca, Semion, i jego trzej bracia byli na froncie [w Armii Czerwonej] podczas II wojny światowej i tylko on przeżył – opowiadał Wołodymyr Zełenski izraelskiej gazecie „The Times of Israel" w 2020 roku. – Babcia mieszkała w Krzywym Rogu, w okupowanej przez faszystów części południowej Ukrainy. Zabijali wszystkich Żydów. Uratowała się, gdyż jej rodzina zdążyła wyjechać w ramach ewakuacji Żydów do Ałmaty w Kazachstanie. Uciekło tam wielu. Studiowała, została nauczycielką. Po wojnie wróciła do Krzywego Rogu – dodawał.

Ojciec Wołodymyra, Ołeksandr Zełenski, urodził się w 1947 roku.

Dziadek, Semion Zełenski, w czasie wojny został dwukrotnie odznaczony za bohaterstwo w walkach z Niemcami. To jednak nie oznaczało, że po wojnie rodzinie pochodzenia żydowskiego było lżej. W ZSRR wbijano do dowodów osobistych odpowiednią adnotację. W przypadku wielu innych narodowości – łotewskiej, białoruskiej czy choćby ukraińskiej – na terytorium Związku Sowieckiego można było praktykować jakieś elementy kultury ludowej, lecz Żydom tego zabraniano. Zwłaszcza praktykowania zwyczajów religijnych.

Urodzona w 1950 roku matka Zełenskiego – Rimma – również pochodzi z rodziny żydowskiej. Jej rodzice z kolei starali się zachować zwyczaje religijne, świętowali szabat. Ona w swoim małżeństwie już tego nie praktykowała.

W domu Zełenskich zawsze bardzo szanowało się pamięć o przodkach. Ojciec Wołodymyra między innymi z tego powodu nie chciał przenieść się do Kijowa, gdy syn zaczął robić karierę w stolicy. – Powinno się mieszkać tam, gdzie są groby rodzinne – mówił.

– Jestem wdzięczny rodzicom za to, że nie opuścili Krzywego Rogu, że wychowywałem się tu, gdzie spoczywają moi bliscy – mówił Wołodymyr w wywiadzie dla Dmytro Gordona. W 2019 roku, w Dzień

Zwycięstwa, już jako prezydent Ukrainy przyjechał z kwiatami na grób dziadka, Semiona, w Krzywym Rogu. Na czarnym marmurowym nagrobku widnieje relief dziadka w mundurze Armii Czerwonej z odznaczeniami.

Chociaż po upadku ZSRR można było powrócić do praktykowania zwyczajów żydowskich, rodzina Zełenskich pozostała niereligijna. Później Wołodia zaczął jednak wierzyć w Boga, ale temat ten – jak sam mówił – pozostaje dla niego najbardziej intymną sferą. – Miałem inne nastawienie, kiedy byłem chłopcem, a inne mam teraz. Nigdy nie mówię o religii i nigdy nie mówię o Bogu, ponieważ to dla mnie sprawa osobista. Oczywiście wierzę w Boga. Ale rozmawiam z nim tylko w tych momentach, które są dla mnie prywatne, ważne, i kiedy czuję się dobrze – opowiadał dalej w wywiadzie. Przyznał wtedy, że nie odwiedza świątyni żadnego wyznania. – Wydaje mi się, że ludzie nie idą do kościoła czy cerkwi jako do budynku, lecz chodzą tam po coś. Jedni potrzebują spotkania z księdzem, dialogu, wyspowiadania się. Często rozmawiałem z Bogiem, kiedy moja córka była mała. Gdy zasypiała, siadałem przy jej łóżku i opowiadałem Bogu o swoich problemach – mówił.

W 2014 roku Zełenski ochrzcił swojego syna Kiryła w jednej z najstarszych cerkwi w stolicy Ukrainy. W prezencie dziecko otrzymało chrześcijańską Biblię i krzyżyk na łańcuszku. Czy to znaczy, że Zełenski czuje się chrześcijaninem? Tego nigdy nie powiedział.

Wybór studiów

Kiedy w ostatnich latach szkoły – w 1994 i 1995 roku – Wołodymyr zastanawiał się nad kierunkiem studiów, myślał o swoich zainteresowaniach. Liczyły się także jego predyspozycje intelektualne. W gimnazjum był jednym z najlepszych uczniów. Chociaż wiele czasu poświęcał na przeróżne dodatkowe zajęcia: występy artystyczne, kółka teatralne, koncerty, to błyszczał w nauce. Miał zamiłowanie do przedmiotów humanistycznych, jednak nie mógł w żadnym wypadku odpuścić sobie matematyki. Dla jego ojca, z wykształcenia matematyka, byłoby to nie do przyjęcia. – Ojciec nauczył mnie logicznego myślenia – powiedział później.

Raz z powodu matematyki doszło nawet do spięcia, kiedy Wowa dostał kilka słabszych ocen. Wtedy ojciec raz w życiu uderzył Wołodię. – To było wtedy, kiedy Wołodia zainteresował się KWN i narobił sobie zaległości z arytmetyki – opowiadał Ołeksandr Zełenski w ukraińskiej telewizji TSN. – Do dzisiaj żałuję, że go wtedy uderzyłem – mówił zawstydzony ojciec późniejszego prezydenta Ukrainy. Po ojcowskiej reprymendzie Wołodia wziął się jednak w garść i w kilka dni uzupełnił braki.

Wszyscy koledzy w szkole przewidywali, że Wołodymyr wybierze studia artystyczne. On sam jednak marzył o dyplomacji. – Chciałem być dyplomatą. Miałem możliwości i zdolności – powie później w programie *Kwartał i jego drużyna*. Rodzice jednak byli tym zaniepokojeni. Studia dyplomatyczne oznaczały, że syn musiałby wyjechać, dostać się do Instytutu Spraw Międzynarodowych Uniwersytetu w Kijowie albo trafić do Moskwy, gdzie była dyplomatyczna uczelnia MGIMO, słynna jeszcze za czasów ZSRR.

– Wowa, ale dokąd chcesz jechać? Tak daleko? Czasy są trudne. – Rodzice nie wykazywali entuzjazmu.

Zełenski wyjaśniał, że chodziło im między innymi o korupcję – mówiło się, że potrzebne są łapówki, żeby dostać się na prestiżowe studia. A w ich rodzinie łapówka nie wchodziła w grę.

Z drugiej strony Wołodia czuł presję rodziców, a zwłaszcza ojca, by kontynuować naukę na wyższej uczelni. – Ojcu bardzo zależało, żebym skończył prawniczy kierunek studiów i miał później własne osiągnięcia – mówił Zełenski.

Kiedy zastanawiał się, na jakie studia iść, rodzice sugerowali uczelnię, w której pracował ojciec – Krzyworoski Instytut Technologiczny. W tamtym czasie Instytut stawał się właśnie filią Kijowskiego Narodowego Uniwersytetu Ekonomicznego, placówki, która dawała prestiż. Wołodymyr wybrał więc wydział prawa na tej uczelni. Ważne było to, że na egzaminie wstępnym zdawało się tam tylko angielski i prawoznawstwo, a z tych przedmiotów czuł się pewnie i właściwie nie musiał się specjalnie przygotowywać.

Wybór był zgodny z sugestiami rodziców, jednak i tak nie obyło się bez rodzinnych perturbacji. Jego ojciec był wykładowcą na wydziale cybernetyki tego samego Instytutu. Do głosu doszła jego bezkompromisowość i zasady honorowe. Nie przeżyłby sytuacji, gdyby ktoś kiedykolwiek zasugerował, że syn dostał się na studia dzięki wsparciu ojca. Dlatego w roku, w którym Wołodia zdawał egzamin na studia, postanowił wyjechać z kraju. Pojechał na roczny kontrakt do Mongolii, gdzie pracował przed laty.

– On wcale nie zamierzał jechać do Mongolii – opowiadał Zełenski o ojcu Gordonowi. – W poprzednich latach wielokrotnie dzwonili do niego i proponowali: „Przyjedź Sasza, pracuj u nas". Zawsze odmawiał, tłumacząc się słabym zdrowiem. A w tym roku sam zadzwonił i zapytał, czy nie mają dla niego pracy. Byle tylko nikt nie pomyślał, że wpłynął na przyjęcie mnie na studia.

– No, poszedłem na te studia i chciałem szybko zmienić kierunek, ale tak się złożyło, że już na pierwszym roku studiów wszedłem do KWN i już nigdzie się nie ruszyłem – powie w programie *Kwartał i jego drużyna*. Zamiast studiów dyplomatycznych lub związanych ze sceną młody Wołodymyr Zełenski skończył studia prawnicze. Jak to w życiu bywa, nie przepracował w wyuczonym zawodzie ani jednego dnia. Studia na tym kierunku stały się za to dla niego trampoliną do kariery artystycznej.

II

Kabaret

Od pierwszych sukcesów do pierwszego zakrętu

W TYM ROZDZIALE

Na studiach został wysłany do obserwacji rozprawy sądowej. Od razu poczuł, że to nie to: ta scena będzie dla niego za mała. Raptem sędzia, obrońca, oskarżony, świadek.

Jego pierwsza grupa kabaretowa rozpadła się, bo koledzy bali się połączenia z bardziej doświadczonym zespołem. Wołodia zaryzykował. Zaprzyjaźnił się wtedy z braćmi Szefirami i razem wygrali w Moskwie najpopularniejszy program rozrywkowy.

Przy okazji wyborów prezydenckich w Ukrainie, zorganizowano grę dla studentów. Zwycięzca zostawał prezydentem wydziału. Zełeński pokonał kontrkandydatów. Gdy chciał być pierwszy, był.

Jako młody chłopak dostał ofertę pracy w Moskwie w firmie ze szczytu show-biznesu. O takiej karierze marzyło wielu. Odmówił, bo ceną byłoby porzucenie przyjaciół z zespołu kabaretowego.

Tut buw Wowa Ze („Tu był Wowa Z.") – taki napis po ukraińsku krótko po tym, jak Zełenski został prezydentem, ktoś nabazgrał białą kredą przy drzwiach wejściowych do dawnego Centrum Kultury „Współczesny" przy Alei Gagarina 46 w Krzywym Rogu.

Wowa to zdrobnienie od imienia Wołodia – Wołodymyr. *Ze* to inicjał nazwiska Zełenski. Właśnie tu początkujący student prawa ekonomicznego Wołodia Zełenski wraz z kolegami układał pierwsze żarty do studenckiego kabaretu.

W drugiej dekadzie obecnego stulecia budynek centrum, zbudowany jeszcze w socjalistycznej architekturze czasów sowieckich, został zamknięty na głucho. Przed drzwiami wejściowymi walały się kawałki szkła z wybitych szyb. Wciąż dobrze zachował się mural w kolorach umbry i beżu, w konwencji sowieckiej sztuki ulicznej, ukazujący ludzi pracy, mężczyzn i kobiety w strojach, które nawiązują do ludowej kultury ukraińskiej. Pod muralem wymalowano współczesne graffiti.

Switłana Sowa była kierowniczką miejscowej kawiarni. Pamięta, że studenci – wśród nich Zełenski – przychodzili tu, ale prawie nigdy nic nie kupowali, bo nie mieli pieniędzy. Nikt ich jednak nie wyganiał – stanowili miłe i wesołe towarzystwo. Kiedy już coś zamawiali, Wołodia Zełenski brał bułkę zapiekaną z serem. W rozmowie z telewizją TSN Sowa wspomina, że to była jego ulubiona potrawa.

Pamięta też jeden z pierwszych żartów, którymi ją tu rozbawił. Gdy podeszła do stolika, zagadnął ją:

– A wie pani, jak zostać gwiazdą?

– Nie wiem.

Wowa wstał, stanął w rozkroku i rozłożył ręce szeroko na boki, wyprostował głowę.

– Ot i gwiazda – powiedział.

Czy już wtedy przeczuwał, że w ciągu kilku lat zostanie najbardziej rozpoznawalną postacią show-biznesu w Ukrainie i zyska wielką popularność w innych krajach byłego Związku Sowieckiego, także w Rosji? Mógł marzyć o takiej przyszłości. Nie wiedział, jak potoczy się jego kariera, jednak – jak zawsze, tak i tym razem – stawiał sobie zadania wymagające wysiłku. Takim wyzwaniem było wstąpienie na pierwszym roku studiów do Studenckiego Teatru Miniatur Estradowych – STEM [*Studentskyj Teatr Estradnych Miniatiur*].

Jak mówił później w wywiadach, sukcesy osiągnął dzięki własnej pracy i determinacji. Dodać trzeba jeszcze jedno – dzięki odwadze podejmowania ryzyka, którego się nie bał, gdy widział szansę na sukces. Być może ta cecha jest najważniejsza w całej jego karierze – w show-biznesie i później, w polityce.

Studencki Teatr Miniatur Estradowych był pierwszym sprawdzianem jego talentu.

W STEM występowali, przygotowywali program na studenckie konkursy. W końcu zawiodło ich to do progów prawdziwego show-biznesu – KWN.

To były romantyczne i szalone lata. Studenci z kabaretu zbierali się w rodzinnych domach i w swoich pokojach, a czasami na balkonach i do białego rana wymyślali skecze, piosenki, układali program. – Och, jego przyjaciele byli tu przez cały czas! Tutaj, w salonie i w jego pokoju odbywały się próby. Najpierw szkolnego KWN, a następnie w instytucie – opowiadała Rimma Zełenska „KP w Ukrainie".

– Czasami brali gitarę i coś komponowali. Przesiadywali tu bez końca – jedli, nocowali – opowiadała pani Rimma.

Klub Zabawnych i Pomysłowych to już była wysoka liga – prawdziwy test zdolności Zełenskiego i droga do sławy. Aby to pojąć, trzeba zrozumieć, czym jest i był ten program dla telewidzów w Rosji i krajach powstałych po rozpadzie ZSRR.

Ten telewizyjny show powstał w 1961 roku, jeszcze w Związku Sowieckim. Jako jedna z nielicznych audycji rozrywkowych na obszarze ZSRR program KWN szybko zaczął przyciągać przed ekrany wielką widownię. Od początku występują w nim amatorskie zespoły młodzieżowe, głównie studenckie, które rywalizują o zwycięstwo, przedstawiając dowcipne stand-upy, odpowiadając na zabawne pytania, odgrywając skecze i pokazując wielkie spektakle z udziałem dziesiątków aktorów i tancerzy. Jeden z punktów konkursu polega na tym, że dana drużyna musi dowcipnie odpowiedzieć na pytania zadane przez inną. A to wymaga niezwykłej inteligencji, ciętego humoru i błyskawicznej reakcji.

Ten niezwykle popularny program zawieszono w 1972 roku, gdyż studenckie żarty zaczęły się wymykać komunistycznej cenzurze spod kontroli i mogły wywołać niepożądane nastroje. KWN wrócił na antenę dopiero w 1986 roku, kiedy Michaił Gorbaczow ogłosił pierestrojkę i poluzowanie żelaznego ucisku aparatu przymusu.

Widzowie tylko na to czekali. Popularność KWN odżyła z ogromną siłą, a program został pomyślany jako turniej grup kabaretowych. Zespoły w różnych częściach Rosji, ale i spoza jej granic, rywalizują w regionalnych ligach o awans do Premier Ligi, a stamtąd – sami najlepsi – trafiają do Ligi Wyższej, transmitowanej na całym rosyjskojęzycznym obszarze posowieckim. Finał, w którym najlepsze drużyny walczą o laur zwycięstwa, ogląda na żywo nawet około pięciu milionów telewidzów. To niemal tyle, co edycje amerykańskiego *Mam Talent* z 2020 i 2021 roku.

KWN jest ogromnie popularny nie tylko w Rosji, ale też w krajach dawnego ZSRR, w których język rosyjski jest wciąż powszechny. Wysoka oglądalność sprawia, że przy KWN lansują się też politycy. W latach 90. na finałowej gali w Moskwie pojawiał się Borys Jelcyn, a w 2013 roku z finalistami programu na estradzie pokazał się Władimir Putin.

Wśród byłych laureatów również roi się od znanych postaci estradowych Rosji i krajów ościennych. Byli nimi między innymi białoruski piosenkarz Petr Elfimow, który potem reprezentował swój kraj na festiwalu piosenki Eurowizji w Moskwie w 2009 roku, Leonid Słucki – późniejszy trener wielu znanych klubów piłkarskich, czy Giennadij Ziuganow, który później zostanie liderem partii komunistycznej Rosji w latach 90. Jednym słowem, udział w finale KWN dawał natychmiastową rozpoznawalność w całym rosyjskojęzycznym obszarze posowieckim.

Wołodymyr Zełenski trafił do KWN przede wszystkim dlatego, że zawsze chciał czegoś więcej. Być może właśnie ta cecha popchnęła go później w kierunku rywalizacji o najwyższe stanowisko w kraju. Wtedy jednak, w połowie lat 90., marzył, by zostać gwiazdą estrady. Marzenia nabrały realnego wymiaru dzięki pewnemu spotkaniu, do którego doszło w Krzywym Rogu w 1995 roku.

Po jednym z występów do Zełenskiego podeszli bracia Borys i Serhij Szefirowie – oni również wywodzili się z Krzywego Rogu, a działali w zespole kabaretowym Krzywy Róg Tramps oraz Zaporoże-Krzywy Róg-Tranzyt.

– Pogadajmy o współpracy – zaproponowali. – Podobał się nam wasz program. Dołączcie do nas i grajmy w jednym zespole. Mamy szansę podbić ligę KWN – przekonywali.

Bracia Szefirowie byli znacznie starsi od Wołodii, studenta pierwszego roku – Borys miał wtedy 35 lat, Serhij – 31. Pochodzili z rodziny inteligenckiej, podobnie jak Zełenski. Nachman Szefir, ich ojciec, był absolwentem Instytutu Górnictwa w Krzywym Rogu i wynalazcą. W czasie wojny walczył w Armii Czerwonej, a po wojnie – przeciw banderowcom w Zachodniej Ukrainie. Jak pisze Serhij Rudenko w książce *Zełenski bez makijażu* [*Zelenskij bez hrymu*], Nachmanowi – podobnie jak Ołeksandrowi Zełenskiemu – marzyło się, że synowie zdobędą godne wykształcenie i będą piastować ważne stanowiska.

Oni śnili o karierze w show biznesie. Mieli ambicje, by wystąpić w finale KWN. Bracia Szefirowie czuli jednak, że w ich zespole brakuje świeżej krwi. W 1995 roku bacznie przyglądali się studenckiemu teatrowi STEM, w którym występował Wołodia, świeżo upieczony student.

– W pewnym momencie „staruszkowie" z zespołu Tranzyt uznali, że trzeba odmłodzić zespół – wspominał później Serhij Szefir. Poczuli, że brakuje im sił, nowych pomysłów, kreatywności.

Wołodia Zełenski, który miał dar pisania scenariuszy, był podekscytowany propozycją braci Szefirów. Jednak koledzy z grupy STEM podeszli do sprawy sceptycznie.

– Artyści z Tranzytu byli starsi, doświadczeni, chcieli wnieść coś ożywczego do swojego zespołu i dlatego wystąpili z taką ofertą – wspominał Zełenski. Już wtedy widział, że połączenie wiązało się z ryzykiem, ale było też szansą. Więcej kreatywnych ludzi to potencjalnie bogatszy i bardziej różnorodny program, lepsze pomysły, większa szansa na sukcesy w upragnionej lidze KWN. Można się wybić i pokazać naprawdę szerokiej publiczności. Pod warunkiem, że jesteś dobry. W przeciwnym razie ryzykujesz marginalizację.

Wołodia wiedział, że jest dobry. A dodatkowo nigdy nie bał się ryzyka. I podobnie jak w latach szkolnych, tu również chciał być pierwszy.

Wtedy nastąpił rozłam w zespole STEM. Większość obawiała się, że znikną wśród starych wyjadaczy z Tranzytu. W efekcie do nowej grupy przystał tylko on i jeszcze jedna osoba.

Z pierwszej grupy kabaretowej – STEM – odszedł więc w dość przykrych okolicznościach. Często jednak to, co w pierwszej chwili wydaje się niepowodzeniem, w dalszej perspektywie okazuje się najlepszym rozwiązaniem. To był właśnie ten przypadek. Połączenie z grupą Tranzyt było niezwykle brzemienne w skutki i kluczowe dla całej późniejszej kariery Wołodymyra Zełenskiego. A związek z braćmi Szefirami przerodził się w przyjaźń i przetrwał kolejne dekady – aż do wejścia w politykę. I – zapewne ku satysfakcji Nachmana Szefira i Ołeksandra Zełenskiego – ich synowie sięgnęli w końcu po ważne stanowiska. Wołodymyr Zełenski niespełna 25 lat później został prezydentem Ukrainy, a młodszy z braci Szefirów – pierwszym doradcą prezydenta.

Wtedy jednak, w drugiej połowie lat 90., żaden z trójki młodych ludzi nawet nie myślał o poważnych posadach. Interesował ich wyłącznie sukces w lidze KWN. Nowa ekipa pod nazwą Zaporoże-Krzywy Róg-Tranzyt, z dziewiętnastoletnim Wową Zełenskim w składzie, szła jak burza przez kolejne rundy Ligi Wyższej KWN.

– Wołodia nie był wtedy znanym aktorem. Początkowo pomagał ustawiać choreografię, objaśniał starszym kolegom, jak teraz tańczy młodzież. W końcu jednak wywalczył sobie pozycję istotnego aktora w zespole, a później także autora scenariuszy – wspominał Serhij Szefir w 2014 roku, w programie *Kwartał i jego drużyna*, kiedy Zełenski robił już wielką karierę w show-biznesie.

Finał w Moskwie, w którym w zimowej scenerii 26 grudnia 1997 roku rywalizowali z grupą Nowi Ormianie z Erewana, był spełnieniem snów.

– Te dwie drużyny napiszą tu dzisiaj własną bajkę noworoczną – mówił do dwutysięcznego tłumu zebranego w moskiewskim Pałacu Młodzieży i do kilku milionów przed telewizorami legendarny prowadzący KWN, Aleksander Masljakow.

Publiczność na sali szalała, kiedy obie drużyny, każda licząca około 20 zawodników, przez półtorej godziny rywalizowały na scenie, dając prawdziwy pokaz kunsztu tanecznego, wokalnego i kabaretowego. Poziom był wysoki i wyrównany. Jednak wynik odebrano jako niesprawiedliwy. Sędziowie, którzy za poszczególne elementy występów przydzielali od jednego do pięciu punktów, ocenili oba zespoły po równo. Po ostatnim zadaniu drużyna z Krzywego Rogu prowadziła jednym punktem. Jednak jurorzy długo się zastanawiali i ostatecznie ogłosili remis. Pokrętnie tłumaczyli, że jeden punkt różnicy to zbyt mało, by rozstrzygać w tak ważnym konkursie.

Na twarzach zawodników z Krzywego Rogu widać było rozczarowanie. W końcu jednak przyjęli werdykt. Tak czy inaczej, cały zespół Zaporoże-Krzywy Róg-Tranzyt, a wraz z nim Wowa Zełenski, został mistrzem KWN. Marzenia się spełniały.

Zełenski triumfował. Drobny, czarnowłosy chłopak z odległego Krzywego Rogu w Ukrainie zyskał sławę, która mogła być trampoliną do dalszej kariery. Czuł się szczęśliwy. I dziękował losowi za szansę, którą otrzymał.

– KWN to był bardzo mocny impuls do rozwoju i ogromna szansa na lepszą przyszłość. Nie mogę zapomnieć tego, co mi dali rodzice, co mi dał Krzywy Róg, ale także tego, co dał mi KWN – opowiadał w 2018 roku w pamiętnym wywiadzie. – Chłopakowi z prowincjonalnego miasta bardzo trudno jest się wybić. Dla drużyny z Ukrainy było po prostu niemożliwe, by zwyciężyć w finale KWN, a dla ekipy z Krzywego Rogu już zupełnie nierealne – wspominał.

Po triumfalnym powrocie z finału KWN w Moskwie młody Zełenski ponownie spotkał się z kolegami z dawnego zespołu STEM, którzy wcześniej odmówili członkom Tranzytu i z którymi wtedy mocno się pokłócił. Teraz był dla nich żywym przykładem, że warto podejmować odważne decyzje. Dawał też nadzieję, że może ich pociągnąć w górę.

Zełenski pokazał wtedy jedną ze swoich charakterystycznych cech, która towarzyszy mu w całej karierze artystycznej i politycznej: jeśli przyświecają ci wyższe cele, nie ma co chować urazy. I jeżeli z kimś możesz osiągnąć coś dobrego, to warto się dogadać, mimo wcześniejszych nieporozumień.

– Spotkajmy się, porozmawiajmy – zaproponował starej paczce Wołodia. – Teraz znam kulisy tej gry. Zobaczyłem, jak to wygląda od środka: są zaciekłe walki i tarcia. Ale dzięki temu wiem, jak odnieść sukces – przekonywał. Siedząc z kolegami wśród kłębów dymu papierosowego – palił później cały czas, zwłaszcza podczas pisania scenariuszy – mówił z pełnym przekonaniem, że uczestnicy *Klubu Zabawnych i Pomysłowych* żyją w zamkniętym świecie iluzji. Wydaje im się, że wszystko poza KWN jest gorsze i nieprofesjonalne. Ale też przyznawał, że KWN to najlepsza szkoła przetrwania dla artystów. To miejsce, w którym każdy każdemu podkłada nogę, a nikt nikomu nie pomaga.

– Na ekranie drużyny się całują, zawodnicy się poklepują i obściskują, ale poza sceną szczerze się nienawidzą – opowiadał w wywiadzie dla „Bulwaru". – Dobrymi kolegami są tylko ci, którzy z tobą nie rywalizują. W relacjach z pozostałymi pełno jest intryg, wykorzystywane są ambicje, urazy, padają oskarżenia, ujawnia się niechlubne postępki – dodawał. Dlaczego wtedy nie dotykało go to szczególnie mocno? Bo był młody, ambitny, nie tracił energii na niepotrzebne utarczki. Miał jasny cel: rozwój kariery. Podczas spotkania na uczelni z dawnymi kolegami przekonywał, że nie ma lepszej szkoły dla artystów niż właśnie KWN. To prawdziwy chrzest bojowy.

Doszło do porozumienia. Z braćmi Szefirami oraz grupą dawnych przyjaciół Zełenski założył własny zespół i w styczniu 1998 roku pojechali na festiwal zespołów KWN, który co roku odbywał się w kurorcie Soczi.

– Nie mieliśmy pieniędzy na autorów. Bracia Szefirowie pisali scenariusze za darmo. Startowało trzysta zespołów, jednak jakimś cudem udało nam się wejść do finału, w którym było dwanaście drużyn – opowiadał Zełenski.

Byli najmłodszą drużyną, w dodatku z Ukrainy, co wśród rosyjskiej konkurencji nie wróżyło wielkiego powodzenia. I chociaż Zełenski skarżył się później, że w Soczi nie wygrali, bo po prostu „musiała wygrać drużyna z Rosji", to ten rok i późniejsze lata wykorzystał na doskonalenie poziomu artystycznego i swoistą naukę prowadzenia biznesu rozrywkowego. No i na konsolidowanie zespołu.

Narodziny Kwartału 95

Festiwal w Soczi był jednak kluczowym momentem w całej karierze Zełenskiego. To tam powstała nazwa, która na stałe zwiąże się z jego scenicznym życiorysem. Podczas festiwalu organizatorzy nalegali, by zespół przedstawił jakąś oryginalną nazwę.

– Wcześniej o tym nie myśleliśmy – wyjaśniał Borys Szefir w filmie „Kwartał i jego drużyna".

Grupa zebrała się zatem w jednej z restauracji w Soczi, gdzie zrobili burzę mózgów. Jeden z doświadczonych kolegów, piosenkarz i kompozytor muzyki pop Igor Nikołajew, tak wspominał tamtą sytuację w filmie na dziesięciolecie zespołu.

– Mówię: „Chłopaki, wymyślcie nazwę, tak jak Beatlesi wymyślili". Zastanawiali się, dyskutowali, próbowali coś po angielsku, ale im nie szło. – W końcu ktoś zgłosił pomysł, żeby nazwać drużynę „Buratiny" [ros. Buratino – postać wzorowana na Pinokiu]. Kiedy Nikołajew usłyszał tę propozycję, stwierdził, że trzeba uchronić świat przez Buratinami.

– Wy tam wszyscy w 95. dzielnicy mieszkacie. To niech będzie nazwa „Dzielnica 95" (po rosyjsku: *Kwartał 95*) – zaproponował.

Ta nazwa wydała się nam jakaś dziwna. Mówiliśmy, że nikt jej nie zapamięta – opowiada Wołodymyr Zełenski w filmie o Kwartale 95. Nikołajew jednak przekonywał, że widzowie zapamiętają. – I zapamiętali – kwituje Zełenski.

Do liczby 95 Wołodia miał zresztą dziwne szczęście. Mieszkał w 95. dzielnicy, chodził do Gimnazjum nr 95 w Krzywym Rogu, a na studia poszedł w 1995 roku i wtedy również na dobre zaczęło się jego zainteresowanie ligą KWN.

Odnosząc pierwsze sukcesy na scenie, Zełenski pamiętał, by nie zaniedbać studiów. Początkowo planował zmianę kierunku, kiedy jednak na prawie w Instytucie Ekonomicznym znalazł grupę takich jak on miłośników kabaretu i powstał zespół Kłub Wiesiełych i Nachodcziwych, zarzucił tę myśl. Nie chciał jednak w kwestii wykształcenia zawieść ojca, który był jednym z wykładowców w Instytucie.

Trzypiętrowy budynek z białej cegły mieszczący Instytut Ekonomiczny w Krzywym Rogu stoi niedaleko ulicy Nikopolskie Szosse i przemysłowego kompleksu metalurgicznego, znad którego wyrastają potężne kominy. Tu kształciło się wielu ekspertów od ekonomii, zatrudnianych potem w pobliskim kombinacie albo w kopalniach rud metali, których najbliższe potężne wyrobiska znajdują się raptem kilka kilometrów od uczelni.

Profesor Iwan Kopajhora, starszy, szczupły i elegancki mężczyzna w dobrze dopasowanym garniturze, wykładowca prawa w Instytucie, był opiekunem roku Zełenskiego. W rozmowie z dziennikarzami TSN wspomina, że Wołodia Zełenski szczególnie lubił prawo ekonomiczne. Został też „prezydentem" swego wydziału, kiedy przy okazji wyborów prezydenckich w Ukrainie w Instytucie zorganizowano grę dla studentów, czyli wybory prezydenta wydziału.

– Spośród trzech pretendentów zwyciężył Wołodia Zełenski – przypomina sobie profesor Kopajhora. Znowu, jak wielokrotnie wcześniej oraz później, Wołodia był pierwszy. To był jeden z interesujących momentów czasu studiowania. Wiele było jednak takich, które go po prostu nudziły. Na praktykach studenckich został wysłany do piwnicy sądu, by posegregować akta spraw kryminalnych.

– Przekładałem teczki na półki: bandytów na jedną, oszustów na drugą. To była bezsensowna robota – wspominał w filmie nagranym dla Kwartału 95.

Nadzieja na coś bardziej interesującego zaświtała, gdy skierowano go na obserwację rozprawy sądowej.

– Wyobrażałem sobie, że tam będą mowy sądowe, intrygi, zeznania oskarżonego i świadków, płomienne przemowy obrony i oskarżenia. A tu raptem pojawił się sędzia, obrońca, oskarżony, jeden świadek... W sumie przyszło z osiem osób. To było takie nudne. A gdzie wystąpienia? Gdzie obrona? – wspominał Zełenski w filmie dokumentalnym *Kwartał i jego drużyna*. – Wychodziłem z tego sądu z głębokim przeświadczeniem, że tę scenę opuszczam, a szukam własnej – dodał. Studia ukończył z wynikiem bardzo dobrym, jednak nigdy nie chciał pracować w wyuczonym zawodzie.

Dla rodziców to był szok. Zwłaszcza dla ojca. Rimma Zełenska zapewnia:

– *Papa* był przeciwko KWN. Nie chciał, żeby syn się tym zajmował.

Wołodia przekonuje natomiast, że ojciec nie opowiadał się przeciw KWN.

– *Papa* po prostu chciał, żebym został tym, na kogo się kształciłem. Chciał, żebym uzyskał stopień naukowy, miał osiągnięcia w adwokaturze. „Znajdziesz sobie i publiczność, i ludzie będą cię słuchać, a zawód będzie interesujący" – mówił.

Wowa odpowiadał: – Wiecie, byłoby mi bardzo ciężko, gdyby trzeba było skazać człowieka. Nie mogę wydawać wyroków. To nie dla mnie.

Tak to wspomina mama Wołodi, która w wywiadzie dla „KP w Ukrainie" mówiła również, że on po prostu znalazł własną drogę.

Jego własną sceną był wtedy kabaret KWN, a publicznością – tłumy młodych ludzi, śmiejące się i wiwatujące na widowniach sal koncertowych i teatralnych. Zełenski zawsze bardzo szanował zdanie rodziców – nigdy nie rozstawał się z nimi niepogodzony po sprzeczkach (mówił o tym w jednym z wywiadów telewizyjnych) – niemniej wiedział, że żyje na własny rachunek i musi kierować się tym, co podpowiada mu rozum i sumienie.

Kwartał 95 przez kolejne sześć lat regularnie walczył w najwyższych ligach KWN jako jedyna drużyna z Ukrainy. Chociaż nie powtórzył sukcesu zespołu Zaporoże-Krzywy Róg-Tranzyt z 1997 roku, to Wołodymyr pisał skecze dla innych drużyn, które zdobywały mistrzostwo. Co bardzo ważne, wtedy Zełenski szlifował swój talent scenarzysty i autora, który przyda mu się później zarówno w produkcjach filmowych, jak i w polityce. A także w czasie wojny, kiedy jego przemowy i nagrania wideo wywołują ogromne emocje i wzruszenie na całym świecie, także wśród członków parlamentów różnych państw, tłumaczy, użytkowników mediów społecznościowych.

Zełenski już w czasie KWN zrozumiał, że ma talent retoryczny, umie wykorzystać nabyte czy może wrodzone zdolności, by z łatwością wymyślać skecze bądź żarty. Przyznawał, że bez trudu przychodzi mu formułowanie zwięzłych i logicznych fraz oraz artykułowanie tego, co chce przekazać. Ojciec dostrzegł ten talent, kiedy namawiał go na studia matematyczne.

– Moja logika sprawia, że składam słowa w zdania w taki sposób, że stają się śmieszne. Rozumiem, o co chodzi w skeczu, więc łatwo mi też te zdania zapamiętać. Wiem, dlaczego aktor mówi daną kwestię i jak to zostanie odebrane przez widownię – wspominał Wołodymyr w 2018 roku w wywiadzie dla Dmytro Gordona.

Ukraina, a zwłaszcza położone gdzieś na prowincji miasto Krzywy Róg, to było za mało, aby rozwinąć skrzydła. Tak przynajmniej uważali Zełenski i bracia Szefirowie. Aby znaleźć się na topie, trzeba przebywać w samym centrum biznesu KWN, czyli w Moskwie.

Stolica Rosji dla Wołodii Zełenskiego, chłopaka z ukraińskiej prowincji, który kiedyś powiedział, że wyjazd do miasta Dniepr był dla niego niczym wyprawa za granicę, była oszałamiającą metropolią. I to pomimo faktu, że w latach 90. wciąż jeszcze wiele jej obszarów tchnęło pokomunistyczną siermięgą. W tym czasie miasto dynamicznie się już rozwijało dzięki otwarciu na kontakty z Zachodem.

Wśród wielkich pokomunistycznych blokowisk kontrastujących z historycznym centrum i malowniczymi wieżami Kremla błyskawicznie powstawały milionowe fortuny Nowych Ruskich, jak nazywano świeżą klasę uprzywilejowaną, skupioną wokół Kremla i fortun oligarchów. Pod miastem wyrastały dacze bardziej luksusowe niż te, które pamiętały czasy sowieckie. A media pisały, że na ulicach Moskwy można było spotkać więcej bajecznych maybachów niż w jakimkolwiek innym mieście na świecie.

Jak pisał Serhij Rudenko w książce *Zełenśky bez hrymu*, w dzielnicy Mytiszcze na obrzeżach Moskwy bracia Szefirowie wynajęli mieszkanie, w którym ulokowali się razem z Zełenskim. Tam wspólnie tworzyli skecze i scenariusze dla Kwartału 95, ale także dla innych zespołów ligi KWN. Nawiązali współpracę z legendarnym w Rosji prezenterem telewizyjnym i producentem Aleksandrem Masljakowem.

Spotkali go podczas zwycięskiego finału KWN w Moskwie w 1997 roku i w Soczi rok później. Masljakow był gospodarzem finałów KWN od 1964 roku, kiedy jeszcze sam studiował. Po zawieszeniu programu w 1972 roku ten syn Wasilija Masljakowa, pilota i członka Sztabu Generalnego rosyjskich sił powietrznych, oraz Zinaidy, z domu Riabcewej, pozostał w telewizji. Przez ponad 50 lat pracy w roli gospodarza najpopularniejszych programów rozrywkowych stał się legendarną postacią rosyjskiej telewizji. Dla uczestników ligi KWN był guru, idolem.

W końcówce lat 90., kiedy Zełenski z braćmi Szefirami wylądował w Moskwie, Masljakow zarządzał własną firmą producencką AMiK. Miał oczywiście ogromne doświadczenie i nosa do wyszukiwania talentów, dlatego chętnie dawał zlecenia trójce młodych ambitnych showmanów z Krzywego Rogu.

Wielkich pieniędzy wtedy z tego jeszcze nie mieli – jak wspominał Zełenski, czasami ledwie wystarczało mu na paczkę papierosów – jednak zdobywali niezbędne doświadczenie. Z amatorów stali się profesjonalistami, często koncertowali, a występy Kwartału 95 w Rosji i krajach na obszarze posowieckim zaczęły przyciągać tłumy. Sale były wypełnione po brzegi.

Zespołowi proponowano programy w telewizji, udział w filmach czy serialach. Jednak warunki współpracy ze studiem AMiK Masljakowa nie pozwalały na samodzielne występy. Komercyjny pokaz na własny rachunek oznaczał usunięcie zespołu z KWN. A za koncerty, na które przychodziły tłumy, zespół otrzymywał grosze – główne pieniądze zabierała firma producencka.

Zełenski i towarzysze zaczęli zdawać sobie sprawę, że są wykorzystywani. Chodziło nie tylko o pieniądze – nie mogli się rozwijać zgodnie z własną wizją. Nie wolno im było nawet nagrać programu dla telewizji ukraińskiej.

W 2003 roku zespół Kwartał 95 zaliczył niepowodzenie w kolejnych rozgrywkach ligi KWN, a Serhij Szefir od jednego z członków jury usłyszał:

– Rozumiecie, że prowincjonalna drużyna nie może zostać mistrzem.

Do członków zespołu Zełenskiego powoli docierało, że droga ich dalszego rozwoju w KWN się kończy. Jednocześnie zaczęły się tarcia z Masljakowem. Ten, nie chcąc stracić utalentowanego Zełenskiego, zaprosił go do Moskwy i złożył mu w 2003 roku interesującą propozycję: stanowisko redaktora w firmie AMiK. Warunkiem było jednak zerwanie z zespołem Kwartał 95. Przekonywał, że pozostanie w Kwartale 95 to zastój w karierze, brak możliwości rozwoju. A praca w Moskwie da wielkie perspektywy.

Dla młodego Zełenskiego porzucenie zespołu, z którym był tak zżyty, było czymś niewyobrażalnym.

– Według mnie to zdrada. Nie mogłem tak postąpić – opowie w dziesiątą rocznicę zespołu. Masljakowowi powiedział, że nie opuści swojej drużyny. Powiedział też o tej propozycji zespołowi. I wtedy wspólnie podjęli decyzję, że trzeba odejść z KWN.

Dlaczego Zełenski nie skorzystał z oferty Masljakowa i nie został w Moskwie, w firmie AMiK, która była na samym szczycie show-biznesu? Głównie przez lojalność i silne poczucie gry w jednej drużynie. Praca zespołowa i potrzeba utrzymywania bliskich przyjaźni to zasady, które towarzyszyły mu od lat szkolnych. Być może dlatego, że był jedynakiem i zawsze szukał bratniej duszy? Może wynikało to z charakteru miasta, w którym się wychował?

– W latach dziewięćdziesiątych w Krzywym Rogu nie było bezpiecznie, głośno mówiono o walkach gangów

Krzywy Róg, rodzinne miasto Zełenskiego. Blokowiska, kopalnie i nieliczne ślady wcześniejszej historii

Fot. Mariana Ianovska/Alamy Stock Photo

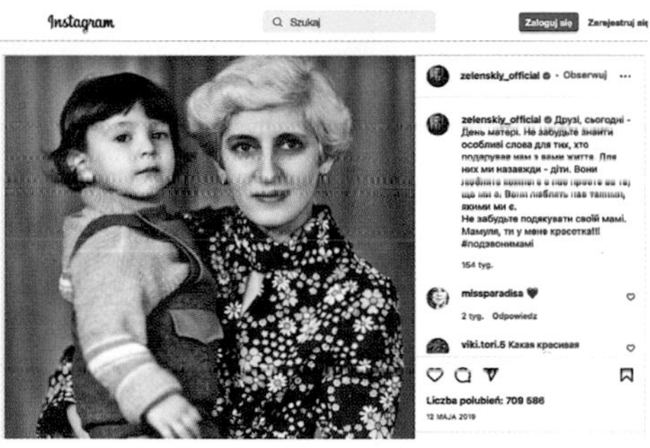

Fot. INSTAGRAM @ZELENSKYI_OFFICIAL

Mały Wowa na rękach u mamy, Rimmy Zełenskiej. Post opublikowany przez prezydenta Zełenskiego na Instagramie z okazji Dnia Matki, maj 2019

Fot. INSTAGRAM @ZELENSKYI_OFFICIAL

Wołodia z tatą, Ołeksandrem. Post zamieszczony na Instagramie z okazji Dnia Ojca, czerwiec 2021

Młody Wołodia na ulicy w Pradze, 2006
Fot. Hronometer/WikiCommons

Zełenski na scenie z Ołeksandrem Pikałowem (z lewej) i Jewgienijem Koszewojem, występ Kwartału 95 w Doniecku, 2006
Fot. Yulii Zozulia/Ukrinform/East News

Zwycięska para ukraińskiej edycji *Tańca z Gwiazdami (Tanci z Zirkami):* Wołodymyr Załenski i Ołena Szoptenko, Kijów, grudzień 2006

Fot. Shybanov Oleksi/Ukrinform/East News

Jako skorumpowany policjant drogówki w trakcie nagrań do programu *Wieczorny Kwartał*, Kijów, 2008

Fot. Dmytro Larin/Ukrinform/East News

Załenski podczas ceremonii ogłoszenia nominacji do nagrody „VIVA! Najpiękniejsi 2008" razem z piosenkarką Tiną Karol, Kijów, luty 2009

Fot. Sergiy Anishchenko/Ukrinform/East News

Premiera *Miłości w wielkim mieście* w Rosji, Moskwa, marzec 2009
Fot. Krasilnikov Stanislav/TASS/Forum

W trakcie nagrań do *Miłości w wielkim mieście 2*, Moskwa, luty 2010
Fot. ITAR-TASS/TASS/Forum

Kadr z filmu *Biurowy romans*, Wołodymyr Zełenski i Swietłana Chodczenkowa, Moskwa, marzec 2011

Fot. ITAR-TASS/TASS/Forum

Na planie komedii *Rżewski kontra Napoleon*, Moskwa, styczeń 2012

Fot. ITAR-TASS/TASS/Forum

Z Serhijem Szefirem (z prawej) w trakcie prezentacji nowego kanału telewizyjnego Kwartał TV, sierpień 2016

Fot. Artem Kovpak/Ukrinform/East News

Podczas kręcenia *Sługi narodu 2*, Charków, wrzesień 2016

Fot. Vyacheslav Madiyevskyy/Ukrinform/East News

Nagrania do Wieczornego Kwartału, Kijów, marzec 2017

Fot. Sergii Kharchenko/AFP/East News

Aktor i kandydat na prezydenta, Wołodymyr Zełenski, przed wejściem na plan *Sługi narodu*, serialu, marzec 2019

Fot. SERGEI SUPINSKY/AFP/East News

Zełenski występuje dwa dni przed finałem I tury wyborów prezydenckich, Browary, 29 marca 2019

Fot. Pavlo Gonchar/Zuma Press/Forum

Załenski prowadzi program rozrywkowy w sali koncertowej w Browarach, 29 marca 2019, dwa dni przed I turą wyborów prezydenckich
Fot. VALENTYN OGIRENKO/Reuters/Forum

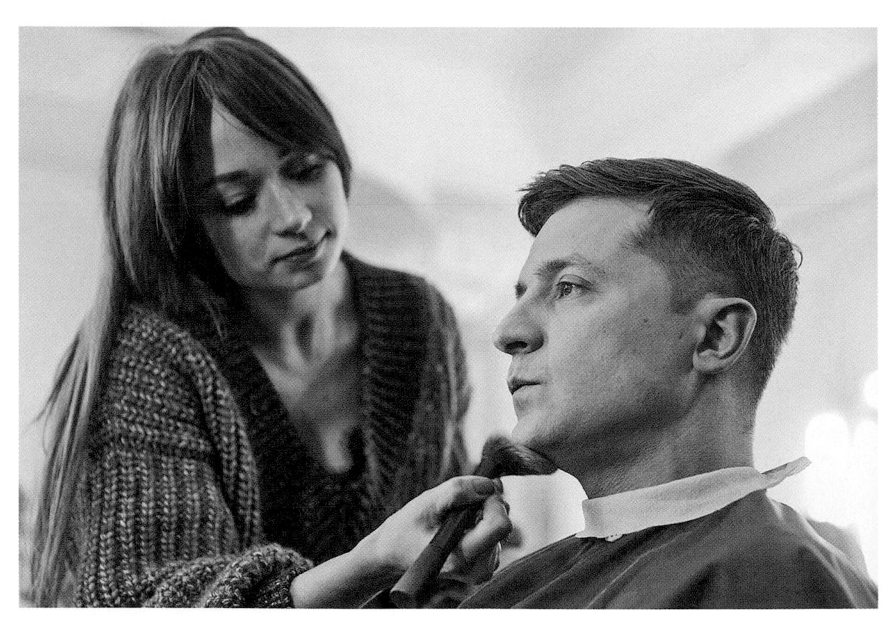

Za kulisami, przygotowania do występu, Kijów, luty 2019
Fot. VALENTYN OGIRENKO/Reuters/Forum

z poszczególnych dzielnic i choć Wołodymyr nie brał w nich udziału ani nie należał do żadnego z gangów, pewnie od młodości nabrał przekonania, że warto się trzymać w grupie. Być może to zaważyło na jego filozofii życiowej? Faktem jest, że on lubi działać zespołowo – opowiada jedna z jego współpracownic.

Z pewnością pomogła mu także jego osobowość: już od szkolnych lat lgnął do rówieśników, starał się ich zrozumieć, poznawać ich problemy. Po kilku latach Zełenski zobaczył, że Kwartał 95 stał się dla niego drugą rodziną. Zresztą wszyscy tak się tam traktowali. W wywiadzie opowiadał Gordonowi o wypadku samochodowym, w którym zginął jeden z muzyków zespołu. Cały zespół co roku spotyka się na jego grobie w Krzywym Rogu. Każdy – choćby niepalący – musi wtedy zapalić papierosa, czerwonego Marlboro, a także wypić kieliszek „śmierdzącej taniej wódki" – takiej, o jaką za życia często prosił ich przyjaciel.

– Cenię przyjaźń z ludźmi, z którymi dorastałem. Zawsze walczyłem o jedność między nami – mówił Zełenski. Kiedy jedna z artystek zespołu studenckiego KWN poszła pracować do nowo otwartej restauracji McDonald'sa, bo tam dawali prawdziwą pensję – 100 dolarów, co było ogromną sumą w Krzywym Rogu, Zełenski poszedł do kierownika restauracji i zaproponował, że jego grupa wystąpi dla klientów tej restauracji w zamian za pozwolenie, by koleżanka pojechała na KWN do Moskwy.

Wiedząc, że zdecydują się na rozstanie z Masljakowem, a tym samym i z KWN, artyści Kwartału 95 w 2003 roku zaczęli się zastanawiać nad sobą i swoimi karierami artystycznymi. Zełenski musiał zdecydować, co dalej. I zadziałał zgodnie ze swoją kardynalną zasadą: postanowił naradzić się z grupą. W Krzywym Rogu zorganizował spotkanie członków Kwartału i przyjaciół podzielających jego wizję. Przekonał kolegów, że jeśli chcą zrobić karierę i zaistnieć, to nie w Krzywym Rogu, lecz w Kijowie.

– On był w tym gronie liderem i miał prawdziwą charyzmę. Często się spierali, kłócili o różne pomysły, ale nawet przy największych sporach Zełenski potrafił przekonać do swoich racji. Jego pomysły były akceptowane i realizowane – opowiada jego była współpracownica.

Jak jednak podbić Kijów, kiedy nie ma się sponsorów, nie ma się również opłacanych autorów programów i scenariuszy? Sami byli dla siebie i autorami, i aktorami występującymi na scenie. Jedynym sensownym rozwiązaniem było przygotowanie koncertów z największymi hitami zespołu. A tak się złożyło, że w 2003 roku przypadała piąta rocznica założenia Kwartału 95. Zrodził się pomysł organizacji koncertów na jubileusz. Zełenski i spółka nie myśleli jeszcze konkretnie o przyszłym projekcie czy założeniu własnej firmy. Chcieli przede wszystkim uczcić piątą rocznicę działalności.

Pytanie brzmiało: czy telewizje kupią ich pomysł? Kiedy po wielkich wysiłkach udało się doprowadzić do pierwszego koncertu w Kijowie, a w mieście zawisły plakaty o występie Kwartału 95, do Zełenskiego zadzwonił przedstawiciel firmy Masljakowa. – Albo usuwasz plakaty, albo ciebie i Kwartału 95 nie ma w KWN – usłyszał Zełenski. Jak opowiadał później w wywiadzie dla „Bulwaru", zareagował spokojnie:

– Nie będę usuwał plakatów i rozumiem, że dla was już nie istniejemy – odparł. Tak po niespełna dekadzie skończyła się KWN-owska era Wołodymyra Zełenskiego.

Po latach spotkali się jeszcze z Masljakowem na jakiejś imprezie. Obaj kurtuazyjnie pogratulowali sobie sukcesów. Jednak ich drogi definitywnie się rozeszły. Być może i dlatego, że później Masljakow czynnie angażował się w kampanie wyborcze Władimira Putina.

Rozstali się z KWN, który nie przyniósł fortuny, ale dał rozpoznawalność, doświadczenie i napęd do dalszej kariery. I paradoksalnie, choć był to okres przełomowy zarówno w życiu osobistym, jak i karierze Zełenskiego, zaczynał się nowy etap, który miał go wynieść na szczyty.

III

Fabryka śmiechu

Od pokoiku w hotelu do telewizyjnych salonów

W TYM ROZDZIALE

Po wybuchu Pomarańczowej Rewolucji zapotrzebowania na występy grupy Zełeńskiego nie było. I wtedy z telewizji przyszła propozycja: Róbcie show, ale żarty muszą być polityczne. To był przełom.

Żarty były brutalne i nie oszczędzały nikogo. Po najostrzejszych interweniowała nawet mama, prosząc, by przynajmniej nie wyśmiewali prezydenta. Odmawiał, argumentując, że łagodzenie satyry to nic innego jak oszukiwanie widzów.

Występy były sprawdzianem tego, co widownia o nim myśli. I morderczym maratonem; koncerty co dzień w innym mieście, a trzeba zachować świeżość. Taka sama odporność przydaje się podczas kampanii wyborczej.

Niektórzy postrzegają go tylko jako komika. Tymczasem był liderem i biznesmenem, tworzył firmy, zatrudniał setki osób, jego produkcje wygrywały na światowych festiwalach.

Kijowski Hotel Nika, jeden z tańszych w stolicy, mieści się w wysokim budynku na uboczu, poza centrum miasta. Jesienią 2003 roku Wołodymyr Zełenski, który kilka miesięcy wcześniej rozstał się z kabaretową ligą KWN, wynajął tam pokój. Zamówił do niego faks oraz książkę telefoniczną z żółtymi stronami, na których znajdują się adresy i numery telefonów wszystkich kijowskich firm i przedsiębiorstw.

Do każdej z firm dzwonił lub wysyłał wiadomość:

– Dzień dobry, jesteśmy zespołem kabaretowym Kwartał 95, potrzebujemy pieniędzy na organizację jubileuszowego koncertu. Na pewno oddamy pieniądze albo was zareklamujemy na koncercie – jeśli wolicie.

Koncert, składający się z najlepszych skeczów zespołu z ostatnich lat, miał się nazywać *Apiat' 95* (Ponownie 95). Po rosyjsku tytuł koncertu się rymuje: *Apiat' diewianosta piat'*.

– Aby zorganizować ten koncert, potrzebna nam była ogromna suma czterdziestu tysięcy dolarów. Dzisiaj to wciąż bardzo duże pieniądze, a wtedy nie wiedzieliśmy nawet, jak wygląda taka kwota – wspominał 10 lat później Zełenski w programie nagranym na jubileusz Kwartału 95.

Wszyscy, do których zadzwonił i napisał Zełenski, odmówili.

Zespół z Krzywego Rogu nie był jeszcze powszechnie znany. Potencjalni sponsorzy nie chcieli pakować swoich pieniędzy w projekt, który – jak sądzili – nie dawał gwarancji zarobku czy choćby zwrotu pieniędzy. W tym momencie dalsza kariera kabaretowa Zełenskiego stanęła pod wielkim znakiem zapytania, podobnie zresztą jak jego przyjaciół, którzy kilka lat wcześniej związali się z zespołem Zaporoże-Krzywy Róg-Tranzyt, przekształconym w 1998 roku w Kwartał 95. To był trudny czas dla Zełenskiego, który już od lat przewodził grupie komików z Krzywego Rogu i czuł się niejako odpowiedzialny za ich artystyczną przyszłość. Wielu z nich przecież sam namawiał do przyłączenia się do zespołu. Kiedy kilka miesięcy wcześniej odrzucił propozycję Masljakowa, by pozostać w Moskwie i pisać scenariusze dla zespołów z ligi KWN, zaryzykował przyszłość nie tylko własną, ale i swojej drużyny. Co prawda, dał wtedy dowód przyjaźni, nie porzucił ich dla KWN ani dla potencjalnej kariery i pieniędzy, czuł jednak, że proza życia może tę przyjaźń zabić.

– Znalazłem się w próżni – wspominał. – Zrezygnowałem z KWN i wiedziałem, że mogę stracić przyjaciół, którzy już zaczynają się zastanawiać, co ze sobą zrobić, jak się teraz urządzić. To był trudny etap w życiu moim i Kwartału – mówił w filmie nagranym na jubileusz dziesięciolecia zespołu.

Te nastroje potwierdzali członkowie grupy. Z jednej strony poczuli pewną swobodę, możliwość tworzenia nie na zamówienie, lecz wyłącznie zgodnie z własną inwencją. Z drugiej, nie mieli gdzie występować.

– Było nam strasznie. Nikt nie wiedział, co dalej robić, jak teraz żyć – wspominają.

To dlatego tamtej jesieni wyruszyli do Kijowa. I zderzyli się ze ścianą. Serhij Szefir wspominał, że w Kijowie ludzie z show-biznesu powiedzieli im: „Nie macie szans się przebić. Niczego tu nie osiągniecie. Konkurencja jest taka, że największe gwiazdy stoją w kolejce do telewizji".

Zełenski wraz z braćmi Szefirami, którzy należeli do kierownictwa zespołu, usiłowali działać. Gdyby był starszy i wiedział, jakimi prawami rządzi się show-biznes, to pewnie by się nie porwał na tę eskapadę. Jednak wciąż kierowało nim młodzieńcze przekonanie, że wszelkie przeszkody da się w końcu pokonać.

To był moment graniczny. Gdyby wówczas nie udało im się znaleźć sponsora koncertu, prawdopodobnie wielka kariera Wołodymyra Zełenskiego i jego Studia Kwartał 95 nigdy by się nie rozwinęła. Według ukraińskich mediów pieniądze na wynajęcie sali w Pałacu Październikowym – prestiżowym centrum kulturalnym i rozrywkowym ukraińskiej stolicy, zbudowanym jeszcze w XIX wieku – oraz na organizację koncertu wyłożył biznesmen z Krzywego Rogu Andrij Charłamow, który znał zespół kabaretowy ze swojego miasta. Według portalu Mind.ua Charłamow, który handlował między innymi samochodami, dysponował wolnymi pieniędzmi i chciał je zainwestować w obiecujący biznes rozrywkowy.

Kiedy już udało się zdobyć sponsora, pojawił się kolejny problem: żadna telewizja nie chciała pokazać ich koncertu, a bez transmisji trudno było nie tylko zarobić, ale też wypromować zespół. W końcu udało się przekonać szefa kanału 1+1.

– Cóż, niech będzie, pokażemy to. A jak osiągniemy sukces, albo i nie, będziemy się zastanawiać, co dalej.

Koncert, podczas którego Kwartał 95 pokazał swoje najlepsze numery i w którym uczestniczyły zaproszone gwiazdy ukraińskiego show-biznesu, porwał publiczność. Następnego dnia rano szefowie kanału 1+1 czekali na wyniki oglądalności. Od nich zależała decyzja, czy kontynuować współpracę z zespołem. Wskaźnik programu okazał się więcej niż obiecujący. Jeszcze tego samego dnia zadzwonili do Zełenskiego i braci Szefirów i zaprosili ich na rozmowę.

– Ile takich koncertów możecie zrobić w ciągu roku? Może być dwanaście? – zapytali.

– Nie. Przecież na ten jeden koncert zebraliśmy najlepsze numery z ostatnich pięciu lat – odpowiedzieli. – Możemy zrobić najwyżej dwa.

– Dobra, niech będą dwa.

Ostatecznie Kwartał w kolejnym roku nagrał cztery koncerty, które stały się początkiem *Wieczornego Kwartału* [*Wieczięrnyj Kwartał*], programu telewizyjnego od początku bijącego rekordy popularności.

Wołodymyr Zełenski mógł odetchnąć. Decyzja o tym, by odpuścić sobie KWN, okazała się słuszna. Nie zawiódł przyjaciół. Chociaż – jak podawały media – przychody z koncertu ledwie pokryły koszt organizacji, to zespół, za który czuł się odpowiedzialny, miał przyszłość. Zełenski tak wspominał ten trudny czas:

– Na początku był ból i smutek. Oczy zachodziły łzami. Ale z czasem pojawiło się światło.

Telewizja Inter

Pierwsze triumfy *Wieczornego Kwartału* zapewniły zespołowi fundusze na dalszą działalność i na utrzymanie, jednak nie było jeszcze mowy o wielkim sukcesie finansowym. Jak wspomina Wołodymyr Zełenski, przez pierwszy rok w Kijowie mieszkali razem z żoną i kilkorgiem członków grupy w jednym mieszkaniu, czując się trochę jak w socjalistycznej komunie.

Powołali firmę Studio Kwartał 95 z siedzibą w Kijowie, w biurze wynajętym dzięki pieniądzom sponsorów. Członkowie zespołu występowali i pisali teksty. W gronie autorów scenariuszy była też świeżo poślubiona żona Zełenskiego, Ołena. – Ten pierwszy okres Kwartału 95 to był szalony czas – wspominała po latach. Pracowali do późnego wieczora, potem kilka godzin snu i od rana znów próby. Wołodymyr Zełenski pamięta, że był tak zmęczony, że kiedy kładł się do łóżka, zasypiał w ciągu minuty.

Po nagraniu czterech koncertów *Wieczornego Kwartału* kontakt z telewizją 1+1 się urwał. Zamówienia na kolejne odcinki nie przychodziły. Telefony milczały. Powodem była sytuacja polityczna w kraju.

Jesienią 2004 roku w Kijowie wybuchła Pomarańczowa Rewolucja, protesty mieszkańców przeciwko sfałszowaniu wyniku wyborów prezydenckich. Według badań exit poll wygrał popierany przez Zachód reformator Wiktor Juszczenko. Państwowa komisja wyborcza podała jednak, że zwycięzcą został faworyt Kremla, Wiktor Janukowycz. Media pisały, że podrobiono blisko trzy miliony głosów.

Na główny plac Kijowa – Majdan Niezałeżnosti [Plac Niepodległości] – wyszły tłumy protestujących.

Od listopada 2004 roku do stycznia 2005 ludzie gromadzili się tam codziennie. W niektóre dni liczba protestujących sięgała setek tysięcy – nawet do pół miliona ludzi. Demonstracje nazywano Majdanem (od nazwy placu) albo Pomarańczową Rewolucją – od barw partyjnych Wiktora Juszczenki i noszonych przez demonstrantów flag w tym kolorze. W efekcie nacisków rezultat drugiej tury wyborów unieważniono, ponownie przeprowadzono głosowanie, w którym wygrał prozachodni Wiktor Juszczenko.

Kanały telewizyjne, w tym 1+1, który emitował wcześniej odcinki *Wieczornego Kwartału*, praktycznie non stop nadawały relacje z Majdanu. W tym czasie kilka osób z 1+1 przeszło do telewizji Inter. Pamiętali powodzenie, jakim cieszyły się programy Kwartału 95, i to oni wyciągnęli pomocną dłoń i zaprosili zespół Zełenskiego na antenę:

– Róbcie show dla nas, ale pod jednym warunkiem: muszą być żarty polityczne – zaproponowali.

Dla Studia Kwartał 95 to był przełom. Wcześniej raczej wykpiwali absurdy życia codziennego. Teraz mieli ostrzem satyry uderzyć w polityków i ludzi z pierwszych stron gazet. I to w niezwykle gorącym politycznym czasie. Być może ten zwrot w ich twórczości stał się prapoczątkiem późniejszego zainteresowania Wołodymyra Zełenskiego karierą polityczną. Zełenski zrozumiał, że teraz potrzebny jest zupełnie nowy kabaret:

– Humor polityczny to humor intelektualny. Autorzy przynoszą swoje propozycje, ale ostateczny kształt nadaje im redaktor, który bierze pod uwagę opinie szerokiego kręgu osób o różnych poglądach. To bardzo ważne, bo pomysły są rozmaite. I ten cały wachlarz różnorodnych dowcipów przybiera później formę koncertu – tak opisywał działanie kabaretu politycznego.

Skoro zatem mieli robić show polityczne, musieli wziąć na warsztat uczestników bieżących wydarzeń w kraju. I tak już w pierwszych numerach żartowali z bohaterów Pomarańczowej Rewolucji – Wiktora Juszczenki, który został demokratycznie wybranym prezydentem, i jego sojuszniczki Julii Tymoszenko. W jednym ze skeczów Julia Tymoszenko (grana przez Zełenskiego) jako cesarzowa rzymska domaga się od Wiktora Juszczenki (cesarza Wiktora II) berła i państwa. „Masz berło – mówi Wiktor – ale państwa ci nie dam" – tak nawiązywali do rywalizacji obojga liderów Pomarańczowej Rewolucji. Widzowie pękali ze śmiechu, a to był jeden z łagodniejszych żartów Kwartału 95.

Członkowie zespołu wspominają, że wówczas zmieniła się także publiczność na ich koncertach. O ile wcześniej na widowni byli ludzie, którzy pamiętali ich jeszcze z czasów KWN i lubili tego typu żarty, to wkrótce pojawili się politycy, parlamentarzyści, urzędnicy rządowi. Nie tylko mogli się śmiać ze znanych osób, ale także słyszeli, co ludzie sądzą o wydarzeniach zachodzących w państwie.

W 2006 roku telewizja 1+1 wykupiła prawa do emisji w Ukrainie brytyjskiego show *Taniec z Gwiazdami*. 28-letni Wołodymyr Zełenski, który pracuje dla stacji Inter, dostaje propozycję udziału w programie, który po ukraińsku nazywa się *Tanci z Zirkami*. Nie byłby sobą, gdyby nie skorzystał – jak niegdyś w szkole, kiedy pojawiały się nowe projekty.

Jako partnerkę wyznaczono mu 18-letnią Ołenę Szoptenko, młodzieżową mistrzynię świata w tańcu. Zełenski był kompletnym amatorem, dlatego Szoptenko początkowo sceptycznie podchodziła do pomysłu. Jak pisały media, była przekonana, że w krótkim czasie nie można nauczyć choreografii osoby, która nie ma pojęcia o profesjonalnym tańcu. Nie znała jednak Zełenskiego – jego niesamowitej woli wygrywania, pracowitości graniczącej z pracoholizmem i pełnego zaangażowania w projekty, które wybierał. Trenując z nim, szybko zmieniła zdanie.

Przez poszczególne etapy Szoptenko i Zełenski idą jak burza. Nie tylko tańce, ale pasja i wplatane do występów elementy aktorskie sprawiają, że podbijają serca telewidzów. W finale ich rywalami są piosenkarka Natalia Mogilewskaja i tancerz Vlad Yama. Pod względem technicznym jurorzy oceniają ich wyżej, jednak w głosowaniu widzów Ołena Szoptenko i Wołodymyr Zełenski biją rywali na głowę: głosuje na nich 728 tysięcy telewidzów, a na ich rywali tylko 381 tysięcy. Lider Kwartału 95 zapisuje na swoim koncie jeszcze jeden sukces, a przy okazji zyskuje większą popularność.

Pojawiają się plotki na temat Zełenskiego i Szoptenko. Aktor przyznawał, że jego żona Ołena była trochę zazdrosna. – Spróbowałaby nie być zazdrosna. Co by to znaczyło? Że miłość odeszła! – żartował Zełenski. Dodał jednak, że te pogłoski to stek bzdur.

Taniec z gwiazdami był tylko przerywnikiem. Główną rolę w życiu Zełenskiego odgrywał Kwartał 95.

Z czasem żarty stawały się coraz ostrzejsze. Kwartał kpił z polityków, celebrytów, kolejnych prezydentów czy premierów. W skeczu z 2010 roku, dotyczącym składania wieńców pod pomnikiem Czechowa przez ówczesnych prezydentów Ukrainy (Janukowycza, który w 2010 roku wygrał wybory, zastępując na fotelu przywódcy kraju Wiktora Juszczenkę) i Rosji (Dmitrija Miedwiediewa), wyśmiewał głowę ukraińskiego państwa. Położony przez niego wieniec wiatr zdmuchiwał mu z powrotem na głowę. Pomimo wielu prób, zaklinania przez szamana i wielu innych sztuczek, wieniec ciągle wracał na głowę Janukowycza, co wyglądało jak polityczne *memento* dla niesławnego przywódcy.

Ostra satyra przyciągała widownię, ale nie przez wszystkich była akceptowana. Także bliscy autorów

Kwartału mieli wątpliwości, a wśród nich rodzice Wołodymyra Zełenskiego. O ile wcześniejsze dowcipy, jeszcze z czasów KWN, Rimma Zełenska chętnie oglądała i była dumna z występów syna, o tyle teraz czuła się zaniepokojona.

– Straszne – mówiła w filmie wyemitowanym z okazji dziesięciolecia Kwartału. – Ojciec był temu bardzo przeciwny – dodawała. Rimma Zełenska ma zwyczaj telefonowania do syna niemal codziennie. Kiedyś w słuchawce odezwał się Ołeksandr:

– Wowa, zmieńcie to. Wowa, przestańcie żartować z prezydenta, nie ruszajcie go!

Rodzice innych aktorów również dzwonili. Do Jewgienija Koszewoja, aktora Kwartału, odezwała się matka:

– Złagodźcie to trochę – sugerowała.

Ludziom, których większość życia przypadła na czasy Związku Sowieckiego i jego opresyjnej władzy, drwiny z prezydenta mogły wydawać się nie do końca bezpieczne, nawet kiedy żyli już w kraju demokratycznym. Rodzice bywali zażenowani z powodu ostrych żartów dzieci.

Zełenski odmawiał złagodzenia tonu. Jako lider grupy uważał, że nie mogą przestać drwić z przywar polityków, bo byłoby to zaprzeczeniem ich dotychczasowej kariery.

– Oszukalibyśmy tych wszystkich, którzy przeznaczyli czas, aby nas oglądać, okazywali nam wsparcie, kiedy płacili za bilety na koncerty, kiedy brali autografy, fotografowali się z nami, tych, którzy uśmiechają się do nas, gdy idziemy ulicą. Po prostu byśmy ich oszukali – wyjaśniał w filmie o swoim zespole. – Kiedy wzbudzasz śmiech, znaczy, że grasz w sposób swobodny. Można by zrezygnować z żartów politycznych, one też mogą się znudzić widowni. Można od nich odejść, ale w wyniku wewnętrznego przekonania, nie gróźb, nie rozterek rodziców. To musiałaby być własna decyzja – dodawał.

W jednym z wywiadów inna gwiazda Kwartału 95, Elena Krawiec, powiedziała, że jej generacja artystów Kwartału to ludzie częściowo wychowani w ZSRR, a częściowo już w wolnym kraju. Dlatego potrafią brać odpowiedzialność za siebie i są – być może ostatnim – pokoleniem, które rozumie, że pewne działania po prostu trzeba podejmować.

Zespół czuł, że ich publiczność potrzebuje ostrej satyry i ironii, które wraz z rosnącą widownią stawały się formą recenzowania poczynań polityków w kraju ogarniętym korupcją, kryzysami, będącym pod olbrzymim wpływem oligarchów. Zresztą politycy również tego potrzebowali. Kwartał występował także na imprezach zamkniętych, zapraszany przez polityków ze ścisłej elity władzy. Zełenski grał przed bodaj wszystkimi prezydentami Ukrainy i wieloma z państw ościennych. Również przed Władimirem Putinem i byłym rosyjskim prezydentem Miedwiediewem. Na pytanie o reakcję Putina na jego żarty Zełenski odparł, że nie sądzi, by rosyjski przywódca się śmiał.

Kiedyś za to Kwartał został zaproszony na występ przed Miedwiediewem, zresztą przez samego prezydenta Janukowycza.

– Powiedziano nam: będą prezydenci. Kiedy przyjechaliśmy, okazało się, że są tylko prezydenci Miedwiediew i Janukowycz – opowiadał Zełenski w wywiadzie dla Gordona.

Po programie Miedwiediew podszedł do artystów i powiedział:

– Chłopcy, Władimirze, oczywiście żarty są ostre, podobały mi się bardzo, ale u nas tego nie potrzeba.

Zełenski, który przyznaje, że nigdy nie przepuści okazji do kontry, odpowiedział: – Ale w naszym zespole mamy Walerego Żydkowa. Wie pan, że on jest obywatelem rosyjskim? Ma rosyjski paszport.

Miedwiediew spojrzał na Walerego i odparł:

– Tak? To dobrze, że jesteś tutaj.

Kwartał oczywiście robił sobie żarty również z rosyjskich przywódców. W jednym ze skeczów grupa ukraińskich polityków stoi przed świętym Piotrem, pragnąc dostać się do drzwi z napisem „Niebo" i uniknąć wejścia do oznaczonych słowem „Piekło". W pewnym momencie jedne i drugie drzwi się otwierają, wychodzą z nich Putin i Miedwiediew. Putin wychodzi z piekła i przechodzi do nieba, a Miedwiediew odwrotnie.

– A oni dlaczego tak sobie przechodzą? – pytają politycy świętego Piotra.

– Oni się tak zmieniają co cztery lata – odpowiada święty. Była to aluzja do zamiany stanowiskami prezydenta i premiera między tymi dwoma przywódcami.

Zespół ostro krytykowano za koncert w miejscowości Gorłówka w 2014 roku, kiedy część miasta została już zajęta przez prorosyjskich separatystów z Doniecka, czy też za homofobiczne żarty. Za to ostatnie zespół publicznie przeprosił na Facebooku, tłumacząc, że nie było jego intencją wyśmiewać środowiska LGBT. Co do Gorłówki – jak pisały media – Zełenski miał argumentować, że Kwartał nie reprezentuje polityków, a w tak trudnych czasach ludziom potrzeba trochę uśmiechu.

Widzów w Ukrainie to raczej nie przekonało. W mediach społecznościowych pojawiło się wiele ostrych komentarzy przeciwnych zespołowi. Część komentatorów pisała wprost: „Lubiłem was, ale teraz przestaję was oglądać".

Sympatii w wielu regionach kraju nie przyniósł Zełenskiemu także jego sprzeciw wobec bojkotu rosyjskich artystów w Ukrainie i wezwań, by ich nie wpuszczać do kraju. Na dłuższą metę te skandale nie zaszkodziły jednak popularności grupy.

Kwartał drwił nie tylko z polityków, także z ludzi znanych, celebrytów, artystów, sławnych sportowców. Ulubionym obiektem parodii zespołu stał się mer Kijowa Witalij Kliczko. Przedstawiany był jako osoba niewykształcona i nierozgarnięta, a grał go Jewgienij Koszewoj, który jako atrybut nosił na biodrach pas bokserskiego mistrza świata. W jednym ze skeczów, kiedy Kliczko wychodzi na scenę, spiker przedstawia go widowni:

– Witalij Kliczko, mer Kijowa.

– A dlaczego nie powiedziałeś, że jestem byłym bokserem? – pyta Kliczko.

– Bo to widownia zrozumie sama, jak tylko zaczniesz mówić – odpowiada spiker.

W innym skeczu Kliczko/Koszewoj przychodzi do kina w masce małpy i przysiada się do ówczesnego premiera Ukrainy Wołodymyra Hrojsmana.

– A cóżeś ty na siebie włożył? – pyta zaskoczony premier.

– Przecież mówiłeś, że mam przyjść „kingkongnito" – odpowiada Kliczko.

Kwartał był bezlitosny także – a właściwie zwłaszcza – dla prezydenta Petra Poroszenki, który został wybrany już po drugim Majdanie (nazywanym Euromajdanem) i agresji Rosji na Krym oraz wschodnią Ukrainę w 2014 roku. W różnych wywiadach przedstawiciele kabaretu mówili zresztą, że najchętniej żartują właśnie z Poroszenki, z byłej premier Julii Tymoszenko i z mera Kijowa Witalija Kliczki. Poroszenko to jeden z najbogatszych biznesmenów Ukrainy, właściciel koncernu produkującego słodycze „Roszen". Załenski i spółka nieustannie drwili z jego powiązań biznesowych oraz nieudolności rządu. Akcja skeczu rozgrywa się w kinie, gdzie prezydent Poroszenko wraz z premierem oglądają serial *Sługa narodu*. W pewnej chwili prezydent mówi:

– Rozejrzałem się po sali, widzę, że takie mnóstwo ludzi jest w kinie i wiecie, co zrozumiałem?

– Że trzeba zacząć walkę z korupcją? – pyta siedząca za nim aktorka grająca Julię Tymoszenko.

– Nie, to nie.

– Że trzeba w końcu zrobić reformy, żeby ludziom żyło się lepiej? – dopytuje siedzący z boku premier.

– Nie. Pomyślałem, dlaczego „Roszen" jeszcze nie produkuje popcornu?

Kiedy Zełenskiemu zarzucano, że bezlitośnie drwi z ludzi władzy, jego żona, Ołena, jedna z autorek scenariuszy dla Kwartału 95, odpowiadała, że takimi prawami rządzi się program satyryczny.

– To jest humor, ironia, określony gatunek twórczości. Ma własne reguły. To żadna obelga – przekonywała.

Innego zdania była jednak opinia publiczna w 2016 roku, kiedy podczas występu Kwartału w łotewskim kurorcie Jurmała członkowie zespołu – jak uznały media – przekroczyli granice. Zełenski parodiował prezydenta Poroszenkę i krytykował jego – dwuletnie wtedy – rządy. Występ został odebrany jako wymierzony nie tylko w prezydenta, ale wręcz w państwo ukraińskie.

– Ukraina opracowała nowy system gospodarczy: „proszalnictwo" – mówi Zełenski ze sceny. – Dajecie nam pieniądze, a my gwarantujemy, że wam ich nie oddamy. I drugi system: „pieniądze–towar–pieniądze". Wy dajecie nam pieniądze, potem towar, potem pieniądze.

Zagraniczna widownia pokładała się ze śmiechu, a Zełenski przeszedł do jeszcze ostrzejszych żartów, które najbardziej oburzyły ukraińską opinię publiczną:

– Jeśli chodzi o kwestię kredytowania, to Ukraina przypomina aktorkę z niemieckich filmów dla dorosłych. To znaczy jest gotowa przyjąć dowolną ilość i z każdej strony – mówił Zełenski przed łotewską publicznością. W kraju uznano ten żart za skandaliczny, poniżający własne państwo. Zełenski później wielokrotnie tłumaczył, że to nie była kpina z kraju, ale z nieudolnych władz. Kwartał 95 stracił wielomilionowe dofinansowanie rządowe dla jednego ze swoich projektów.

Zespół Kwartału nie odpuszczał, nawet jeśli na widowni siedzieli ci, których dotyczyły ich żarty. Aleksander Kwaśniewski wspomina, że kiedyś sam miał okazję wystąpić na scenie u Zełenskiego. – To było osiemdziesięciolecie urodzin prezydenta Kuczmy. Kwartał został zaproszony, żeby zrobić przedstawienie dla uczestników spotkania, coś niesamowitego, ponieważ wśród gości było mnóstwo ludzi, których oni na tej scenie pokazywali i z których się śmiali – opowiada mi były prezydent. – Żarty były dość ostre, mocne, ale mieszczące się w granicach. Artyści Kwartału parodiowali wtedy mera Kijowa Witalija Kliczkę, byłą premier Julię Tymoszenko, prezydenta Petra Poroszenkę, a także innych polityków. Jednym z punktów tego występu było zapraszanie polityków na scenę. Wywołano mnie na podium, prowadzono wywiad w jakimś dziwacznym języku. To nie był sam Zełenski, lecz któryś z jego aktorów. Musiałem wziąć udział w skeczu i podobno dałem sobie radę, sala była bardzo rozbawiona – uśmiecha się Kwaśniewski. – Później rozmawiałem z Zełenskim. Powiedziałem mu: „Słuchaj, skoro ja jako prezydent wystąpiłem u ciebie w show, to może ty jako showman wystąpisz kiedyś jako prezydent?" – opowiada Aleksander Kwaśniewski. – Było to jednak jeszcze długo przed tym, zanim podjął decyzję o kandydowaniu. W każdym razie mieliśmy okazję się poznać, a ja zobaczyłem, że to niezwykle utalentowany człowiek – dodaje były polski prezydent.

Film

Gdy zespół miał już za sobą wiele koncertów i produkcji telewizyjnych, postanowił spróbować czegoś nowego – kina. Lider grupy Kwartał 95 właściwie od początku kariery poszukiwał współpracowników wśród osób szczególnie utalentowanych. To naturalne, zwłaszcza w zawodzie artystycznym, jednak Zełenski podkreślał, że praca z takimi osobami jest bardziej twórcza i fascynująca. Tworząc nowe projekty, szukając pomysłów, najczęściej organizował spotkania, prawdziwe burze mózgów ze współpracownikami. Powtarzał:

– Jeden człowiek nie jest alfą i omegą. Nie znam się na wszystkim. Jeśli ma się wokół osoby, które mają większą wiedzę w jakiejś dziedzinie, to warto korzystać z ich pomysłów.

Współpracownicy Zełenskiego z czasów Kwartału podkreślają, że lubił się otaczać właśnie ludźmi utalentowanymi, bo wiedział, że od nich może dowiedzieć się czegoś nowego, że mogą go zainspirować.

To dlatego, kiedy zespół Kwartału doszedł do wniosku, że warto mocniej zaangażować się w produkcje filmowe, Zełenski odszukał dawnego znajomego, utalentowanego reżysera. Był nim Andrij Jakowlew, który kiedyś występował w zespole KWN Zaporoże-Krzywy Róg-Tranzyt, a teraz był jednym z najbardziej uznanych twórców filmowych. A jednocześnie znajomym ludzi z Kwartału. Jakowlew zgodził się i sam z kolei zatrudnił grupę autorów do pisania scenariuszy filmowych. Ci mieszkali w wynajętym mieszkaniu i przez miesiąc napisali scenariusze do dwóch filmów. Jednym z nich była komedia romantyczna zrealizowana w 2009 roku w amerykańskim stylu *Miłość w wielkim mieście* [*Liubow w bolszom gorodie*]. Ta również odniosła kasowy sukces.

W trzeciej serii *Miłości w wielkim mieście* z 2013 roku zdjęcia kręcono w USA, a w filmie pojawia się hollywoodzka gwiazda.

– Kiedy zastanawialiśmy się, kto ma być tą gwiazdą, od razu wiedzieliśmy, że to może być tylko Sharon Stone, kobieta gwiazda naszych młodzieńczych marzeń i zachwytów – opowiadał Zełenski o kulisach powstania filmu.

Sharon Stone na planie miała swoje wymagania. Niezbyt słuchała reżysera. Uważała, że należy sceny kręcić tak, jak ona chce.

– Cóż, piękność przyszła, nakręciliśmy sceny, wyszło świetnie – mówił Zełenski. Tylko w Rosji i Ukrainie film obejrzało w kinach ponad 10 milionów widzów.

Prawdziwym hitem okazał się jednak serial *Swaty*. Pomysł pochodził od Zełenskiego.

– Kiedyś Wowa posłuchał rozmów swoich rodziców z teściami o dzieciach, wnukach. Zaproponował, żeby nakręcić serial komediowy o zwykłej rodzinie, prostych, ludzkich sprawach – mówił Borys Szefir w filmie na dziesięciolecie Kwartału 95.

Borys Szefir, jeden z założycieli i właścicieli Kwartału 95, opowiadał później, że Studio szukało sponsora, ale nikt nie chciał projektu finansować. Więc pierwszy odcinek nakręcili za własne pieniądze.

– Nie były to małe sumy. Wiedzieliśmy jednak, że się uda. Wszystko opierało się na naszym entuzjazmie – opowiadał Szefir.

Serial, którego pierwszy sezon ukazał się w 2008 roku, podbił serca milionów widzów w ponad 10 krajach. Trafili w lukę na rynku.

– Okazało się, że można odnieść sukces kinowy bez krwi i efektów specjalnych, pokazując zwykłych ludzi – powiedział Jakowlew, odbierając jedną z wielu nagród ukraińskiej kinematografii.

Po tym sukcesie Zełenski otworzył biuro firmy w Moskwie. Z Rosjanami tworzył koprodukcje innych filmów. Firma działała w Moskwie do 2014 roku, czyli do agresji rosyjskiej na Krym i wschodnią Ukrainę.

– Produkowaliśmy jeden–dwa filmy fabularne rocznie, inwestorzy przynosili nam pieniądze, zawsze je zwracaliśmy – mówił Zełenski w wywiadzie dla Dmytro Gordona.

W 2012 roku, po sukcesie kolejnych sezonów serialu *Swaty*, ku zaskoczeniu zespołu, Kwartał otrzymał zaproszenie na Festiwal Telewizyjny w Monte Carlo. Wiązało się ono z nominacją w kategorii „komedia" dla serialu, który zgromadził przed telewizorami jedną z najliczniejszych publiczności w skali świata. *Swaty* znalazły się w trójce najlepszych filmów wraz z amerykańskimi produkcjami *Teoria wielkiego podrywu* i *Współczesna rodzina* wytwórni – odpowiednio – Warner Bros. i 20th Century Fox.

Podczas festiwalu, w którym uczestniczyły hollywoodzkie gwiazdy takie jak Eva Longoria, a na widowni w pierwszym rzędzie siedział książę Monako, doszło do zabawnego nieporozumienia. Kiedy nieznani w świecie filmowym przedstawiciele Kwartału 95 szli po czerwonym dywanie, żeby zająć miejsca, obsługa próbowała ich usunąć, nie wiedząc, że są nominowani do jednej z nagród. *Swaty* wysunięto do nagrody w Monte Carlo ponownie w 2014 i 2015 roku.

Z prowadzeniem biznesu w Moskwie wiąże się też ważna dla lidera Kwartału historia rodzinna, która w przyszłości każe mu przemyśleć i zweryfikować jego postawę jako ojca. Zełenski wspominał, że tamten okres w karierze zawodowej wypełniał mu właściwie cały czas. Wracał do domu około 11 wieczorem, padał na łóżko i natychmiast zasypiał. Od rana znowu zaczynał pracę. Przez wiele miesięcy praktycznie nie miał czasu dla Saszy, która urodziła się w 2004 roku. Niemal powtórzył model z własnego dzieciństwa, kiedy wychowywał się bez ojca, przez 20 lat budującego fabryki w Mongolii.

Tego braku zapewne nie wynagrodziło to, że Zełenski starał się mimo wszystko uczestniczyć w ważniejszych wydarzeniach w życiu córki, takich jak uroczystości szkolne. Pewnego roku, kiedy Sasza rozpoczynała rok szkolny, Zełenski przebywał w Moskwie. Pierwszego września wsiadł w poranny samolot i przyleciał specjalnie, żeby tego ważnego dla córki dnia być z nią w szkole. Po uroczystości wsiadł w samolot i wrócił do Moskwy.

Kiedy w 2013 roku urodził mu się syn Kirył, powiedział w wywiadzie, że przez pracę stracił wiele chwil z dzieciństwa swej córki. W przypadku syna nie chciał popełnić tego błędu.

– Nie wejdę powtórnie do tej samej rzeki – stwierdził już w filmie na dziesięciolecie zespołu.

Największa firma

Studio Kwartał 95 rozrosło się w wielkie przedsiębiorstwo rozrywkowe, mające na koncie nie tylko *Wieczorny Kwartał*, ale i mnóstwo innych programów.

Firma miała miliony dolarów przychodu, otworzyła oddział w Moskwie, a jej produkcje sprzedawały się w wielu krajach. W dużej mierze była to zasługa morderczej pracy oraz inwencji lidera zespołu – Wołodymyra Zełenskiego.

Autorzy pracowali wtedy po 10 godzin dziennie, wymyślając kolejne żarty i scenariusze, i było ich już nie siedmiu, jak na początku kariery w Kijowie, lecz kilkudziesięciu, a w 2014 roku – już 50. Do tego administracja, scenografowie, obsługa techniczna – w sumie kilkaset osób.

Zespół cały czas jeździł w trasy ze swoim show. Jeden objazd obejmował przynajmniej 20 miast. Kwartał stawiał na profesjonalizm. Próby do każdego koncertu trwały minimum dwa tygodnie, a każdy skecz był wielokrotnie ćwiczony. Kiedy koledzy występowali na scenie, Zełenski słuchał ich zza kulis, wypowiadał te same frazy, co aktorzy, i wykonywał te same gesty.

– Taka trasa to wyczerpujący maraton. Do ostatniego koncertu musisz zachować energię, siłę – opowiadał Zełenski. On sam otwierał każdy występ Kwartału. Zaczynał od nawiązania kontaktu z publicznością, często rzucał półimprowizowane wypowiedzi, sprawdzające pierwsze reakcje widowni. Później wszystko ruszało pełną parą, rozrywka przez trzy godziny.

W nagraniu z okazji jubileuszu zespołu przyznał, że ma tremę, dopóki nie wyjdzie na scenę.

– Przed występem powtarzam sobie: „Boże dopomóż... Boże dopomóż...". Dopiero na scenie dostaję takiego kopa i napędu, który mnie niesie – mówił. Dla Zełenskiego występy przed publicznością na żywo są jak egzamin.

– Nigdzie nie dowiesz się tyle na temat tego, co widownia myśli o tobie i występach, co na koncertach. Ani telewizja, ani kino nie może pokazać prawdziwej reakcji na twoją pracę – przekonywał.

Wkrótce w Studio Kwartał 95 pojawił się nowy projekt, który trafił na ekrany telewizorów. Tak zwany *Klub walecznych* [*Bijciwskyj Kłub*], czyli coś w rodzaju rywalizacji komików amatorów, którzy przyjeżdżają z całej Ukrainy i walczą między sobą na skecze – kto zaprezentuje śmieszniejszy. W sumie nagrano sto odcinków tego show. Załenski powie później, że program miał służyć między innymi wyszukiwaniu nowych talentów.

– Chciałbym, żebyśmy mieli konkurencję, jest potrzebna – mówił.

Załenski doskonale zdawał sobie sprawę, że jego własna firma rozrywkowa odnosi sukcesy dzięki utalentowanym ludziom. Szukał ich, gdzie się da, także poza granicami. Do Kwartału piszą między innymi autorzy z Białorusi. Kiedy przychodzą do zespołu, nie zawsze potrafią tworzyć w takiej konwencji, jakiej wymaga Kwartał.

– Osiągnięcia naszej drużyny wynikają moim zdaniem stąd, że udało nam się zebrać utalentowanych ludzi i nauczyć, by ich zdolności nie pracowały na nich, na pojedyncze artystyczne ego, lecz na wspólną sprawę – opowiadał o Studiu Kwartał 95.

Ta wspólnotowość stanowi coś wyjątkowego w Kwartale. Podkreślają to artyści, którzy choćby przez moment zetknęli się z zespołem. Jedna z osób, które przez pewien czas pracowały w grupie Załenskiego, opowiadała mi, że – owszem – dochodziło do spięć, ostrej wymiany zdań, jednak Załenski zawsze dążył do porozumienia.

– On ma taką charyzmę, że nawet jak ktoś się z nim początkowo nie zgadza, nawet jeśli jest kłótnia, to potrafi wziąć ludzi do siebie, dyskutować z nimi i przekonać do swoich racji. Po rozmowie są całkowicie pewni jego wizji – opowiadała mi dawna współpracownica. Członkowie zespołu nazywają siebie samych drużyną Zełenskiego. Ich relacje wychodzą także poza czysto zawodowe sytuacje. Spotykają się towarzysko, razem świętują, a kiedy pojawiają się dzieci, wzajemnie stają się ich rodzicami chrzestnymi. „Kwartał to nie pasja. Kwartał to rodzina" – mówią. Zresztą, jak mówiła Rimma Zełenska „KP w Ukrainie", kiedy już jako sławna grupa przyjeżdżali na koncerty do Krzywego Rogu, to jak za czasów studenckich i szkolnych, zbierali się w domu Wołodii, jedli wspólnie przygotowaną przez nią kolację, niektórzy nawet nocowali.

Sukcesy artystyczne i biznesowe przekonały zespół, że Zełenski obrał właściwy kierunek działalności grupy. Kiedy więc w 2010 roku telewizja Inter proponuje mu objęcie stanowiska głównego dyrektora programowego, cała ekipa zaczyna pracować nad nowymi projektami na potrzeby stacji. Zełenski, jako generalny producent, został wtedy *de facto* głównym menedżerem sześciu kanałów prowadzonych przez Inter TV.

Na ekrany zaczynają wchodzić kolejne programy rozrywkowe, między innymi *Liga Śmiechu* [*Liga smeha*], *Legenda* [*Łehenda*], *Ukraino, wstawaj!* [*Ukrajino, wstawaj!*], *Poranna poczta* [*Rankowa poszta*] czy *Niedziela z Kwartałem* [*Nedila z Kwartałom*] – nowy program dla rodzin, produkowany przez kilka lat. Pojawiali się w nim znani artyści, celebryci, by w domowej atmosferze żartować z „kwartalcami", jak nazywają siebie artyści Kwartału 95.

– To było olbrzymie tempo nagrań, praca od siódmej rano do jedenastej wieczorem – wspominają członkowie grupy. – Tylko w *Niedzieli z Kwartałem* każdy aktor miał do przyswojenia 50 stron tekstu. A na przygotowanie zostawało im zaledwie kilka godzin. Ale i tak twierdzili, że chciało się im przychodzić. To dawało ładunek pozytywnej energii.

Biznes Zełenskiego i spółki stał się prawdziwą fabryką śmiechu. I taki tytuł dała redakcja ukraińskiego wydania magazynu „Forbes", która pod koniec 2011 roku umieściła na okładce Wołodymyra Zełenskiego, uznając go za najbogatszego showmana w Ukrainie.

Redakcja wyliczyła, że dochody Studia Kwartał 95 można liczyć w milionach dolarów rocznie. Za każdy z produkowanych w ciągu roku czterech koncertów Kwartału 95 firma dostawała 250 tysięcy dolarów. Te koncerty dzielono z kolei na 10–12 odcinków telewizyjnych *Wieczornego Kwartału*. Za każdy z nich Kwartał miał otrzymywać 175 tysięcy dolarów.

Koncerty podczas tournée czy występy na specjalnych imprezach to około 20 tysięcy euro za każdy pokaz.

Gazeta „Ukraińska Prawda" pisała, że bilety w pierwszych rzędach na koncertach Kwartału w Kijowie to koszt 2000 hrywien, czyli około 150 dolarów.

Według „Forbesa" na filmie *Romans biurowy* firma Zełenskiego zarobiła dwa miliony dolarów, a filmy i seriale, takie jak popularne *Swaty*, stanowiły około 40 procent przychodów. Do tego dochodziły kolejne 2–3 miliony z produkcji programów telewizyjnych.

– Umieszczono mnie na okładce, ale to nie ja tyle zarobiłem, tylko cała firma – protestował Zełenski. I przekonywał, że nie jest najbogatszym showmanem w Ukrainie. Tyle tylko, że Kwartał publikuje swoje zeznania podatkowe, dlatego „Forbes" mógł podać konkretne liczby.

Kilka lat później, kiedy Zełenski zdecydował się na wejście do polityki, dziennikarze zarzucali mu, że jest znacznie bogatszy, niż wynikałoby to z oświadczeń majątkowych, a duża część przychodów trafia do współudziałowców na Cyprze. Pisano również, że wiele aktywów Zełenskiego, jak willa we włoskim Forte dei Marmi zostało zarejestrowanych w spółkach *offshore*. Z informacji mediów wynikało, że kiedy już został prezydentem, Zełenski część swoich udziałów w biznesach sprzedał, a część przepisał na żonę.

Z pewnością cały zespół Kwartału 95 odniósł nie tylko sukces artystyczny, lecz także finansowy. Drużyna Zełenskiego kilka lat wcześniej nawet nie marzyła o takiej karierze i zarobkach. Pomijając kilkunastu oligarchów mających fortuny liczone w miliardach dolarów, w Ukrainie żyje tylko wąska grupa osób o bardzo wysokim statusie materialnym, które stać na apartament w centrum Kijowa, gdzie mieszkali Zełenscy, po kilka tysięcy dolarów za metr. Olbrzymia większość społeczeństwa zarabia niewiele. Średnia pensja przed wojną 2022 roku wynosiła równowartość około 500 dolarów, czyli około dwóch tysięcy złotych, przy czym najniższa – około 150 dolarów. Emerytury bywają jeszcze skromniejsze.

Dlatego przychody Kwartału umieściły jej pracowników w tej nielicznej grupie, która odniosła sukces finansowy. Zełenski potrafił zapewnić dobry status swojej drużynie. Przy takich dochodach zazwyczaj nietrudno o waśnie i nieporozumienia, jednak – przynajmniej publicznie – w przypadku Kwartału 95 nie było słychać o tego typu sprawach.

– Bardzo trudno zajmować się jednocześnie sprawami twórczymi, artystycznymi i finansowymi – mówił Zełenski w filmie podsumowującym dziesięciolecie Studia Kwartał 95, dodając, że wiele czasu trzeba poświęcić na psychologię i rozwiązywanie problemów, zanim zaczną narastać.

Kompozytor Konstantin Meladze, który współpracował z Kwartałem przy kilku produkcjach, mówił w tym programie, że „Wołodia Zełenski, to prawdziwy przywódca, który docenia każdego członka grupy. Nigdy nie podnosi głosu. Robi wszystko, żeby każdy czuł się równoprawnym członkiem zespołu".

Jak dzielone były pieniądze, aby nie budziło to niesnasek? W rozmowie z Gordonem Zełenski wyjaśnił, że system podziału pieniędzy w Kwartale 95 został ustalony przez zespół jeszcze w czasach KWN przed 2000 rokiem i taki pozostał: – Przychodami dzielimy się uczciwie, i nie są to równe stawki – tłumaczył. – Jeśli za koncert bierzemy dwadzieścia tysięcy euro, to połowę tej sumy dostają aktorzy. Wszyscy po równo. Kolejną część otrzymują autorzy tekstów. A jednym z autorów Studia Kwartał 95, głównym autorem, jestem ja. Jeśli więc na scenie występuje nas trzech, to mnie przypadnie dwa razy więcej niż każdemu z tych pozostałych aktorów – wyjaśniał Zełenski, który razem z braćmi Szefirami był też współudziałowcem Studio Kwartał 95, czyli partycypował w zyskach firmy.

Ogromna popularność Zełenskiego i pewien wpływ jego kabaretu na kształtowanie opinii widzów sprawiały, że dostawał propozycje finansowe, od których mogło się zakręcić w głowie.

Kiedy szefował Inter TV, pojawiła się oferta, która mogła sprawić, że grupa się rozpadnie. Jak opowiadał Zełenski, ówczesny prezydent Ukrainy Wiktor Janukowycz zaprosił go do ociekającej przepychem, złotem i kiczem posiadłości Meżyhiria. Janukowycz pokazał mu wszystkie atrakcje swego pałacu, włącznie ze strzelnicą, by wreszcie złożyć propozycję:

– Przejdź do innej stacji. Po co ci budżet telewizji, skoro ja ci daję całą kwotę i rób, co chcesz.

Według Zełenskiego, kwota, jaką zaproponował Janukowycz za odejście z telewizji Inter, wynosiła 100 milionów dolarów.

– A ty się nie zgodziłeś? – dopytywał Gordon.

– Oczywiście, że nie. Jeśli na jednej szali postawię tę kwotę, a na drugiej wszystko, co mam, to moje życie, reputacja, rodzina przeważą – odpowiedział Zełenski.

Chyba to wychowanie, a zwłaszcza zasady wpojone przez ojca sprawiły, że potrafił nie ulegać magii liczb. Jak mówi wielu jego znajomych, Zełenski nigdy nie oderwał się od ziemi, zawsze był jednym z nich. To pomagało scalać zespół, sprawiało, że – jak sami mówili – czuli się jak rodzina.

W tym czasie „Fabryka śmiechu" Kwartału 95 pracowała w niewiarygodnym tempie. Telewizja zgłosiła zapotrzebowanie na cykl rozrywkowy w sobotnim okienku przed wieczornym serwisem informacyjnym. Zełenski stwierdził, że musi to być program, w którym aktorzy Kwartału będą tłem dla głównych bohaterów. Tymi bohaterami miały stać się osoby, które będą prezentować własne żarty, ale takie, które rozśmieszą profesjonalnych komików z Kwartału. Nazwa programu,

Rozśmiesz komika [*Rozsmisz komika*], wynikała wprost z jego idei. W programie za każdy żart, który rozśmieszył aktorów Kwartału siedzących za biurkiem jako jurorzy, uczestnik dostawał określoną kwotę pieniędzy. Maksymalna wygrana wynosiła 50 tysięcy hrywien.

Z satysfakcją wręczał te pieniądze zwycięzcom.

– Nigdy mi nie żal dawać pieniędzy ludziom utalentowanym. Pamiętam, jak nam było ciężko na początku. Wiedzieliśmy, że jesteśmy dobrzy, ale nie wszyscy nas rozumieli – opowiadał o idei programu.

Format programu kupiło wiele krajów i teraz własne wersje *Rozśmiesz komika* mają widzowie na Białorusi, w Kazachstanie, krajach nadbałtyckich, a nawet w Chinach. – To cudowne uczucie, kiedy gdzieś tam w programach za granicą na końcu jest napis małymi literami: „Kwartał 95" – mówi Zełenski. W wywiadzie dodał, że za ten program otrzymuje tantiemy za prawa autorskie aż z 21 krajów.

Zarówno Zełenski, jak i jego zespół mogli nie tylko cieszyć się występami na scenie, ale też mieć satysfakcję, że po kilku latach od startu w pokoju w Kijowie stali się jedną z największych firm rozrywkowych w krajach byłego ZSRR.

Ołeksandr Pikałow, przyjaciel Zełenskiego z młodości i jedna z głównych postaci Kwartału 95, powie 10 lat po tym, jak ich grupa zaczęła karierę w Kijowie:

– Chwała Bogu, że w 2003 przyszło nam odejść od ligi KWN. Inaczej, wiadomo, pewnie występowalibyśmy jakiś czas, potem byśmy się rozeszli i tyle by z tego było.

Wydawało się, że Kwartał 95 znajduje się u szczytu kariery. Kto wie, czy gdyby nie ogromna popularność serialu *Swaty*, drużyna Zełenskiego kilka lat później zdecydowałaby się na zupełnie nowy projekt: serial *Sługa narodu*. Ta polityczna satyra zmieni wszystko w życiu Zełenskiego, w działalności Kwartału 95 i w historii Ukrainy.

IV

Sługa narodu

Od pomysłu na serial do pomysłu na politykę

W TYM ROZDZIALE

Bez serialu *Sługa narodu*, historia Ukrainy potoczyłaby się inaczej. Bohater grany przez Zełenskiego pomstuje na klasę polityczną, a potem zostaje prezydentem. Ludzie tę postać pokochali. Zamarzyli o powtórce w realnym świecie.

Zawsze był tytanem pracy. We wszystko co robił angażował się na sto procent. Nieraz zdjęcia zaczynał o 4 rano, a kończył o 23. Bez tego nie osiągnąłby jednak większości sukcesów.

Przez lata dorobił się dużego majątku. Dom i kilka mieszkań w Ukrainie, dom we Włoszech, apartament w Londynie. Do tego udziały w firmach. I ponad milion dolarów na koncie. Ale podkreślał, że wszystko zdobył własną pracą.

Podczas koncertu, już po aneksji Krymu, jeden z widzów zachował się prowokująco. Zełenski poprosił go o opuszczenie sali. Gdy intruz odmówił i obraził Ukrainę, Zełenski po prostu dał mu w twarz.

Werchowna Rada – parlament Ukrainy. Do wypełnionej po brzegi sali obrad wchodzi Wasyl Hołoborodko, do niedawna jeszcze nauczyciel historii w Kijowie, a teraz nowy, pełen zapału i chęci zmian prezydent kraju. Przedstawia projekty uchwał, które pomogą zreformować państwo od lat pogrążone w kryzysie, marazmie i korupcji. Deputowani nie dają mu dojść do głosu, zaczynają się kłócić, przekrzykiwać, podnosi się wrzawa. Nikt nad niczym nie panuje. Nie ma mowy o normalnych obradach. Wściekły Hołoborodko wyrywa stojącemu obok ochroniarzowi dwa pistolety maszynowe. Z okrzykiem na ustach wali wokoło na oślep serią z automatów i niczym Rambo kładzie trupem wszystkich deputowanych Werchownej Rady.

To nie rzeczywistość, ale jedna z najbardziej wyrazistych scen serialu *Sługa narodu*, który wszedł na ekrany ukraińskiej telewizji w 2015 roku. Wasyla Hołoborodkę, reformatorskiego prezydenta rodem z ludu, gra Wołodymyr Zełenski. A opisana scena oddaje – choć nie w sposób dosłowny – nastroje panujące wówczas w społeczeństwie ukraińskim. Społeczeństwie, które miało dość starej klasy politycznej: skłóconej, skorumpowanej, nieudacznej i niepotrafiącej wyciągnąć kraju z zapaści i chciałoby się jej pozbyć.

– To zwariowana historia o całkowicie nierealnych wydarzeniach. Bo prosty nauczyciel historii nie może zostać prezydentem Ukrainy. A szkoda – mówiła jedna z aktorek serialu Galina Bezruk.

Jednak serial, pomyślany jako satyra polityczna – czasami śmieszna, czasami gorzka – i jako alternatywna historia współczesnej Ukrainy, pokazywał widzom, jak mogłoby wyglądać życie w ich kraju, gdyby rządzili nim inni ludzie. Co tydzień przyciągał przed ekrany od kilku do kilkunastu milionów widzów. Kształtował ich opinie na temat bieżącej polityki i można zaryzykować stwierdzenie, że gdyby nie było *Sługi narodu*, współczesna historia Ukrainy potoczyłaby się inaczej.

Zupełnie inaczej wyglądałyby także losy Wołodymyra Zełenskiego. Najprawdopodobniej nie zostałby prezydentem, bo w 2015 roku nawet on się nie spodziewał, dokąd zaprowadzi go *Sługa narodu*.

Zmiany

Wydaje się, że takiego serialu nie mógł nakręcić nikt inny, tylko Zełenski ze swoim zespołem, który od lat wyśmiewał na scenie grzechy ukraińskiej klasy politycznej. Zanim jednak doszło do powstania *Sługi narodu*, w życiu szefa Kwartału 95 nastąpiły kluczowe zmiany. Jesienią 2012 roku Zełenski odchodzi z telewizji Inter, gdzie był dyrektorem programowym i stworzył tak wiele popularnych i odnoszących ogromne sukcesy programów kabaretowych, rozrywkowych i filmowych. Sam Zełenski dawał do zrozumienia, że przyczyną odejścia były naciski polityczne w stacji. Przy czym zastrzega, że nie chodzi mu o pracowników.

– To ogólna sytuacja w kraju, sytuacja polityczna w programach informacyjnych. Myślę, że nawet prezenterzy wiadomości nie mają z tym nic wspólnego – mówił później enigmatycznie w wywiadzie udzielonym Gordonowi. Z Interu przechodzi do kanału 1+1, w którym przed laty zaczynał karierę w Kijowie, nagrywając pierwszy *Wieczorny Kwartał*. To telewizja mająca bardziej rozrywkowy niż polityczny charakter, a odbiorcami są również ludzie mniej zainteresowani twardą polityką. Wraz z nim do stacji przechodzi zespół Kwartału.

Telewizja 1+1 należy do oligarchy Ihora Kołomojskiego, a media piszą, że Kołomojski złożył Kwartałowi 95 dobrą ofertę finansową. Zresztą propozycja leżała na stole już od dłuższego czasu. Kiedy naciski polityczne w Inter TV przybrały na sile, Zełenski zaakceptował warunki. Jednocześnie zaprzeczał, że chodziło o pieniądze.

O co więc poszło? Być może o interwencje z samej góry. W Ukrainie wszystkie kanały telewizyjne są w rękach oligarchów, a Inter TV należała z reguły do tych związanych z ówczesnym prezydentem Wiktorem Janukowyczem. Czy to z otoczenia prezydenta miały płynąć naciski na stację, aby stępiła ostrze krytyki? A może po prostu Zełenski nie chciał być z nim kojarzony? Tego nie wiadomo, natomiast Zełenski oznajmił później, że właściciel stacji 1+1 zagwarantował mu niezależność programową.

– Kiedy przechodziliśmy do stacji 1+1, ustaliliśmy z Kołomojskim: żadnej narzuconej polityki redakcyjnej. To był mój główny warunek i zapowiedziałem, że jeśli nie zostanie spełniony, opuścimy kanał. Nie będzie też dyskusji o tym, dlaczego Kwartał żartuje z tego czy innego polityka – mówił Zełenski we wspomnianym wywiadzie. Opowiadał, że Kołomojski zadzwonił tylko raz:

– Dlaczego jesteś dla mnie taki surowy? – zapytał po jednym z programów, w którym Zełenski krytykował właściciela, dla którego pracował. Usłyszał:

– Ihorze Waleriowiczu, czy było zabawnie? Było. A kiedy jest zabawnie, nie można narzekać.

Wpływy oligarchów to w Ukrainie jeden z kluczowych i drażliwych tematów. Po upadku ZSRR i w pierwszym okresie tworzenia się niezależnej Ukrainy grupa kilkunastu osób zgromadziła fortuny liczone w dziesiątkach miliardów dolarów, w dużej mierze dzięki przejęciu, często w niejasnych okolicznościach, wielkich przedsiębiorstw państwowych. Do nich należą na przykład wielkie kombinaty metalurgiczne, zakłady energetyczne i inne firmy mające zasadnicze znaczenie dla gospodarki. Jakiekolwiek związki z magnatami są w społeczeństwie odbierane negatywnie.

Kanały telewizyjne w Ukrainie również znajdowały się w rękach oligarchów. Jeśli ktoś chciał być obecny ze swoimi programami w telewizji, *de facto* pracował dla firmy należącej do oligarchy. Nie oznaczało to jednak, że musiał utracić autonomię. Tak przynajmniej przekonywał Zełenski, który wielokrotnie powtarzał, że pracując w różnych telewizjach, nie ulegał naciskom.

– Jestem osobą całkowicie niezależną. Nie chcę nikogo urazić, ale ten, który by mógł mnie kontrolować, jeszcze się nie narodził – mówił w rozmowie z Gordonem. Przyznaje, że z wieloma oligarchami się spotykał.

Oczywiście w rękach oligarchów są nie tylko kanały telewizyjne, zyskali także usłużnych polityków i parlamentarzystów. Przez nich potentaci mają ogromny wpływ na prawodawstwo kraju. Jak mówi mi Michał

Kacewicz, wieloletni korespondent z Ukrainy i Białorusi dla magazynu „Newsweek Polska", a obecnie dla Telewizji Biełsat, bywało, że podczas obrad parlamentu przedstawiciele oligarchów tworzyli dla deputowanych specjalne listy w komunikatorach społecznościowych, gdzie oferowali bardzo wysokie sumy za głosowanie nad ustawami po ich myśli. Nie mówiąc już o tym, że opłacają kampanie wyborcze politykom i całym partiom.

Z informacji pojawiających się w mediach wynika, że za oddanie odpowiedniego głosu przekazywano parlamentarzystom koperty z sumami rzędu dziesiątek tysięcy dolarów. Ta sprawa, budząca oburzenie zwykłych mieszkańców, stanie się jedną z głównych przyczyn powstania serialu *Sługa narodu* i będzie w nim mocno podkreślana.

Rosja i Euromajdan

W telewizji wszystko było tak, jak w gimnazjum w Krzywym Rogu: Wowa Zełenski chciał być wszędzie i we wszystkim uczestniczyć. Podejście ze szkoły przeniósł na karierę zawodową. Po przejściu do kanału 1+1 wciąż działał na pełnych obrotach i rozwijał firmę.

– On jest pracoholikiem, nie wiem, kiedy odpoczywa – mówi jedna z aktorek. – Pracuje chyba dwadzieścia cztery godziny na dobę.

Wołodymyr Zełenski przyjmuje życzenia urodzinowe zaraz po wyjściu z Centralnej Komisji Wyborczej, gdzie zarejestrował się jako kandydat w wyborach prezydenckich, Kijów, 25 stycznia 2019

Fot. Pavlo Bagmut/Ukrinform/East News

„Sługa oligarchy, lalka oligarchy" – napis na plakacie z Zełenskim i Kołomojskim wyłaniającym się zza jego pleców, Lwów, luty 2019

Fot. YURI DYACHYSHYN/AFP/East News

Zełenski gra w ping-ponga w siedzibie swojego sztabu wyborczego w dniu głosowania w I turze wyborów, 31 marca 2019

Fot. Serg Glovny/Zuma Press/Forum

Kampania wyborcza, na jednej z ulic Kijowa stoją wizerunki kandydatów (od prawej): Wołodymyr Zełenski, Julia Tymoszenko, Serhij Taruta i (od lewej) Jurij Bojko oraz prezydent Rosji Władymir Putin i oligarcha Ihor Kołomojski, marzec 2019

Fot. SERGEI GAPON/AFP/East News

W biurze sztabu wyborczego w Kijowie po ogłoszeniu wyników I tury wyborów prezydenckich, 31 marca 2019

Fot. Piotr Sivkov/TASS/Forum

Powtórka materiału przed występem w programie komediowym *Liga śmiechu*, Kijów, 19 marca 2019

Fot. Brendan Hoffman/Getty Images

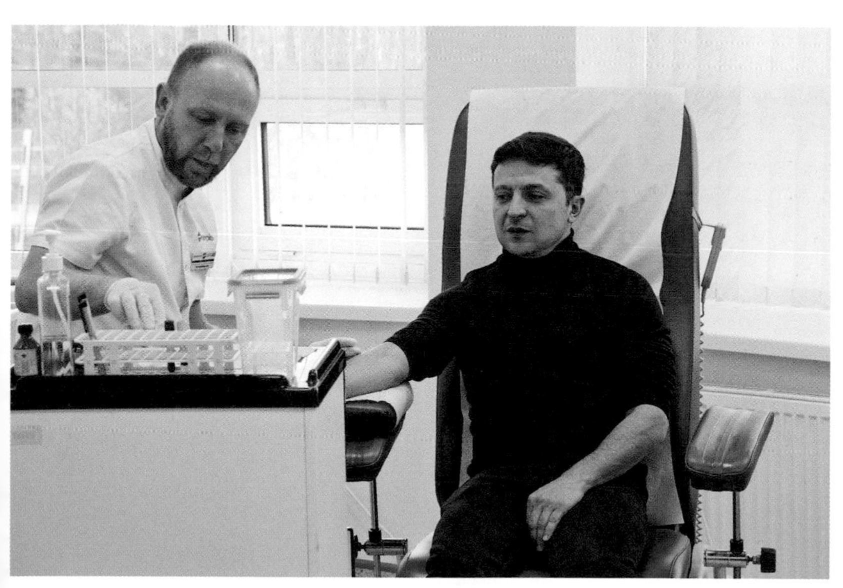

Zełenski podczas badań na obecność alkoholu i narkotyków we krwi przed debatą z Poroszenką, szpital w Kijowie, 5 kwietnia 2019

Fot. Vatentyn Ogirenko/Reuters/Forum

Debata Poroszenko–Zełenski na Stadionie Olimpijskim w Kijowie, 19 kwietnia 2019

Fot. home for heroes/Shutterstock.com

Wymowny gest Zełenskiego podczas debaty wyborczej z Petrem Poroszenką w II turze wyborów prezydenckich, Kijów, 19 kwietnia 2019

Fot. Sergei Chuzavkov/Shutterstock.com

Zełenski po ogłoszeniu sondażowych wyników II tury wyborów prezydenckich, siedziba sztabu wyborczego w Kijowie, 21 kwietnia 2019

Fot. Iva Zimova/Panos Pictures/Forum

Wołodymyr Zełenski z żoną Ołeną po ogłoszeniu wstępnych wyników II tury wyborów prezydenckich, Kijów, 21 kwietnia 2019

Fot. Jaap Arriens/NurPhoto/Getty Images

Oficjalne ogłoszenie wyników II tury wyborów prezydenckich przez Centralną Komisję Wyborczą, Kijów, 30 kwietnia 2019

Fot. Pavlo Gonchar/Zuma Press/Forum

Podczas składania przysięgi trzyma prawą dłoń na konstytucji i Ewangeliarzu Peresopnickim

Fot. TARASOV/Future Publishing/Getty Images

Ceremonia zaprzysiężenia Wołodymyra Zełenskiego na prezydenta Ukrainy w Werchownej Radzie, Kijów, 20 maja 2019.
Zełenski otrzymuje do ręki buławę, ukraiński symbol władzy
Fot. photowalking/Shutterstock.com

Prezydent Wołodymyr Zełenski opuszcza gmach Werchownej Rady po ceremonii zaprzysiężenia, Kijów, 20 maja 2019

Fot. Brendan Hoffman/Getty Images

Nowo wybrany prezydent Ukrainy pozuje do zdjęcia w swoim gabinecie, Kijów, listopad 2019

Fot. Alexey Furman/Bloomberg/Getty Images

Kwartał 95 tworzył wciąż nowe projekty, a Zełenski był w wielu z nich pomysłodawcą, scenarzystą lub aktorem. Angażował się też w inne przedsięwzięcia, jak choćby dubbing. W 2014 był głosem Misia Paddingtona w wyświetlanej w ukraińskich kinach brytyjskiej komedii *Przygody Paddingtona* – i później *Przygody Paddingtona 2* z 2017 roku. Był też jednym z głosów bohaterów *Angry birds*.

Studio Kwartał 95 rozrastało się: w 2014 roku w dziale koncertowym i nowo utworzonym studiu animowanym na stałych umowach pracowało blisko pół tysiąca ludzi. Dochodziły setki współpracowników.

W tamtych latach, oprócz działalności w Ukrainie, Zełenski aktywnie udziela się zawodowo także w Rosji. Na antenie tamtejszej telewizji publicznej Rossija 1 prowadzi programy kabaretowe i rozrywkowe, w tym słynny *Rozśmiesz komika*. Tworzy także ukraińsko-rosyjskie koprodukcje filmowe z udziałem rosyjskich aktorów, między innymi serial *Swaty* [*Swaty*] czy romantyczną komedię *Osiem pierwszych randek* [*8 pierwych swidanij*].

Byli jedną z nielicznych firm komercyjnych zajmującą się produkcją filmową i telewizyjną z oddziałem w Rosji. Biuro w Moskwie wystartowało po sukcesie filmu fabularnego w 2008 roku i działało do 2014 roku. Wiele razy rosyjskie firmy próbowały kupić akcje spółki, ale bezskutecznie.

Praca w Rosji była o wiele bardziej dochodowa niż w Ukrainie. Za godzinę wyprodukowanego programu firma zarabiała 150–200 tysięcy dolarów, a w Ukrainie – około 30 tysięcy. W tym właśnie czasie powstał serial *Swaty*, który stał się telewizyjnym hitem.

Śmiało można powiedzieć, że wtedy Zełenski jest już w show-biznesie nie tylko aktorem, scenarzystą czy komikiem – jak zresztą chętnie nazywają go krytycy – lecz doświadczonym producentem i przedsiębiorcą. Kieruje kilkusetosobowym zespołem pracowników, jest udziałowcem kilku firm, zdobywa doświadczenie w zarządzaniu i przebijaniu się na trudnym rynku w Ukrainie i Rosji.

Jego oszczędności w gotówce urastają według ukraińskich mediów do około miliona dolarów, a majątek to kilka mieszkań i dom w Ukrainie, a także apartament w Londynie i dom we Włoszech. Do tego udziały w niemal 10 przedsiębiorstwach, nie tylko w branży rozrywkowej. Sam Zełenski nie wypiera się tego w wywiadach. I nic dziwnego, bo w przeciwieństwie do wielu z tych, których fortuny mocno urosły, może pokazać, że doszedł do majątku własną pracą.

Jak oceniają współpracownicy, mimo wielkiego sukcesu woda sodowa nie uderzyła mu do głowy. Cały czas działa w grupie. Decyzje co do następnych projektów czy scenariuszy zapadają podczas kolegialnych spotkań, burzy mózgów, dyskusji w gronie zespołu.

Współpracując już z telewizją 1+1 oligarchy Ihora Kołomojskiego, Kwartał 95 wciąż jeździ w trasy koncertowe i przygotowuje programy satyryczne. Pojawiają się także kolejne filmy, między innymi druga część przebojowej komedii – *Osiem nowych randek*. W tym samym czasie w Ukrainie dochodzi do wydarzeń, które wiele zmienią w dalszej karierze Kwartału 95, jak zresztą w sytuacji całego kraju.

– Polityka to dobra znajoma, której nie cierpisz, ale ona dopada cię każdego dnia – powiedział kiedyś Zełenski. Wtedy właśnie boleśnie dopadła jego kraj.

Jesienią 2013 roku w Kijowie wybucha Euromajdan. Na głównym placu stolicy Ukrainy gromadzą się setki tysięcy ludzi, by protestować przeciwko antyeuropejskiej i prorosyjskiej polityce prezydenta Wiktora Janukowycza. Jego rząd pod naciskiem Putina zrezygnował z podpisania umowy stowarzyszeniowej z Unią Europejską. A dla Ukraińców europejski standard życia kojarzony z UE jest marzeniem, które chcieliby zrealizować.

Protesty trwają do końca lutego 2014 roku. Każdego dnia dochodzi do starć jednostek specjalnych Berkutu, czyli służb bezpieczeństwa, z demonstrantami. Rosną barykady, płoną opony, padają strzały. Łącznie w czasie Rewolucji Godności – jak nazywany jest ten społeczny protest – na Majdanie ginie ponad sto osób, a kilkaset odnosi rany. Prezydent Janukowycz ucieka do Rosji, zostaje pozbawiony władzy, a dosłownie kilka dni później rosyjskie wojska w postaci słynnych „zielonych ludzików" – żołnierzy w mundurach bez oznaczeń – wchodzą na Krym i zajmują część ukraińskich obwodów donieckiego i ługańskiego.

Do końca marca Rosja dokonuje bezprawnej aneksji Krymu. Na zajętych przez Rosjan terytoriach separatyści tworzą nieuznawane przez świat republiki doniecką i ługańską. Jednocześnie cały czas trwają walki pomiędzy nimi a wojskami ukraińskimi. Przez kilka lat konfliktu zginie tam kilkanaście tysięcy ludzi, wielu Ukraińców trafi do niewoli, inni będą musieli opuścić swe domy położone na obszarze walk.

Po tych wydarzeniach Zełenski wraz z Kwartałem zerwał współpracę z Rosją i zamknął biuro firmy w Moskwie. Zanim do tego doszło, na Placu Czerwonym w Moskwie kręcił ujęcia do swoich programów potępiających zajęcie Krymu przez Rosję.

– Przez miesiąc tam nagrywaliśmy. Milicjanci chodzili, słuchali i byli w szoku. Aż w końcu zaczęto nas przeganiać miotłami – opowiadał w wywiadzie z Dmytro Gordonem. I dodawał, że pokłócił się z niektórymi przyjaciółmi, choć wielu znajomych Rosjan nie popierało działań Putina.

Chociaż Zełenski i trzon jego zespołu pochodzili z Krzywego Rogu, a więc ze wschodniej Ukrainy, i pomimo faktu, że mówili po rosyjsku i mieli wielu przyjaciół w Rosji, po Euromajdanie zdecydowanie opowiedzieli się za sprawą ukraińską. W 2012 roku Kwartał nagrywał swój ostatni film we współpracy z Rosjanami. Miał wejść na ekrany w 2014, ale z powodu napaści Rosji na Ukrainę premiera została odwołana. Co prawda, po drodze nie uniknęli niezręcznych posunięć, jak występ w zajętej przez separatystów Gorłówce, jednak wkrótce Kwartał 95 zaczął dawać koncerty na rzecz walczących w Donbasie ukraińskich żołnierzy.

W sierpniu 2014 roku na lotnisku w bazie wojsk ukraińskich niedaleko Mariupola na wschodzie Ukrainy pojawił się autokar Kwartału 95. Z pojazdu zaczęli wychodzić znani komicy z Zełenskim na czele.

– Chcemy was trochę podnieść na duchu – mówił Zełenski.

Natychmiast otoczyli ich wojskowi.

– *Sława Ukrajini*! – krzyczeli wspólnie.

Na polowej scenie Kwartał 95 dał ponaddwugodzinny koncert przed półtoratysięcznym oddziałem żołnierzy.

– Dobrze, że przyjechali. Mogliśmy się pośmiać, a tu się cały czas myśli tylko o trudnych sprawach – mówił jeden z nich.

Zełenski z kolegami z zespołu zrzucili się i przekazali wojskowym milion hrywien, czyli około 40 tysięcy dolarów, na leki i niezbędne rzeczy, a także karetkę pogotowia. To nie była ich jedyna zbiórka dla walczących żołnierzy.

– Później, jak byłem w Moskwie, pojawiali się ludzie z plakatami głoszącymi, że jestem „banderowcem", faszystą, że karmię tych, co zabijają cywilów w Doniecku. Paskudna historia, straszne przekłamania – mówił Zełenski w wywiadzie z Gordonem. Przyznał, że kiedy zaproponowano mu ponownie występ w Rosji i oferowano 250 tysięcy dolarów, odmówił. – Wychowuję dzieci. Muszę być dla nich przykładem – powiedział.

Sam jednak sprzeciwiał się wprowadzaniu zakazu przyjazdów rosyjskich artystów do Ukrainy, do czego wzywamo po aneksji Krymu. Osobiście znał wielu takich, którzy protestowali przeciw rosyjskiej agresji. Uważał, że opozycyjni rosyjscy artyści mogą być sojusznikami ukraińskiej sprawy i nie należy ich zrażać. Chyba że opowiedzieli się za reżimem Putina, jak reżyser Nikita Michałkow, twórca *Spalonych słońcem*.

– On jest politykiem – powiedział Zełenski o Michałkowie w jednym z wywiadów udzielonych zagranicznym mediom. – Nikt nie dyskutuje o jego osiągnięciach w *Chodząc po Moskwie* czy *Swój wśród obcych*, ale dziś jest politykiem, którego poglądy dotyczące Ukrainy nie pokrywają się z opiniami ludzi w naszym kraju.

Mając dużą popularność i doświadczenie zarówno w zarządzaniu kanałami telewizyjnymi, jak i ogromnym przedsiębiorstwem, Zełenski czuł już własną rosnącą pozycję, czuł też wewnętrzną siłę. To uwidoczniło się podczas jednego z zagranicznych koncertów Kwartału 95. W Berlinie, już po aneksji Krymu w 2014 roku, artyści Kwartału włączyli do programu elementy patriotyczne, podkreślające fakt, że Krym to Ukraina. Sala pękała w szwach, przybyło około trzech tysięcy widzów. Zełenski wiedział, że w Niemczech, gdzie jest spora grupa Rosjan i gdzie propagandę serwują rosyjskie stacje telewizyjne, może dojść do prowokacji.

– Wykonywaliśmy piosenkę *Ojczyzna*. Nie pamiętam, co dokładnie mówiłem wcześniej, bo nie uczę się kwestii na pamięć, lecz z pewnością powiedziałem, że Krym to nasza ziemia. A ktoś z widowni zawołał: „Jaki tam wasz kraj!" i podniósł rosyjską flagę – opowiadał Zełenski w pamiętnym wywiadzie. Czuł, że to prowokacja i poprosił wichrzyciela, żeby wyszedł, a organizatorzy zwrócą mu pieniądze za bilet. Intruz zaczął oponować. „Nie jestem sam!" pokrzykiwał. „Dobrze, oddamy pieniądze wszystkim w tym rzędzie. Wyjdź, bo sam cię wyprowadzę" odpowiedział Zełenski.

– Wtedy tamten rzucił coś obraźliwego o Ukrainie, więc podszedłem i dałem mu w twarz. A inni go wynieśli – opowiadał Zełenski.

Często szedł pod prąd, nawet w ostrych żartach. Wyczuwał nastroje ludzi. Wychowany we wschodniej Ukrainie, a jednocześnie uważający różnorodność za atut swojego kraju, nie lubił zamykać się w określonych ramach ideowych. Dostrzegał przy tym niuanse, które inni pomijali – zresztą dlatego udawało mu się tworzyć tak zabawne scenariusze programów.

Nie zawsze i nie wszystkie podobały się władzom. Zwłaszcza po rosyjskiej napaści w 2014 roku w Ukrainie zaczęto szczególnie bacznie przyglądać się artystom i ich twórczości. Wielu bowiem działało wcześniej także w Rosji, podobnie jak Studio Kwartał 95. Ofiarą zwrotu przeciwko wszystkiemu, co rosyjskie, padł też serial *Swaty*, nagrywany z rosyjskimi współpracownikami. Państwowy instytut dystrybucji filmów cofnął licencję na wyświetlanie tego filmu w Ukrainie.

Zełenski był wściekły. Wygłosił ostrą, ironiczną tyradę:

– Jeżeli komuś nie podoba się słowo „swat", a bliższe mu jest słowo „kum", to niech najpierw zwalczy kumoterstwo i nepotyzm, a potem walczy z naszymi swatami. [...] Co wy do cholery sugerujecie? Kim jesteście i czego dokonaliście? Jeśli jesteście Służbą Bezpieczeństwa Ukrainy, to zadbajcie o bezpieczeństwo kraju, aby dzieci mogły bez strachu wychodzić na ulicę – grzmiał w mediach.

Głos narodu

To była właśnie ta polityka, która – jak wcześniej wspominał – niechciana, wciskała się w codzienne życie.

Społeczeństwo ukraińskie stawało się zmęczone wojną na wschodzie, która w 2015 roku przyniosła jeszcze więcej ofiar. Jednocześnie sprawy gospodarcze w kraju nie szły w dobrym kierunku. Miliony Ukraińców wyjeżdżały do pracy w Polsce, Niemczech i innych krajach Europy, aby zarobić na godne życie i wysyłać część pieniędzy rodzinom w ojczyźnie.

Sytuacja gospodarcza w kraju, po zapaści spowodowanej agresją rosyjską w 2014 roku, powoli się poprawiała. Jednak tempo wzrostu gospodarczego było w społecznym odczuciu zbyt wolne. Inflacja była dwucyfrowa – wahała się od 46 procent w 2015 roku do około 11 procent w 2018. Ceny w sklepach szybowały w górę, drożał też dolar, a pensje i emerytury stały w miejscu.

– Wiele osób wydaje pensję w dwa dni. Przyjdzie emerytura, równowartość sześćdziesięciu dolarów, zapłacą rachunki i pozostaje im już tylko wegetować przez kolejne dwadzieścia osiem dni – opowiada Andrij Zasławski z Krzywego Rogu. – Ukraińcy są mistrzami świata w tym, jak przeżyć od pierwszego do pierwszego – śmieje się gorzko.

Z braku perspektyw miliony Ukraińców w tych latach opuszczają kraj. Jak wynika ze statystyk, są to w dużej mierze młodzi, wykształceni ludzie, dla których po prostu nie ma satysfakcjonującej ścieżki kariery w kraju. Jednocześnie wszyscy widzą gigantyczne fortuny oligarchów, którzy wzbogacili się na przejętym majątku państwowym, i żyjących na wysokiej stopie polityków, którzy w urzędach zatrudniają krewnych i znajomych. Wiele spraw można załatwić tylko za łapówkę.

Korupcja irytuje na każdym kroku:

– Żeby coś załatwić w urzędzie czy w sądzie, dostać się do szpitala, a nawet na uczelnię, często trzeba było wręczyć komuś pieniądze. Ludzie mieli poczucie, że państwo nie funkcjonuje. Ba, nawet jak się oddawało samochód do prywatnego warsztatu, to płaciło się dodatkowo mechanikowi za to, żeby nie wstawił jakichś podrabianych, marnej jakości części zamiennych – mówi Michał Kacewicz. – To wszystko zaczęło się zmieniać po reformach wprowadzonych przez Poroszenkę, ale bardzo powoli – dodaje.

W tej przenikającej do życia polityce widać już prapoczątki dryfowania samego Zełenskiego ku władzy państwowej, nie w sensie wyśmiewania jej wad, lecz osobistego zaangażowania. Emitowany od 2015 roku serial *Sługa narodu* mimo satyrycznej formy był mocnym głosem za koniecznością zmian politycznych w Ukrainie.

Na pomysł nakręcenia serialu o alternatywnej sztuce rządzenia w kraju Zełenski i spółka wpadli, mając już na koncie doświadczenie po wcześniejszych sukcesach z serialem *Swaty* i z filmami pełnometrażowymi. W ich wizji kraj zmienia się w nowoczesne państwo, pozbawione wszechogarniającej korupcji i nepotyzmu, bez oligarchów, bez wojny i potrzeby emigracji zarobkowej.

W listopadzie 2015 roku, kiedy na ekranach kanału 1+1 w najlepszym czasie antenowym codziennie pojawia się serial *Sługa narodu*, miliony Ukraińców zaczynają nucić słowa pogodnej piosenki otwierającej każdy odcinek: „Kocham swój kraj, kocham swoją żonę, kocham swojego psa...". Proste słowa, które niemal każdy mógłby powtórzyć. Opowieść o bohaterze z ludu, skromnym nauczycielu historii Wasylu Hołoborodce, żyjącym w bloku z rodzicami, siostrą i siostrzenicą, który zostaje prezydentem i chce zmienić kraj, oglądają rzesze Ukraińców.

A zaczyna się tak: kiedy Hołoborodko prowadzi lekcję historii, do sali wkracza inny nauczyciel i każe jego uczniom – a nie klasie mającej matematykę – iść rozwieszać programy wyborcze. Hołoborodko wpada w gniew i wyrzuca z siebie pełną przekleństw tyradę:

– W tym kraju zawsze tak będzie, bo wybiera się polityków, którzy znają tylko jedną matematykę: jak pomnażać własne pieniądze! – krzyczy Hołoborodko. Wściekłe pomstowanie, w którym wulgaryzmów jest więcej niż innych słów, kończy stwierdzeniem, że w państwie powinno być tak, że nauczyciel żyje jak prezydent, a prezydent – jak nauczyciel.

Jeden z uczniów Hołoborodki nagrywa telefonem pełną przekleństw przemowę i wrzuca film do mediów społecznościowych. W szkole wybucha skandal, nauczyciel obawia się wyrzucenia z pracy, ale film zaczyna krążyć w sieci i zdobywa wielomilionową widownię oraz mnóstwo komentarzy poparcia. Ktoś umieszcza Hołoborodkę w rankingu potencjalnych kandydatów na prezydenta, a uczniowie zbierają na crowdfundingu dwa miliony hrywien niezbędne do rejestracji kandydata w komisji wyborczej. Nieświadomy niczego Hołoborodko zostaje wybrany na prezydenta.

– Nad sceną w szkole łamał sobie sobie głowy cały zespół scenarzystów – mówił później Andrij Jakowlew, jeden z menedżerów Kwartału 95. – I wszyscy generalnie dochodzili do podobnej konkluzji. Taka scena była potrzebna, bo bez niej nikt by nie uwierzył, że na Hołoborodkę można głosować – dodawał.

Ten szkolny epizod wyrażał wszystko to, o czym myśleli zwykli Ukraińcy. Zełenski i jego współpracownicy mówili, że pomysł na serial nie zrodził się tylko w jego umyśle: w tamtym czasie wszyscy czuli, że trzeba zabrać głos w sprawach kraju.

– Zrobiliśmy serial o tym, o czym zasadniczo w każdym mieszkaniu codziennie rozmawia się w kuchni. Ale tych głosów się nie słyszy. My tę kuchnię przenieśliśmy na ekran. Daj Boże, żeby politycy usłyszeli słowa *Sługi narodu* – mówił po nagraniu pierwszego sezonu jeden z aktorów Stepan Kazanin. Zełenski przyznawał, że to, co filmowy Hołoborodko sądzi na temat ludzi sprawujących władzę, wielokrotnie sam głosił w różnych kręgach.

Serial wyśmiewa zwłaszcza związki ludzi władzy z oligarchami, nepotyzm, korupcję. Na jednej z plansz pokazujących głównych ministrów i urzędników ludzie Hołoborodki rysują sieć powiązań łapówkarskich, rodzinnych, biznesowych i towarzyskich. Wychodzi z tego istna pajęczyna.

W innej scenie – już w drugim sezonie serialu – Hołoborodko pozbywa się wszystkich skorumpowanych starych ministrów i spotyka się z nowymi, których przydzieliła administracja. Na posiedzeniu jego gabinetu siedzą sami młodzi ludzie. Prezydent Hołoborodko najpierw jest zadowolony, że ma tak młodych ministrów, z którymi może budować nowoczesne państwo, a potem zauważa, że na tabliczkach przed nimi zostały stare nazwiska.

– Dlaczego? – pyta doradcę.

– To dzieci poprzedników – odpowiada urzędnik.

– A ich doradcy? – dopytuje prezydent.

– To kuzyni.

– A doradcy doradców to też krewni? – docieka coraz bardziej poirytowany.

– Nie, to szkolni koledzy.

Zełenski mówił w programie nagranym przez Studio Kwartał 95, że serial *Sługa narodu* to życie zanurzone w komedii. Przy czym inaczej go odbierają Ukraińcy, a inaczej ludzie spoza Ukrainy. To, co obcych śmieszy, u widza w Ukrainie często wywołuje gorzkie łzy.

Sługa narodu jest nakręcony z rozmachem i z pewnością z dużym budżetem. Do filmu zaangażowano najlepszych aktorów komediowych i teatralnych z całej Ukrainy. Takich, którzy mają duże poczucie humoru, umieją grać sceny komediowe i włączają do swoich kreacji własne przemyślenia na temat granych postaci.

Twórcy serialu uznali, że scenariusz kolejnych części filmu należy pisać na bieżąco. Znali ogólny zarys fabuły, jednak chcieli reagować też na aktualne wydarzenia. I kiedy w jednym pawilonie nagrywano sceny do filmu, w sąsiednim grupa autorów tworzyła już scenariusz na następny dzień zdjęciowy.

Zełenski pojawiał się na planie często już o świcie. Czasami zdjęcia zaczynały się o godzinie 4 rano i trwały do 23. Koledzy nazywali go wręcz „wołem roboczym", albo – „Zielonym", od nazwiska.

– Kiedy Zielony przychodzi na plan, wszystko wskakuje na swoje miejsce – mówili.

Sam Zełenski w materiale Studia Kwartał 95 opowiadał, że zależało mu na tym, żeby role były nie tyle odgrywane, co przeżywane przez aktorów.

– Trzeba się utożsamiać ze swoją postacią. Niektórzy mówią, że zagrają, nawet jeśli bohatera nie lubią. Niczego nie zagrają – twierdził.

Ołeksij Kiriuszczenko, reżyser *Sługi narodu*, był pod wrażeniem gry Zełenskiego. – Wołodia to pracoholik. Ale on ma niebywały talent – mówił. – Właściwie momentalnie zaczyna grać. W pewnym momencie po prostu coś przełącza i wszystko mu się udaje.

Tak jak w słynnej scenie z pierwszego sezonu serialu, kiedy Hołoborodko/Zełenski jako nowo wybrany prezydent po raz pierwszy przemawia do deputowanych w parlamencie. Kiedy się ogląda tę scenę, trudno właściwie rozróżnić, czy gra ją aktor, czy przemawia prawdziwy polityk.

– Wy, słudzy narodu, doskonale wiecie, co to demokracja. Z greckiego słowo to oznacza *demos-kratos* – narodo-władztwo. Nie odwrotnie, nie *kratos-demos*, nie władza nad narodem, ale naród nad władzą – zaczyna Hołoborodko, nawiązując do swego wyuczonego zawodu nauczyciela historii, a deputowani siedzą jak zaklęci. – Władza w naszym kraju należy więc do narodu. A naród najmuje was i mnie do pracy. Powiedzcie mi zatem, dlaczego mnie, prostego nauczyciela historii, nie stać nawet na kupno chruszczowki [mieszkania w tanim bloku z czasów Chruszczowa], a wy, moi podwładni, żyjecie w przepięknych rezydencjach? Nie wydaje się wam to dziwne? Czy tylko ja uważam, że coś jest nie tak? Czy to normalne? Przecież jesteście sługami narodu! Czy ktokolwiek widział gdzieś, żeby słudzy żyli lepiej od swoich panów? A może wy służycie nie temu gospodarzowi, co trzeba? Może zamiast narodowi służycie oligarchom? Czy naprawdę nie chce się wam zrobić niczego dobrego dla tego kraju? – mówi z ogromnym zapałem i z wyrzutem Hołoborodko, a kończy przemowę propozycjami ustaw, które spowodują oszczędności w budżecie państwa i pozwolą znaleźć pieniądze na zaległe wypłaty dla nauczycieli. Na koniec dodaje, podsumowując całą klasę polityczną: – A teraz możecie się dalej kłócić. Jeśli nie macie nic innego do roboty.

Takie słowa musiały zostać przez widzów odebrane jak program polityczny. Z pewnością zdecydowana większość Ukraińców się z nimi utożsamiała.

Reżyser Ołeksij Kiriuszczenko opowiadał, że do nagrania tej sceny zatrudniono 250 aktorów z Ukrainy, którzy siedzieli w sali Werchownej Rady jako posłowie. – Prosiłem, żeby nie oklaskiwali go w trakcie sceny. Musiałem robić pięć dubli. Po piątym już nie mogli wytrzymać, by nie bić Zełenskiemu brawa – opowiadał reżyser w filmie nagranym po pierwszym sezonie *Sługi*. I dodawał, że monologi Zełenskiego wyglądały wprost jak głoszenie programu politycznego.

– On przychodził na nagranie, ćwiczył swoje kwestie. Rozumiem, że miał własne przemyślenia co do sytuacji w kraju, kochał ten kraj i mówił od siebie. To było coś więcej niż aktorstwo. To po prostu urodzony orator. Nie artysta, lecz orator. To się nam udało, że główną rolę w tym serialu gra osobowość trochę większa od aktorskiej – mówił reżyser w nagraniu dla Studia Kwartał 95.

Już po pierwszym sezonie *Sługi narodu* było wiadomo, że to nie jest zwykły serial rozrywkowy, nie sitcom, lecz poważny głos w sprawach kraju.

– *Sługa narodu* to kino dla tych, którym nie jest wszystko jedno – mówiła aktorka Lena Krawiec po nagraniu pierwszego sezonu. A reżyser Ołeksij Kiriuszczenko dodawał:

– Powiedzenie, że każdy naród ma takie władze, na jakie zasługuje, jest prawdziwe. I to, że teraz – dzięki filmowi – ludzie zaczynają zabierać głos, to dobrze. Lepiej rozmawiać niż milczeć. Trzeba mówić. I my mówimy.

Sam Zełenski dorzucał później, że te wszystkie treści, które przekazali serialem *Sługa narodu*, te zasady i wartości moralne, odzwierciedlały to, co sam czuł.

Czuli to też Ukraińcy. Oglądali serial i marzyli, żeby tak rzeczywiście się stało. Rozumieli, że ten film przedstawia ich pragnienia, ich myśli.

– Chcieliśmy takiego prezydenta, jak przedstawiony w tym serialu – mówi Andrij Zasławski. – W tym filmie pokazano prostego nauczyciela, któremu udało się zreformować kraj. Naprawdę chciałbym to zobaczyć w życiu! Nadal chcę takiego prezydenta. Takiego rządu, posłów, takich urzędników różnych szczebli. Można powiedzieć, że jest to moje marzenie. I nie tylko moje: zdecydowanej większość obywateli Ukrainy, jestem tego po prostu pewien! – dodaje Zasławski.

Polityka

W kolejnych sezonach *Sługi narodu* – a powstały trzy – przekaz do społeczeństwa jest jeszcze wyraźniejszy.

Drugi sezon serialu pojawił się na ekranach pod koniec 2017 roku, a więc dwa lata po pierwszym. I też był wyświetlany codziennie w najlepszym czasie antenowym stacji 1+1 – o godzinie 21.

Widać tam oczywiście bunt starej klasy politycznej i oligarchów przeciwko reformatorskiemu prezydentowi, widać słabości polityków i podatność na korupcję. Widać też bezpośrednie wezwania, program polityczny.

Trzecia seria, która ukazała się w 2019 roku, tuż przed wyborami prezydenckimi, to właściwie czysty manifest polityczny. Rywale Zełenskiego w wyborach bezskutecznie domagali się wtedy zdjęcia z anteny *Sługi narodu* jako elementu kampanii wyborczej. Niezależna organizacja Komitet Wyborców Ukrainy stwierdziła, że za wyświetlanie tej części serialu w trakcie kampanii sztab Zełenskiego powinien zapłacić jak za materiały wyborcze. I być może mieli rację. Filmowy prezydent Hołoborodko głosi hasła, które wyborcy traktują jak program kandydata na prezydenta – Zełenskiego:

– Nie możemy tracić ludzi utalentowanych. Talenty to nasz największy skarb narodowy. Chcę ogłosić rok innowacji w Ukrainie, rok nowych technologii i startupów. To nie ludzie utalentowani powinni szukać pieniędzy, lecz pieniądze powinny szukać utalentowanych ludzi. W naszym kraju trzeba zrobić wszystko, żeby stworzyć idealne warunki do realizacji ich idei i projektów – mówi Hołoborodko w trzecim sezonie serialu.

Odnosi się też do tradycyjnych podziałów w społeczeństwie ukraińskim, dotyczących pochodzenia czy języka:

– Nie ma znaczenia, skąd jesteśmy ani jakim językiem mówimy. Wschód, zachód. My jesteśmy jednym krajem. Jesteśmy wszyscy Ukraińcami. A jeśli chcemy być jednym krajem, musimy nauczyć się żyć ze sobą – przemawia Hołoborodko/Zełenski.

Czy to wciąż film, czy już program polityczny? Aktorzy serialu mówili, że dobrze by było, żeby przekaz filmu dotarł do polityków ukraińskich. I niewątpliwie dotarł. Zresztą nie tylko do nich. Skoro wielu Ukraińców chciałoby mieć takiego prezydenta jak Hołoborodko grany przez Zełenskiego, to czy Zełenski nie może przekształcić tych marzeń w rzeczywistość?

Serial *Sługa narodu* bez wątpienia stał się cezurą w życiu i karierze Wołodymyra Zełenskiego. Choć wciąż zaangażowany w pracę artystyczną i swój rozrywkowy biznes, Zełenski od tej pory nieuchronnie zaczyna się przeistaczać w gracza na ukraińskiej scenie politycznej.

Sam wielokrotnie zaprzeczał, że serial powstał z myślą o przyszłym starcie w wyborach prezydenckich czy w ogóle o wejściu do polityki. Jednak już kiedy ogląda się pierwsze odcinki serialu, rodzi się nieodparte wrażenie, że to nie tylko satyra na polityków i pokazanie alternatywnej rzeczywistości – jak mogłaby wyglądać Ukraina rządzona przez dobrego prezydenta – lecz również wprost przedstawienie programu politycznego. Według mediów pierwszą ofertę polityczną Zełenski miał otrzymać w 2016 roku – kandydowania na mera miasta Dniepr, wtedy jeszcze Dniepropietrowsk. Wtedy odmówił.

– Powiedział, że nie chce być jednym z tego starego stada owiec – wspomina Kołomojski w wywiadzie dla RBK (RosBusinessConsulting).

Z czasem jego wejście do polityki stawało się jednak coraz bardziej realne. Ihor Kołomojski uważał, że Zełenski mógł myśleć o projekcie politycznym, tworząc scenariusz do pierwszego sezonu *Sługi narodu*.

– Podejrzewam, że kiedy planował zdjęcia do serialu i pisanie scenariusza, już wpadł na pomysł kandydowania. Był to 2013 lub 2014, gdyż serial wszedł na ekrany w 2015 roku – mówił Kołomojski w wywiadzie dla rosyjskiej telewizji RBK, kiedy Zełenski został prezydentem.

Czy tak faktycznie było, trudno stwierdzić. Z całą pewnością jednak Zełenski już w tamtych latach musiał się zastanawiać nad sytuacją polityczną. Kiedy na ekrany wchodził *Sługa narodu*, kraj wciąż nie otrząsnął się po rosyjskiej agresji, która pokazała, jak słabe wówczas było państwo ukraińskie: nie tylko politycznie, ale i militarnie. Zełenski z pewnością rozmyślał nad przyszłością, nad tym, w jakim kraju będą żyć jego dzieci. Sam o tym mówił w wywiadach. Pragnął dla nich kraju nowoczesnego, opartego na wzorcach zachodnich, oferującego młodym ludziom szanse rozwoju, a nie tylko paszporty, by wyjeżdżali zarabiać lepsze pieniądze za granicą.

W jednej z końcowych scen ostatniej serii *Sługi narodu* oglądamy przemowę prezydenta Hołoborodki:

– Możemy zmienić ten kraj, zachować naszą niepodległość, spłacić jego długi, żebyśmy nigdy nie byli narodem drugiej kategorii. W imię przyszłości naszych dzieci i wnuków. Jeśli nam się nie uda, to sumienie będziemy mieć czyste: przynajmniej próbowaliśmy.

Czy to nie brzmi jak program wyborczy?

V

„Idę na prezydenta”

Od nocy sylwestrowej do dnia zwycięstwa

W TYM ROZDZIALE

Raczej nie było jednego decydującego momentu, w którym postanowił kandydować. To bardziej proces i przekonanie, że podoła. Jak grany przez niego zagubiony nauczyciel, który przeistacza się w męża stanu.

Decyzję o ogłoszeniu kandydowania wyreżyserował i zaplanował równie starannie jak swoje filmy. Została wyemitowana w telewizji, kilka minut przed północą w sylwestra. Następnego dnia wszyscy mówili tylko o tym.

W kampanii przedstawiał siebie jako człowieka z ludu, w opozycji do nielubianej klasy politycznej. Unikał wypowiedzi dla mediów. W pełni kontrolował przekaz. Był debiutantem w polityce, ale znał zasady tej gry.

Finałowa debata odbyła się na Stadionie Olimpijskim. Wybór miejsca zaaranżował sztab Zełenskiego. Dla kandydata, którego publiczność napędza, a jednym z jego ulubionych filmów jest *Gladiator*, to wymarzona sceneria.

Jest sylwestrowy wieczór 2018 roku. Ludzie bawią się na imprezach lub spędzają wieczór w domach, oglądając programy rozrywkowe w telewizji. Zaledwie kilku minut brakuje do północy, do początku nowego roku 2019, w którym mają się odbyć wybory prezydenckie. Wszystkie telewizje ukraińskie przerywają wtedy program, by nadać krótkie, sztampowe zazwyczaj życzenia noworoczne głowy państwa.

Kanał 1+1 również przerywa program – kabaretowy *Wieczorny Kwartał*. Tu czeka jednak ogromna niespodzianka. Ku zaskoczeniu widzów, zamiast prezydenta na ekranie pojawia się Wołodymyr Zełenski. I to on wygłasza krótkie orędzie do telewidzów. Mówi nie jak wielki dostojnik, lecz jak stary, dobry znajomy, nie w garniturze, lecz w białej koszuli z podwiniętymi rękawami:

– Drodzy przyjaciele, za chwilę powitamy Nowy Rok i zobaczycie dalszy ciąg *Wieczornego Kwartału*.

Ale teraz chcę wam powiedzieć coś szczerze od siebie, jako Wołodymyr Zełenski. Dzisiaj każdy z nas w Ukrainie ma do wyboru trzy drogi. Pierwsza: żyć tak, jak żyjesz, troszczyć się o codzienne sprawy – i to normalne. Druga: spakować rzeczy i wyjechać za granicę, by zarabiać i przysyłać pieniądze bliskim. To również normalne. Jest jednak i trzecia droga: spróbować samemu coś zmienić w Ukrainie. I właśnie tę drogę wybrałem dla siebie. Od dawna pytają mnie: „Kandydujesz? Nie kandydujesz?". Nie chciałem być jak nasi politycy, obiecać coś i słowa nie dotrzymać. Dlatego teraz, kilka minut przed Nowym Rokiem, coś wam obiecam i od razu to wykonam. Drodzy Ukraińcy, obiecuję wam iść na prezydenta Ukrainy. I od razu spełniam obietnicę: Idę na prezydenta Ukrainy. Kandyduję. Chodźcie, zróbmy to razem! Z Nowym Rokiem. Z nowym sługą narodu.

Dla zwykłych Ukraińców było to ogromne zaskoczenie, a klasę polityczną wprawiło w konsternację. Część przyjęła to jako kolejny żart słynnego kabareciarza. Od emisji serialu *Sługa narodu* przebąkiwano, że Zełenski – filmowy Hołoborodko – może mieć ambicje prezydenckie. W sondażach, w których umieszczano go jako potencjalnego kandydata, wypadał nieźle, jednak wtedy nie dawano mu szans na zwycięstwo. Starzy wyjadacze polityczni uznali, że kandydatura Zełenskiego – aktora i klauna, jak pogardliwie go nazywano – to kompletne nieporozumienie.

Podobnie myślało wielu Ukraińców.

– Gdy okazało się, że Zełenski będzie kandydował, u mnie – na zachodzie Ukrainy, gdzie mieszka bardziej konserwatywna, mająca silne poczucie ukraińskiego patriotyzmu część społeczeństwa – zostało to przyjęte nawet trochę z kpiną, z poczuciem pomieszania porządków. Ludzie mieli wrażenie, że ktoś się pomylił, chce startować w innej kategorii niż ta, do której jest stworzony – opowiada Wojciech Jankowski, redaktor naczelny „Nowego Kuriera Galicyjskiego" ze Lwowa.

Jednak od rana 1 stycznia 2019 roku, kiedy ludzie budzili się po nocnej zabawie, w Ukrainie krążył news dnia. A Zełenski nigdy nie był bardziej poważny niż w ów sylwestrowy wieczór.

Przed decyzją

Zanim jednak postanowił ogłosić swój start w wyborach, przebył długą drogę i doświadczył wielu rozterek.

W 2016 roku, czyli mniej więcej rok po wejściu na ekrany pierwszego sezonu *Sługi narodu*, Zełenski przebywał w Odessie. Wieczorami zabytkowe kamienice i pałace nadmorskiego miasta toną w zieleni i świetle, latarnie uliczne stwarzają magiczny klimat. W okolicach portu i starówki, blisko słynnych Schodów

Potiomkinowskich, znajduje się wiele przytulnych restauracji. W jednej z nich doszło do spotkania, które miało zaważyć na całej przyszłości Wołodymyra Zełenskiego.

Zadzwonił do niego Andrij Bohdan, prawnik i przedstawiciel oligarchy Ihora Kołomojskiego, do którego należała stacja telewizyjna 1+1. Od kilku lat Studio Kwartał 95 produkowało dla tej stacji programy i filmy, w tym serial *Sługa narodu*. Kiedy Zełenski uzgadniał z Kołomojskim kwestie umów i zasady współpracy z telewizją, Bohdan musiał uczestniczyć przynajmniej w niektórych rozmowach. To on rok wcześniej namawiał Zełenskiego do kandydowania do Rady Obwodu w mieście Dniepropietrowsk. Miał też doświadczenie w pracy dla wielu poprzednich przywódców Ukrainy. Przy wcześniejszych kampaniach prezydenckich i parlamentarnych pracował dla różnych kandydatów. Teraz próbował nakłonić Zełenskiego do odegrania zupełnie nowej roli, nie na ekranie, lecz w życiu.

Przebieg tamtej rozmowy w Odessie Andrij Bohdan relacjonował w rozmowie z Gordonem.

– Zadzwoniłem do Zełenskiego: „Mam sprawę".

– „Jestem w Odessie. Przyjedź, porozmawiamy" – odpowiedział.

Poszli do restauracji. Bohdan, stary wyga, znający od podszewki ukraińską politykę, zaproponował, by Zełenski wystartował w wyborach na prezydenta.

– „Serialem *Sługa narodu* dałeś ludziom nadzieję. Jeśli teraz nawet nie spróbujesz, będą rozczarowani: spotka ich kolejny zawód. Jeżeli nie wygrasz, nikt cię nie będzie winił, ale jeśli nawet nie spróbujesz, wtedy tak. Ja sam będę zawiedziony" – przekonywał Bohdan. Zełenski przyjął te słowa z powagą. – Myślę, że silnie na niego wpłynęły – opowiadał.

Rozmawiali długo. Bohdan tłumaczył Zełenskiemu, że jeśli postanowi ubiegać się o urząd prezydenta, musi mieć zaplecze, platformę polityczną, w imieniu której będzie kandydować. Zełenski nie powiedział wtedy ani „tak", ani „nie". Musiał wszystko przemyśleć, a przede wszystkim zdecydować, czy sam tego chce. Czy podoła. Nie był politykiem i nie miał stosownego doświadczenia. Musiał też najpierw przedyskutować tę kwestię z żoną, z rodziną – ustalić, jak miałoby wyglądać ich dalsze życie. Co z dziećmi? Czekało go również wiele rozmów ze współpracownikami i przyjaciółmi z Kwartału 95. W końcu firma to jego dzieło, a on jest nie tylko jej współwłaścicielem, ale też twarzą i po prostu przyjacielem wielu aktorów zespołu. Jeśli wystartuje, to co dalej z Kwartałem? Co dalej z nimi? Wtedy, w 2016 roku, jeszcze się jednak nie zdecydował kandydować.

Niemniej po rozmowie z Bohdanem było jasne, że propozycja jest poważna i w razie potrzeby znajdą się pieniądze na kampanię.

Zełenski powiedział o rozmowie żonie Ołenie. Mieli wówczas prawie trzyletnie dziecko – syna Kiryła, a nastoletnia córka Aleksandra wchodziła w trudny wiek dojrzewania.

– Kategorycznie się sprzeciwiałam – mówiła później Ołena Zełenska. – Wszystko by się zmieniło, to by było dla nas bardzo trudne. – Przede wszystkim chodziło jej o rodzinę. Mąż, pracując w show-biznesie, miał dla niej niewiele czasu. Próby, nagrania, narady, trasy koncertowe – dzieci widywały go rzadko. W trakcie kampanii i po ewentualnym zwycięstwie wyborczym wszystko by się jeszcze bardzie skomplikowało. Ołena uważała też, że niemający doświadczenia politycznego Wołodymyr stanie się łatwym celem dla zawodowych polityków, a podczas brutalnej kampanii na ich rodzinę wyleją się wiadra pomyj. Zełenski, który zawsze powtarzał, że w najważniejszych decyzjach życiowych słucha żony, tym razem nie powiedział ani że startuje, ani że rezygnuje. Radził się również rodziców.

W rozmowie z telewizją Hromadske mama Zełenskiego opowiadała, że odwodzili syna od pomysłu kandydowania.

– Wowa, to ci absolutnie niepotrzebne – mówili. – Nie trzeba ci się w to pchać, w to błoto. W telewizji widać, jak to się wylewa. Potem będą tylko ciągłe ataki.

Wołodymyr wysłuchał tych rad, ale w kolejnym 2017 roku, również do końca jeszcze nie zdecydował, czy będzie startował. A przynajmniej nikomu tego nie powiedział. Zaczął jednak działać tak, żeby możliwość kandydowania pozostawała cały czas kwestią otwartą.

Zełenski nigdy tego nie potwierdził, jednak ukraińscy dziennikarze i politycy są przekonani, że za propozycją kandydowania na prezydenta stał oligarcha Ihor Kołomojski. Sam fakt, że to jego prawnik – Andrij Bohdan – przedstawił taki pomysł w Odessie, zdaje się wszystko wyjaśniać. Kołomojski też będzie w wywiadach sugerować, że chciał namówić Zełenskiego do udziału w wyścigu po prezydenturę. Mówił tak między innymi w rosyjskim kanale informacyjnym RBK.

– Rozmawialiśmy o tym z Zełenskim w 2017 roku, kiedy ukazał się drugi sezon serialu *Sługa narodu* – mówił Kołomojski. – Ale wtedy wciąż się jeszcze wahał – dodał. Oligarcha był też przekonany, że już podczas nagrywania pierwszego sezonu *Sługi narodu*, a więc w 2014 roku, wizja prezydentury musiała Zełenskiemu świtać w głowie. Zełenski nigdy tego nie potwierdził.

Drugiego grudnia 2017 roku Zełenski zakłada partię o takiej samej nazwie jak tytuł serialu: Sługa Narodu. Pierwszym przewodniczącym partii zostaje pełniący wówczas funkcję szefa Studia Kwartał 95 przyjaciel Zełenskiego Iwan Bakanow. Oficjalnie tłumaczono, że partia powstała po to, by żadna siła polityczna nie zawłaszczyła tego określenia i nie wykorzystywała go politycznie, jednak w praktyce było to wypełnienie jednego z warunków startu na prezydenta, o których mówił Zełenskiemu w Odessie Andrij Bohdan: stworzenie zaplecza politycznego. Rok przed wyborami, wiosną 2018, Zełenski wciąż nie przekazywał decyzji o starcie w wyborach – ani bliskim, ani publicznie. Jednak wtedy był już do tego coraz bardziej przekonany.

Właśnie w tym czasie powstawał trzeci sezon *Sługi narodu*. Miał wejść na ekrany na początku 2019 roku, czyli na ostatniej prostej kampanii prezydenckiej. Jednak już wcześniej pojawiały się zwiastuny tej części serialu, mające bardzo wymowny wydźwięk. To był tylko zwiastun przedstawiał scenę pogrzebu i przemowę filmowego prezydenta Hołoborodki nad trumną polityka symbolizującego całą ukraińską klasę polityczną. Hołoborodko wymienia „dokonania" zmarłego, a wśród nich wyprowadzanie pieniędzy z kasy państwa czy „wynegocjowanie" tak wysokich cen za gaz, że zabrakło pieniędzy, by jego ciało spopielić w krematorium. „Umarłeś, abyśmy mogli żyć" – dziękuje mu na koniec, a orkiestra zaczyna grać radosnego marsza.

Przekaz był jasny: stara polityka umiera, by dać miejsce nowej, symbolizowanej przez Zełenskiego. Błędy starej klasy politycznej sprawiły, że – niejako „dzięki" nim – musiał się pojawić ktoś zupełnie nowy, niezbrukany, taki jak Zełenski. I na takich sygnałach – na opozycji do starego systemu i do starej, skorumpowanej klasy politycznej – Zełenski zacznie budować swoją kampanię wyborczą.

W połowie 2018 roku rodzina – żona, dzieci, rodzice – oraz przyjaciele z Kwartału 95 już wiedzą, że Wołodymyr Zełenski najprawdopodobniej wystartuje w wyborach. Zamiast oponować, powoli angażują się w kampanię, wciąż czekając na ostateczną decyzję Wołodymyra. Nie wierzą, że może wygrać, ale widzą jego determinację. Przejawia się ona między innymi w tym, że Zełenski zaczyna intensywnie doskonalić język ukraiński.

Korepetycji udziela mu również żona. Sam w szkole z tego przedmiotu miał nie najlepsze oceny, ale zdawał sobie sprawę, że po agresji Rosji kandydat mówiący po rosyjsku miałby w wyborach niewielkie szanse na wygraną. A jak ważną dla Ukraińców sprawą jest język, świadczył fakt, że kwestia uchwalenia ustawy o promowaniu języka ukraińskiego i stopniowej eliminacji rosyjskiego była mocno dyskutowana od czasu Euromajdanu, Rewolucji Godności w 2014 roku. W kwietniu 2019 roku, jeszcze za prezydentury Petra Poroszenki, parlament uchwalił ustawę „O zapewnieniu funkcjonowania języka ukraińskiego jako języka państwowego", by rozpowszechniać posługiwanie się językiem ukraińskim kosztem rosyjskiego, którego używa znaczna część społeczeństwa. Zwłaszcza ta pochodząca ze wschodu, jak Zełenski.

Czy do startu w wyborach pchnął go jakiś decydujący czynnik? Wydaje się, że Zełenski poczuł, że przez wszystkie lata budowania swojego biznesu zmienił się jako człowiek i dojrzał.

– W filmie Hołoborodko przeistacza się z miękkiego, zagubionego człowieka w twardego prezydenta. We mnie też zaszła taka przemiana. Potrafię być twardy – powie w jednym z wywiadów.

Czując wsparcie najbliższego otoczenia, zaczyna na poważnie przygotowywać się do kampanii wyborczej. Jednocześnie cały czas pracuje, jeździ w trasy z występami. I to podczas jednego z wyjazdów, 14 grudnia 2018 roku, nagrywa słynny filmik, który dwa tygodnie później zostanie wyemitowany ku zaskoczeniu całego kraju.

– Bardzo długo się wahał. Myślę, że ostateczną decyzję o kandydowaniu podjął dopiero tamtego dnia, 31 grudnia – powie później Andrij Bohdan.

Kampania

Kiedy cały kraj dyskutuje o nowym kandydacie, który rzucił wyzwanie dotychczasowemu prezydentowi Petrowi Poroszence i innej silnej kandydatce – bohaterce Pomarańczowej Rewolucji Julii Tymoszenko, ekipa Zełenskiego ma już przygotowany plan na kampanię wyborczą. Będzie to kampania inna niż rywali. Ma się toczyć głównie w internecie, mediach społecznościowych i wykorzystywać naturalne atuty Zełenskiego – jego talent aktorski i umiejętność kreowania przekazu.

– Przede wszystkim Zełenski przedstawiał siebie jako człowieka z ludu, takiego jak jego wyborcy, będącego przeciwieństwem nielubianej klasy politycznej. Był naturalny, nie tworzył barier między sobą a ludźmi – mówi Michał Kacewicz, który obserwował tę kampanię w Ukrainie. – Unikał też bezpośrednich wypowiedzi dla mediów, nie było wielu wieców, wywiadów, nie podejmował tematów narzucanych przez konkurentów, lecz kreował własny przekaz – dodaje Kacewicz.

Otoczenie Wołodymyra Zełenskiego wie, że brak mu doświadczenia politycznego i w starciach oko w oko z innymi kandydatami może przegrać. Zgodnie z planem znaczna część kampanii toczy się zatem w portalach społecznościowych. W sztabie Zełenskiego pracuje pół tysiąca osób – w tym wielu młodych wolontariuszy. Są energiczni, obeznani z nowoczesnymi mediami, bezpośredni. Powstają działy do kontaktów z dziennikarzami ukraińskimi i zagranicznymi, do obsługi mediów społecznościowych. Jednocześnie Zełenski kreuje przekaz do młodych. Zapewnia, że będzie rozwijać w Ukrainie sektor nowych technologii, aby wszyscy młodzi i zdolni ludzie mogli zostać w kraju i zarabiać godziwie, zamiast szukać pracy za granicą, często poniżej swoich kwalifikacji.

Brak doświadczenia politycznego i nieuwikłanie w interesy starej klasy politycznej były z jednej strony siłą Zełenskiego, a z drugiej – jego słabością. Przyjaciele z Kwartału 95 mogli mu pomóc tworzyć scenariusze filmów czy wypowiedzi bohaterów – i robili to świetnie, w końcu byli profesjonalistami – lecz nie byli obeznani z polityką.

Andrij Bohdan, który w 2016 roku w Odessie zaproponował Zełenskiemu kandydowanie, a teraz był w jego sztabie, znał ukraińską politykę na wylot. Widział, że otoczenie Zełenskiego z Kwartału 95 nie ma o niej zielonego pojęcia.

– Kiedy zaczęliśmy poważnie rozmawiać wiosną 2019 roku, to ich wiedza w tym zakresie była... no, nie tyle zerowa, co ujemna. Kręcili filmy na ten temat, lecz absolutnie nie wiedzieli, jak to naprawdę wygląda – opowiadał Gordonowi. – Próbowali zatrudniać pomocników, ale wielu prawiło androny. Chwilami nie mogłem tego znieść. Jestem bardzo emocjonalny. Kiedy ludzie siedzą i plotą bzdury, wstaję i oznajmiam: „Chłopaki, to bełkot. Zainwestowałem energię, talent i kreatywność, no i czas. Co ja tu robię?".

Znacznie później przed światem polityki przestrzegał Zełenskiego także Aleksander Kwaśniewski, który w ramach inicjatywy YES – Yalta European

Strategy – zrzeszającej byłych mężów stanu z Europy, wiosną 2019 roku spotkał się z nim w Kijowie: „Słuchaj, musisz pamiętać, że robić żarty z polityki jest dużo łatwiej, niż robić politykę".

– I myślę, że on bardzo szybko się o tym przekonał – mówi Kwaśniewski.

Wydaje się, że Wołodymyr Zełenski zrozumiał to już wcześniej. Jesienią 2018 roku zaczął tworzyć drużynę, do której zaprosił między innymi jednego z najbardziej obiecujących młodych polityków Ukrainy Dmytro Razumkowa z szanowanej rodziny z doświadczeniem politycznym. Razumkow przyjął zaproszenie i spotkał się z nim w październiku 2018 roku. Mówi mi, że to był czas, kiedy Ukraińców już zmęczyły rządy Poroszenki. W powietrzu wisiało oczekiwanie czegoś nowego, a wokół było widać te same zużyte twarze.

Jako politolog i strateg, Razumkow szedł na spotkanie z Zełeńskim, obawiając się rozczarowania. Widział już wielu, którzy chcieli odegrać w polityce jakąś rolę, pragnęli wzbudzić nadzieję, że „świeżak" wniesie coś nowego, tylko dlatego że do tej pory nie był w parlamencie czy w partii. Zazwyczaj poza banałami nie mieli nic do powiedzenia.

– Zełeński mnie zaskoczył – relacjonuje Razumkow. – Opowiadał o swojej wizji państwa. Zaskakująco nowej i pełnej optymizmu. Uważał, że da się stopniowo odchodzić od systemu oligarchicznego. To mnie zdumiało, bo wiedziałem, jak blisko był z Kołomojskim. Mówił, że Ukraina musi iść w stronę nowoczesnej, ekologicznej gospodarki. Że chce prawdziwej aktywizacji społeczeństwa obywatelskiego i że trzeba odejść od dzielenia Ukraińców na wschód i zachód, na rosyjsko- i ukraińskojęzycznych – wspomina Razumkow. I dodaje: – Po dwóch godzinach rozmowy Zełeński mnie oczarował. Dostrzegłem w nim nie aktora, lecz człowieka, który autentycznie chce coś zrobić dla kraju, a w dodatku ma do tego warsztat. Bo niewątpliwie umiejętność odgrywania ról, zdolność zapamiętywania tekstów, swobodnego przemawiania, to w polityce ważne narzędzie.

W sztabie wyborczym Zełenskiego pracował także Mykyta Poturajew, późniejszy działacz partii Sługa Narodu. W trakcie kampanii odpowiadał między innymi za kształtowanie głównych idei i planów dla Ukrainy, dla polityki międzynarodowej kandydata, za tworzenie założeń programowych. Mówi, że Zełenski jest człowiekiem kolektywu. Kiedy trzeba obmyślić jakąś strategię, zwołuje krąg współpracowników, siadają i dyskutują, jak rozwiązać problem albo jak przygotować przemówienie i jakie tematy poruszyć.

Razumkow dodaje, że w sztabie wyborczym panował entuzjazm jak u pionierów. U tych, co odkrywają nieznane lądy i w euforii przystępują do budowania nowego świata, z dziecięcą ufnością, że wszystko się uda.

– Od początku zakochałem się w Zełeńskim, w sensie politycznym – mówi Poturajew. – Uważam, że kogoś takiego nam było trzeba. To polityk nowego typu. Taki nasz Kennedy, Trudeau, Obama, Macron. Zresztą on się nimi zawsze inspirował.

O tym, że Wołodymyr Zełenski potrafi oczarować, przekonało się wielu, którzy się z nim zetknęli. O jego charyzmie mówił także Bohdan:

– On po prostu przyciąga ludzi. Widziałem zauroczenie tuzów światowej polityki, gdy z nimi rozmawiał. Sprawia, że nie możesz być wrogo nastawiony. To jego wielki atut – mówił Bohdan w wywiadzie z Dmytro Gordonem. – Ale jednocześnie trzeba wiedzieć, że jest profesjonalnym aktorem. Jest zdolny włączyć charyzmę nawet wobec osób, które są dla niego nieprzyjemne. To bardzo mocna strona Wołodymyra Zełenskiego. I on wie, jak z niej korzystać – mówił Bohdan.

Ta cecha była silną stroną w rozpoczynającej się karierze politycznej Zełenskiego. Wcześniej, podczas dyskusji nad kolejnymi projektami, potrafił przekonywać do własnych wizji współpracowników w Kwartale, teraz używał tej umiejętności w rozmowach z potencjalnymi współpracownikami w polityce.

– W kampanii wyborczej to się świetnie sprawdzało. Zełeński miał jeszcze jedną ważną cechę. Umiał słuchać doradców. Jak się na czymś nie znał, to potrafił się do tego przyznać. Nie próbował narzucać swojego zdania. Był świadom, że ma małe pojęcie na przykład o prawie międzynarodowym, o makroekonomii czy finansach państwa albo o energetyce i kwestiach bezpieczeństwa – dodaje Dmytro Razumkow.

Debata i werdykt

Wszyscy obserwatorzy kampanii wyborczej Zełenskiego, prowadzonej od stycznia 2019 roku, podkreślają, że przebiegała niestandardowo i zupełnie inaczej niż dotychczasowe kampanie. Jego sztab postawił na media społecznościowe. Zełenski publikował nagrania z przesłaniem do wyborców. To było świetne posunięcie, miał bowiem ogromne doświadczenie jako aktor i filmowiec. Wypowiedzi były starannie przygotowane, zapewne przy pomocy speców z Kwartału 95.

– Jego przekaz trafiał zwłaszcza do młodszego pokolenia, ale nie tylko. Większość społeczeństwa chciała zmiany – mówi Michał Kacewicz.

Wojciech Jankowski z „Nowego Kuriera Galicyjskiego" we Lwowie mówi, że w tym czasie Ukraińcy byli ponadto rozczarowani efektami rewolucji z przełomu 2013 i 2014 roku.

– Majdan z 2013 roku miał za zadanie nie tylko integrację z Unią Europejską, tam chodziło o całą serię problemów, takich jak korupcja i potęga oligarchów. Władzę łączą z nimi jakieś więzy, a Majdan trochę był wsparty przez oligarchów mniejszego kalibru, jak na przykład Petra Poroszenkę [późniejszego prezydenta Ukrainy].

W trakcie kampanii wyborczej, za radą swojego sztabu, w otwartych dyskusjach Zełenski unikał tematów, w których nie czuł się pewnie. Mówił prostymi przekazami: oligarchów należy odciąć od życia politycznego, lekarzom, pielęgniarkom, nauczycielom zapewnić godne wynagrodzenie, trzeba spłacić długi państwa i przyciągać zagranicznych inwestorów. Zapowiadał też, że zakończy wojnę w Donbasie, chociaż nie przedstawił konkretnych propozycji poza tą, że chce usiąść z Putinem, położyć przed nim listę warunków i dojść do kompromisu. Nie tracił przy tym poczucia humoru. Zapytany przez dziennikarza, co zrobi, kiedy spotka się z Putinem, odpowiedział:

– Przynajmniej będę mógł mu spojrzeć prosto w oczy. – Nawiązał w ten sposób do niskiego wzrostu zarówno Putina, jak i swojego.

Nawet później, w przerwie między jedną turą wyborów a drugą, wciąż występował na scenie z Kwartałem 95. Jak gdyby wybory toczyły się gdzieś obok niego.

Kiedy Zełenski wygrał pierwszą turę i przeszedł do drugiej, mając za rywala urzędującego prezydenta Petra Poroszenkę, media na całym świecie już na poważnie zaczęły się zastanawiać, co będzie, „kiedy komik zostanie prezydentem". Nazywano Zełenskiego drugim Emmanuelem Macronem: ze względu na to, że byli rówieśnikami. Tyle że Macron już obracał się w kręgach politycznych, a Zełenski – nie. Miał jednak tę wspomnianą siłę, która pozwalała mu spokojnie odpierać ataki rywala i samemu go punktować. Trzeba przyznać, że sztab Zełenskiego pracował bardzo sprawnie.

Jeszcze przed drugą turą wyborów Zełenski spotkał się z zarządem YES, Yalta European Strategy. Na spotkaniu byli Aleksander Kwaśniewski, były premier Danii oraz sekretarz generalny NATO Anders Fogh Rasmussen, były premier Szwecji Carl Bildt, były przewodniczący Parlamentu Europejskiego Pat Cox i przewodniczący Monachijskiej Konferencji Bezpieczeństwa Wolfgang Ischinger.

– Ci, którzy spotykali się z Zełenskim, byli pod wrażeniem jego osobowości. To nie był człowiek, który pozwoliłby sobie narzucać wolę wąskiej grupy wpływu – wspomina tamto spotkanie Aleksander Kwaśniewski. – Wyszliśmy z przekonaniem, że po pierwsze: on wygra te wybory, a po drugie: to interesująca postać, zaczyna się bardzo ciekawy etap.

Oczywiście mieliśmy też świadomość jego braku doświadczenia, braku zaplecza, błędów, które popełni, konfrontacji z realną polityką, która powoduje, że nawet bardzo popularne postacie szybko tę popularność tracą – dodaje Kwaśniewski.

Przed drugą turą obóz Petra Poroszenki próbował zdyskredytować Zełenskiego, przyklejając mu przeróżne łatki. „Klaun, aktor, hologram, marionetka Kołomojskiego i Putina, narkoman, kurdupel" – takie epitety płynęły ze strony zwolenników urzędującego prezydenta w stronę konkurenta wywodzącego się z kabaretu Kwartał 95.

To uderzało w rodzinę Zełenskiego. Jego żona, Ołena, próbowała chronić przed tymi przekazami dzieci, zwłaszcza córkę, starszą i świadomą sytuacji. Rodzice, którzy ostrzegali, że tak właśnie będzie, również mocno to przeżywali.

– Mówią, że on jest marionetką Kołomojskiego. Jaką marionetką? Co ma do tego Kołomojski? Wołodia przygotowuje programy i za to dostaje pieniądze, to wszystko – mówiła matka Wołodymyra, Rimma Zełenska, w wywiadzie dla Hromadske.com. – Już go nazwali bydlakiem, narkomanem i kim tam jeszcze byście chcieli. A on nawet papierosów nie pali. Jak można tak niszczyć człowieka? Nie wiem – dodała z dezaprobatą. – No cóż, myśmy mu radzili nie kandydować, ale przecież to dorosły człowiek, jego wybór. Zobaczymy, jak będzie. Zrobił film *Sługa narodu*, ale nie myślał, że będzie prezydentem. Jednak popatrzył na to, co się dzieje w Ukrainie, i powiedział: „Trzeba spróbować. Może i uda mi się coś zmienić, żeby ludziom lepiej się żyło". Jedno wiem, że on nie będzie kradł i nikomu nie da kraść. W takim duchu go wychowywaliśmy, on się nie zmienił i nie zmieni.

Zełenski potrafił sobie radzić z atakami. Nie obrażał się za nazywanie go klaunem. – Chaplin był klaunem geniuszem. I przy okazji potrafił walczyć z nazistami – mówił w jednym z wywiadów.

Kontratakował też, gdy zarzucano mu związki z oligarchą Ihorem Kołomojskim. W Ukrainie obserwatorzy życia politycznego byli przekonani, że to oligarcha sfinansował kampanię Zełenskiego, choć nie przyznał się do tego ani Kołomojski, ani jego ówczesny współpracownik Andrij Bohdan. Koszt takiej kampanii zazwyczaj szacowany jest na co najmniej 50 milionów dolarów. W mediach pojawiały się informacje, że kampania Zełenskiego kosztowała nawet pięciokrotnie mniej – ze względu na zatrudnienie wielkiej rzeszy młodych wolontariuszy. A już na pewno była jedną z najtańszych w historii.

Dla kandydata, który w programie głosi walkę z oligarchią, związki z oligarchą to poważny zarzut.

Zełenski ostro odgryzał się prezydentowi Poroszence, który jako właściciel ogromnego koncernu „Roszen" sam mógł być zaliczony do grona oligarchów.

Wszystko miało się rozstrzygnąć na Stadionie Olimpijskim w Kijowie. Kilka dni przed drugą turą wyborów, w kwietniu 2019 roku, Zełenski, który dotychczas unikał debat prezydenckich, rzucił Poroszence wyzwanie:

– Czekam na pana. Tutaj, na Stadionie Olimpijskim – mówił w specjalnie nagranym filmie: przy dynamicznej muzyce Zełenski wychodzi na płytę stadionu, ujęcie zza pleców na koronę obiektu przypomina scenę z jego ulubionego filmu *Gladiator*, w której Russell Crowe wyłania się powoli na arenie Koloseum.

Tym Koloseum ukraińskich wyborów miał być właśnie kijowski stadion.

– Debata odbędzie się przed narodem ukraińskim. Kandydaci muszą przejść badania, pokazujące, że nie są alkoholikami ani narkomanami – mówił Zełenski, idąc po płycie stadionu. I odnosząc się do zarzutów Poroszenki, dodawał: – Powinien pan publicznie powiedzieć, że będzie to debata nie z marionetką Kremla czy Kołomojskiego, nie z kurduplem, nie z bydlakiem, nie z klaunem, lecz z kandydatem na prezydenta Wołodymyrem Zełenskim. Daję panu dwadzieścia cztery godziny. Myślcie – zakończył.

To było mistrzowskie posunięcie jego sztabu. Dla Zełenskiego stadion wypełniony żywo reagującą publicznością był naturalnym otoczeniem, z jakim stykał się od kilkunastu lat, dając koncerty w nabitych po brzegi salach. Zresztą Zełenski sam mówił, że to publiczność go nakręca i dodaje mu energii w trakcie występów. Jego rywal, Petro Poroszenko, nie mógł odrzucić tego wyzwania, wszak sam wcześniej nawoływał do debaty.

– Może być i stadion, tylko przyjdź, Wołodymyrze – odpowiedział.

19 kwietnia, dzień debaty. 22 tysiące widzów na trybunach i na płycie stadionu wymalowanego w ukraińskie niebiesko-żółte barwy. Czekając na pojawienie się konkurenta, Zełenski już nawiązywał kontakt z publicznością. Ta wiwatowała po każdym jego zdaniu. Poroszenko najwyraźniej go nie docenił.

– Stoję na tej scenie, prosty chłopak z Krzywego Rogu obok prezydenta, którego wybraliśmy w 2014 roku. Sam na niego głosowałem. Ale się pomyliłem – mówił Zełenski ze sceny.

Kiedy rywal zarzucał mu brak doświadczenia, Zełenski odpowiadał:

– Ja nie jestem politykiem. Jestem prostym człowiekiem, który przyszedł, żeby złamać ten system. Jestem rezultatem waszych, Petrze Ołeksijowyczu, pomyłek i obiecanek. To nie ja chcę być prezydentem. To wy mnie zmuszacie, żebym został prezydentem. Nie jestem pańskim oponentem, jestem pańskim wyrokiem.

Znalazł klucz do zdobycia większości. Jak mówi Michał Kacewicz, Ukraińcy byli już zmęczeni rządami Poroszenki i jego retoryką. Wojna w Donbasie tliła się, ale była niejako zamrożona, Poroszenko uprawiał ostrą antyrosyjską retorykę, a ludzie chcieli spokoju.

Urzędujący prezydent przekonywał, że aktor nie może prowadzić wojny z Rosją, ale ludzie nie chcieli już wojny. Zełenski obiecywał zaś, że doprowadzi do pokoju i choć nie podał konkretów, ludzie mu wierzyli. Szef Kwartału 95 podczas debaty mówił o wypłacie zaległych i godnych pensji nauczycielom, pielęgniarkom, lekarzom. Nie rzucał górnolotnych haseł.

– Pan, Wołodymyrze, jest nie tyle kotem w worku, co workiem, w którym nie wiadomo, co się znajduje. Pan nie ma żadnego doświadczenia ani programu – atakował Poroszenko.

– Lepiej być kotem w worku niż wilkiem w owczej skórze – odpowiadał Zełenski. Wiedział, że Poroszenko się myli. Dla ludzi programem Zełenskiego było to, co przekazywał Wasyl Hołoborodko w serialu *Sługa narodu*. „Zełenski" i „sługa narodu" zlali się w jedno.

Na zakończenie debaty kandydaci mogli zadać sobie po jednym pytaniu, na które odpowiedź mogła brzmieć tylko „tak" lub „nie". Zełenski zapytał po prostu: – Czy jest panu wstyd?

Poroszenko odparł, że nie, i zbity z pantałyku, nie potrafił odpowiedzieć równie celnym pytaniem. Obserwatorzy uznali, że zwyciężył Zełenski, który od początku do końca rozegrał debatę na swoich warunkach.

Ostateczny werdykt zapadł wieczorem 21 kwietnia 2019 roku. Przy dobrze znanej piosence z filmu *Sługa narodu* – „Kocham swój kraj, kocham swoją żonę, kocham swego psa..." – Wołodymyr Zełenski wraz z najbliższymi współpracownikami wyszedł na scenę, by usłyszeć, że zdobył 73 procent głosów i został szóstym prezydentem Ukrainy.

Z sufitu posypało się konfetti, Zełenski odwrócił się do Ołeny, która początkowo sprzeciwiała się jego kandydowaniu, a później go wspierała. Mocno pocałował żonę w usta. Współpracownicy ze sztabu, w tym przyjaciele z Kwartału 95, padali sobie w ramiona.

– Zrobiliśmy to razem – rozpoczął krótkie przemówienie Zełenski, nawiązując do swej noworocznej zapowiedzi w telewizji. – Nie będzie patosu. Chcę wam po prostu podziękować. I obiecuję, że nigdy was nie zawiodę – dodał nowy sługa narodu.

Ukraińcy – jak przy wielu poprzednich wyborach – chcieli głosować na zbawcę, który uwolni ich kraj od wszelkiej biedy i problemów, i uznali, że będzie nim Wołodymyr Zełenski. Później zaczęła się jednak proza rządzenia.

VI

Nie będziecie płakać

Od zaprzysiężenia do pomruków wojny

W TYM ROZDZIALE

Podczas pierwszego po wyborach przemówienia w parlamencie Zełenski zaapelował do rodaków o powrót do kraju, ogłosił przedterminowe wybory i dymisję trzech ministrów. Jak na standardy polityczne mocny początek.

Ekipę do swojej partii politycznej zebrał w drodze castingu. Byli tam lekarze i bezrobotni, prokuratorzy i artyści. Gdy zostali deputowanymi, trzeba było ich przeszkolić nawet z podstaw. Ale dzięki nim wygrał wybory i miał pełnię władzy.

Na początku nowi ministrowie przychodzili w kurtkach i adidasach. Posiedzenia rządu, jak w Polsce w latach 90., ciągnęły się do nocy. Zełenski i jego ludzie okazywali rewolucyjny zapał, chcieli zmienić wszystko, od razu.

Obiecywał porozumienie z Rosją, bez sukcesu. Reformy nie przekonywały najbiedniejszych. Nawet uderzenie w oligarchów nie odwróciło trendu. W dwa lata poparcie dla Zełenskiego spadło o ponad połowę. Był w defensywie.

20 maja 2019 roku Kijów tonął w słońcu. W Parku Maryjskim, przed gmachem Werchownej Rady – parlamentu Ukrainy – od rana gromadziły się tłumy z niebiesko-żółtymi flagami. Kiedy około godziny 10 przed budynkiem pojawił się Wołodymyr Zełenski, zebrani wpadli w euforię.

41-letni Zełenski nie przyjechał na zaprzysiężenie limuzyną, jak jego poprzednicy na tym stanowisku, lecz przybył pieszo z pobliskiego Pałacu Maryjskiego, gdzie wcześniej spotkał się z ministrami. Roześmiany szedł wśród ludzi ustawionych za przyozdobionymi na niebiesko-żółto barierkami, promieniował energią i radością. W tłumie wypatrzył przyjaciół z Kwartału 95. Serdecznie ich ucałował, podskakując – przy aplauzie tłumu – do łysiny znacznie od niego wyższego Jewgienija Koszewoja.

To nie wyglądało jak przejście dygnitarza, lecz jak przybycie wielkiej gwiazdy. Przemieszczając się niemal w podskokach, podawał dłoń pozdrawiającym go z dwóch stron ludziom. Od jednej z kobiet wziął smartfon i zrobił z nią selfie. Oklaskującym go bił brawo. Wreszcie zatrzymał się przed kolumnadą przy wejściu do parlamentu i dłuższą chwilę w skupieniu patrzył na gmach Werchownej Rady. Jakby przed oczami stanęły mu wszystkie wyzwania i obietnice, które złożył wiwatującym za plecami wyborcom, i ogromne nadzieje, jakie w nim pokładali.

Z tłumu słychać było okrzyki: „Wasia! Wasia!". Niektórym wciąż kojarzył się z filmowym prezydentem ze *Sługi narodu* Wasylem (Wasią) Hołoborodką. Kiedy po czerwonym dywanie wchodził do gmachu Werchownej Rady, słychać było już tylko głośne skandowanie tłumu: „Ze-łen-ski! Ze-łen-ski!", niczym na koncercie rocka.

Tym razem jednak to nie film naśladował życie, lecz życie prześcignęło film. W przeciwieństwie do początkowo zagubionego filmowego prezydenta Hołoborodki, prawdziwy prezydent Zełenski wkroczył do Werchownej Rady z pewnością siebie, jaką dawało mu poparcie 73 procent wyborców. Raźnym krokiem przemaszerował przez środek sali i złożył przysięgę, trzymając dłoń na konstytucji i Ewangeliarzu Peresopnickim, staroukraińskim manuskrypcie z XVI wieku – jednym z najcenniejszych skarbów narodowych Ukrainy.

Oprócz kompletu deputowanych Werchownej Rady jego dwudziestominutowego przemówienia inauguracyjnego wysłuchali między innymi ustępujący prezydent Petro Poroszenko i poprzedni prezydenci: Leonid Krawczuk, Leonid Kuczma, Wiktor Juszczenko. Brakowało zbiegłego do Rosji Wiktora Janukowycza. Były też delegacje zagraniczne oraz rodzina prezydenta – żona Ołena i rodzice Zełenskiego.

– Drodzy Ukraińcy! – zaczął Zełenski. – Po moim zwycięstwie wyborczym mój sześcioletni syn spytał: „Tato, w telewizji mówią, że Zełenski jest prezydentem. To znaczy, że ja też jestem prezydentem?". Wtedy zabrzmiało to zabawnie, jednak później zrozumiałem, że to prawda. Bo każdy z nas jest prezydentem. Nie tylko te 73 procent wyborców, którzy oddali na mnie głos, lecz 100 procent Ukraińców. To jest nie tylko moje, lecz nasze wspólne zwycięstwo. I to jest nasza wspólna szansa, za wykorzystanie której wspólnie jesteśmy odpowiedzialni.

Zgodnie z tym, o czym mówił w kampanii wyborczej, Zełenski zaapelował do rodaków na całym świecie, aby wracali do Ukrainy i dzięki swoim talentom rozwijali własny kraj, co pomoże dać początek nowej erze.

– Pamiętacie drużynę piłkarską Islandii z mistrzostw Europy – kiedy dentysta, reżyser, pilot, student i sprzątacz bronili honoru swojej reprezentacji narodowej? Nikt nie wierzył, że może im się udać, ale dokonali tego! I to jest nasza droga. Musimy zostać Islandczykami w piłce nożnej, Izraelczykami – w obronie naszego kraju, Japończykami – w technologii, a Szwajcarami – w zdolności do życia razem w harmonii, z pominięciem wszelkich różnic – roztaczał swą wizję Zełenski, pokazując, że chce prowadzić kraj w kierunku modelu zachodniego.

Wspominał żołnierzy bohaterów walczących i poległych w Donbasie. Mówił, że pierwszym wyzwaniem jest zaprowadzenie tam pokoju i odzyskanie ukraińskich ziem zabranych przez Rosję.

Zełenski przemawiał pewny siebie. I wskazał na przyczyny problemów w kraju, nawiązując do słów amerykańskiego prezydenta aktora Ronalda Reagana: – Pozwólcie, że zacytuję amerykańskiego aktora, który został wielkim amerykańskim prezydentem: „Rząd nie rozwiązuje naszych problemów. To rząd jest naszym problemem". Nasz rząd tylko wzrusza ramionami i mówi: „Nic nie możemy zrobić". To nieprawda. Możecie. Możecie wziąć kartkę [i podpisać rezygnację – WR.], zwalniając tym samym wasze miejsca dla tych, którzy myślą o następnych pokoleniach, a nie o następnych wyborach – łajał klasę polityczną przy dobiegających z sali okrzykach niezadowolenia. Zgromadzeni nie byli przyjaźnie nastawieni do bohatera dnia. Jego mowę co chwila przerywano okrzykami: „Źle zacząłeś, źle skończysz!". To go jednak nie deprymowało, przeciwnie – być może nawet nakręcało. Jako aktor, który występował na setkach scen, czuł się doskonale wśród żywo reagującej publiki.

– Widzę, że nie wszystkim spodobały się moje słowa. To bardzo źle, bo to nie ja, lecz naród ukraiński tego się domaga – ripostował Zełenski. Zebrany przed Werchowną Radą tłum, słuchający tych słów przez głośniki, bił brawo.

– Wybranie mnie [na prezydenta] jest dowodem na to, że nasi obywatele są zmęczeni starymi, nadętymi politykami systemowymi, którzy przez dwadzieścia osiem lat stworzyli kraj możliwości – możliwości przekupstwa, kradzieży i wyłudzania państwowych zasobów. My zbudujemy kraj innych możliwości – taki, w którym wszyscy będą równi wobec prawa i gdzie obowiązują zasady uczciwe, klarowne oraz takie same dla wszystkich – podsumował. Niektórzy z parlamentarzystów ironicznie się uśmiechali, inni pokrzykiwali z dezaprobatą. A ludzie zgromadzeni na zewnątrz wiwatowali, kiedy Zełenski beształ polityków, i śmiali się, jakby nie do końca wierzyli w to, co słyszą. W ich oczach było widać radosne niedowierzanie: „To jednak uda się skończyć ze starymi porządkami w państwie?".

– Potrzebujemy u władzy ludzi, którzy będą służyć narodowi. Dlatego nie chcę, żebyście w biurach wieszali moje podobizny. Prezydent to nie ikona, nie idol ani portret. Zamiast tego przynieście zdjęcia swoich dzieci i patrzcie na nie za każdym razem, kiedy podejmujecie decyzję – przemawiał Zełenski.

W trakcie tego wystąpienia ogłosił rozwiązanie parlamentu i przeprowadzenie przedterminowych wyborów parlamentarnych. Zdymisjonował trzech ministrów, z którymi przed posiedzeniem się witał: szefa służby bezpieczeństwa Ukrainy, prokuratora generalnego i ministra obrony. To był mocny początek zapowiadanego kruszenia starego systemu i pokaz zdecydowania oraz siły nowego prezydenta.

Na koniec Zełenski nawiązał do swej kariery komika-showmana: – Całe życie starałem się robić wszystko, co w mojej mocy, żeby Ukraińcy się śmiali. To była nie tylko moja praca, lecz moja misja, tak to czułem w sercu. Przez następne pięć lat zrobię wszystko, żeby Ukraińcy nie płakali.

Kiedy wybrzmiały dźwięki hymnu Ukrainy zamykającego ceremonię, ostatnie słowo należało do Andrija Parubija, przewodniczącego Werchownej Rady, który kończąc owo uroczyste posiedzenie, powiedział z ironicznym uśmieszkiem:

– Było wesoło.

Sala wybuchnęła śmiechem. Wielu obecnych prawdopodobnie wciąż odbierało Zełenskiego jako aktora i komika, jednak jego wystąpienie miało trafić przede wszystkim do narodu. Dla zwykłych Ukraińców przemowa Zełenskiego, tak różna od sztampowej, pompatycznej, tak nastawiona na nowoczesność, dawała nadzieję na realne zmiany. Teraz tylko Zełenski musiał pokazać, że to, co obiecywał w kampanii wyborczej, nie było czczą gadaniną.

„ZE casting"

Zełenski miał w tym momencie niemal wszystko, czego trzeba do przeprowadzenia zmian: olbrzymie poparcie społeczne, wielką charyzmę, umiejętność trafiania do mas nabytą w trakcie kariery showmana. Dostał też to, co każda władza na początku – kredyt zaufania. Nie miał jednak podstawowego narzędzia wprowadzania reformatorskich ustaw: własnych posłów w parlamencie.

Jeszcze przed decyzją o starcie w wyborach doradcy polityczni mówili Zełenskiemu, że aby rządzić, musi mieć zaplecze polityczne. Powstała w 2017 roku partia Sługa Narodu nie była jeszcze siłą parlamentarną. Należało wprowadzić jej szeroką reprezentację do Werchownej Rady. To dlatego w inauguracyjnej mowie Zełenski zapowiedział przedterminowe wybory. Jak jednak w kilka miesięcy zbudować partię, która skutecznie powalczy o większość w parlamencie?

Podczas jednej z codziennych narad Zełenski i drużyna wpadli na pomysł, który wydawał się szalony, ale pasował do stylu prowadzenia jego kampanii wyborczej. Mógł być jedynym skutecznym w sytuacji, gdy istniejąca od 2017 roku partia Sługa Narodu nie miała struktur terenowych i nie mogła z ich pomocą stworzyć list kandydatów. Ni mniej, ni więcej: ogłoszono w mediach społecznościowych casting na kandydatów na posłów Sługi Narodu. Zgłosić się mógł każdy, ale wszyscy przechodzili weryfikację. Ewentualne ciemne strony kandydatów czy nieodpowiednie zachowanie miało ich od razu eliminować. Wiele w tym było narzędzi zaczerpniętych wprost z zasad marketingu, jakimi rządzą się przedsiębiorstwa rozrywkowe.

Jedynym problemem mógł być fakt, że w castingu, zwanym też windą – bo wyciągano ludzi z tak zwanych politycznych dołów – wybrane zostaną zupełnie przypadkowe osoby, niezwiązane żadną linią programową.

Doświadczeni w polityce współpracownicy Zełenskiego, a pewnie i on sam, rozumieli jednak, że ważny jest szyld. Tak naprawdę ludzie będą głosować na nazwę, kojarzoną z filmowym *Sługą narodu*, i na samego Zełenskiego. Innymi słowy, opowiedzą się za zmianą. Skoro wszystko w polityce nowego prezydenta miało być inne niż za poprzedników, to dlaczego inne nie miało być powołanie partii i wybieranie kandydatów na posłów?

– Sługa Narodu z założenia miała być inną partią. Owszem, inspiracją był Zełenski. Inspiracją programową był serial. Ale my nie jesteśmy partią wodzowską ani oligarchiczną – mówi mi Mykyta Poturajew, przedstawiciel partii Sługa Narodu w Werchownej Radzie. – Kiedy Sługa Narodu powstawała, robiliśmy castingi. Mógł do nas przyjść każdy, kto chciał pracować i popierał zmiany. I przychodzili młodzi aktywiści, prawnicy, przedstawiciele drobnego biznesu, trochę zawodowych polityków, którzy szukali czegoś nowego, różni ludzie. Generalnie ci, którzy byli rozczarowani ukraińską polityką. Ci, którzy zawiedli się na rewolucji z Majdanu, bo wierzyli, że od 2014 roku Ukraina będzie inna, że odejdzie kasta oligarchów, znikną korupcja i bałagan. Ci, którzy wierzyli w ideały Majdanu, ale mieli dość polityki prowadzonej po rewolucji. Właśnie oni przyszli do nas – dodaje.

Zełenski nie pomylił się w przewidywaniach. W wyborach 21 lipca 2019 roku sklecona naprędce partia zdobyła aż 45 procent głosów – i 254 miejsca w 450-osobowej Werchownej Radzie. Z taką większością Zełenski mógł zyskać komfort dokonywania zmian.

Tyle że wprowadził do parlamentu bardzo wiele zupełnie niedoświadczonych w polityce osób, dodatkowo często o całkowicie rozbieżnych poglądach, oczekiwaniach, planach politycznych. Byli tam lekarze, prokuratorzy, bezrobotni, fotografowie, ale też sprzedawcy mebli, artyści, sportowcy, biznesmeni, właściciele restauracji.

Były prezydent Polski Aleksander Kwaśniewski poznał Zełenskiego jeszcze jako szefa Kwartału 95, zanim ten zdecydował się kandydować na prezydenta. Później spotykali się wielokrotnie podczas konferencji Yalta European Strategy organizowanych w Ukrainie, kiedy obserwował jego poczynania już jako prezydenta. Przyglądał się też tworzeniu przez niego nowej partii.

– To był w zasadzie bardziej ruch niż partia polityczna. Zebrano do niego chętnych, z których część już w czasie castingu okazała się nie do zaakceptowania, ponieważ w wielu przypadkach to byli ludzie typu: zawsze aktywny, ale niekoniecznie mądry – ocenia Aleksander Kwaśniewski, który wówczas z bliska obserwował politykę nowego prezydenta Ukrainy.

Ekipa Zełenskiego i na to miała gotowy plan. Jak mówią politycy, nawet z dość przypadkowymi ludźmi można dużo zdziałać, tylko trzeba nimi odpowiednio pokierować.

Już osiem dni po wyborach, 29 lipca 2019 roku, do znanego jeszcze od czasów przedwojennych karpackiego kurortu Truskawiec, słynącego z krystalicznie czystego powietrza, przyjechał pociąg, w którego skład wchodziły cztery wagony o nieco lepszym standardzie od pozostałych. Wysiadali pasażerowie z walizkami – wyglądało to tak, jakby przyjechał nowy turnus. Nowo przybyli kierowali się jednak nie do domów sanatoryjnych, lecz do najbardziej prestiżowego kompleksu Rixos

Prykarpattya, w którym doba w zwykłym pokoju kosztuje 3500 hrywien (wówczas równowartość 525 złotych, czyli kwota porównywalna do minimalnej płacy). Wielki, biały gmach hotelu położonego na obrzeżach kurortu góruje nad zalesioną okolicą.

Przyjazd do Truskawca 254 nowo wybranych posłów wywołał niemałą sensację. Za nimi pośpieszyła pokaźna grupa dziennikarzy krajowych mediów. Chcieli przypatrzeć się niepowtarzalnemu szkoleniu ludzi, od których zależeć będą losy kraju i reform.

– Jadę uzyskać *Masterclass* w szkole deputowanych. Po szkoleniu od razu wracam i do boju – mówił dziennikarzom Radia Swoboda, nieco żartując, Mykoła Tyszczenko, restaurator, który został posłem.

W mediach społecznościowych pojawiło się mnóstwo kpin. Jednym z najczęściej powtarzanych był dowcip: „Polityk pyta polityka: – Jaką uczelnię ukończyłeś? – Truskawiec Rixos".

Imprezę nazwano „Szkołą Ze deputowanych", czyli deputowanych Zełenskiego. Przez tydzień w ogromnej sali od 9 rano do 22 ćwierć tysiąca posłów poddawano podstawowemu szkoleniu: jak tworzyć projekty uchwał, jak zawiązywać koalicje, jakie obowiązki ma deputowany oraz jakie zasady obowiązują w Werchownej Radzie. Do tego wykładowcy z kijowskiego Instytutu Ekonomicznego przekazywali nowym sługom narodu podstawową wiedzę na temat takich dziedzin, jak transport i infrastruktura, bezpieczeństwo państwa, sprawy obronności, makroekonomii czy polityki podatkowej.

W drugiej połowie tygodnia szkołę Ze deputowanych odwiedził Wołodymyr Zełenski wraz z szefem swego prezydenckiego biura, Andrijem Bohdanem, obaj zadowoleni, uśmiechnięci. Zełenski, w rozpiętej błękitnej koszuli z białym T-shirtem pod spodem, wraz z obstawą energicznym krokiem przemierzał trawnik przed hotelem Rixos. Na dziedzińcu czekały tłumy nowych wybrańców narodu. Podchodzili, by się przywitać – a właściwie poznać – ze swym liderem, którego w większości widzieli tylko w telewizji. Zełenski chętnie pozował do selfie, uśmiechał się, rozmawiał. Niczym nie przypominał nieprzystępnego męża stanu. Przeciwnie, sam szukał kontaktu i z deputowanymi, i z dziennikarzami, których ochrona odsuwała kilka metrów od prezydenta.

Zełenski miał do przekazania deputowanym to, co ustalono wspólnie na naradzie kierownictwa partii:

– Cała frakcja Sługi Narodu w parlamencie ma głosować zgodnie z tym, co mówi kierownictwo klubu, niedopuszczalne są zachowania uwłaczające godności deputowanego, nie ma mowy o korupcji czy nepotyzmie. Za to wszystko grozi wykluczenie ze struktur.

Na zakończenie szkolenia deputowani dostali pracę domową – trzy książki do przeczytania: *Dlaczego*

Zełenski tuż przed zaprzysiężeniem na prezydenta Ukrainy, w drodze do budynku Werchownej Rady, Kijów, 20 maja 2019

Fot. SERGEI SUPINSKY/AFP/East News

Wołodymyr Zełenski z żoną, Ołeną, w dniu swojej inauguracji, Kijów, 20 maja 2019

Fot. Ukrinform/East News

Na pierwszym kongresie partii Sługa Narodu, Kijów, czerwiec 2019

Fot. Zoya Shu/Associated Press/East News

Nowo wybrani posłowie partii Sługa Narodu na tygodniowym obozie szkoleniowym w Truskawcu, lipiec 2019

Fot. PAVLO PALAMARCHUK/Reuters/Forum

Obchody Dnia Niepodległości, na plakacie ze zdjęciem prezydenta Zełenskiego napis „Jesteś naszym mesjaszem", plac Niepodległości w Kijowie, 24 sierpnia 2019
Fot. Serg Glovny/Zuma Press/Forum

Prezydent Zełenski rozmawia z Andrijem Bohdanem, szefem biura prezydenckiego, podczas pierwszego posiedzenia nowego parlamentu, 29 sierpnia 2019
Fot. STR/NurPhoto/Getty Images

Prezydent Wołodymyr Zełenski w swoim biurze, listopad 2019

Fot. Guillaume Herbaut / Agence VU/VU Images/East News

Powrót reżysera Ołeha Sencowa (z prawej) do ojczyzny w ramach wymiany jeńców między Rosją a Ukrainą, drugi od lewej Andrij Bohdan, lotnisko Kijów-Borysypol, wrzesień 2019

Fot. Maxym Marusenko/NurPhoto/ Getty Images

Prezydent wita ukraińskich jeńców wojennych powracających z rosyjskiej niewoli, lotnisko Kijów-Borysypol, grudzień 2019

Fot. Sergei Chuzavkov/Zuma Press/ Forum

Prezydent Zełenski z żoną Ołeną podczas pierwszej audiencji u papieża Franciszka, Watykan, luty 2020

Fot. Grzegorz Galazka/Mondadori Portfolio/Sipa USA/East News

Z wizytą u księżnej i księcia Cambridge w Pałacu Buckingham, Londyn, październik 2020

Fot. Jonathan Brady/Press Association/East News

Przyjazd pary prezydenckiej na ceremonię intronizacji cesarza Naruhito, Tokio, październik 2019

Fot. Carl Court/Pool Getty Images/Associated Press/East News

Poranne ćwiczenia prezydenta Ukrainy, post opublikowany na Instagramie w czerwcu 2021

Fot. INSTAGRAM @ZELENSKYI_OFFICIAL

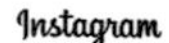

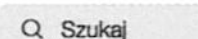

Post opublikowany przez Ołenę Zełenską na instagramowym profilu w Dniu Dziecka 2019 r. Na zdjęciu z mężem i dziećmi: Kiryłem i Saszą.
Fot. INSTAGRAM @OLENAZELENSKA_OFFICIAL

Przemówienie pierwszej damy, Ołeny Zełenskiej, podczas 30. Forum „Zdrowa Ukraina", Kijów, czerwiec 2021
Fot. Pavlo Bahmut/Ukrinform/Future Publishing via Getty Images

Prezydent Zełenski ze swoją rzeczniczką, Julią Mendel, w trakcie konferencji prasowej, Kijów, październik 2019
Fot. STR/NurPhoto/Getty Images

Wizyta u prezydenta Joe Bidena w Białym Domu, Waszyngton, wrzesień 2021
Fot. Doug Mills-Pool/Getty Images

narody przegrywają Darona Acemoglu i Jamesa A. Robinsona, *Cywilizacja* Nialla Fergusona oraz podręcznik *Ekonomika behawioralna*. Całkowitych kosztów imprezy nie podano, jednak media wyliczyły, że według cen rynkowych wyniosły one między 10 a 20 milionów hrywien (1,5–3 milionów złotych).

Już miesiąc później, pod koniec sierpnia 2019 roku, podczas pierwszego posiedzenia nowej Werchownej Rady „Ze drużyna" pokazała siłę. Bez oglądania się na opozycję przegłosowała pierwsze ustawy i kolejne decyzje dotyczące stanowisk sejmowych – szefami 19 z 23 komitetów parlamentarnych zostali deputowani partii Sługa Narodu. Co najważniejsze – bez deliberowania wymieniono niemal wszystkich ministrów w rządzie.

Zełenski wygłosił wówczas krótkie, ale znamienne przemówienie:

– Teraz kraj będzie mógł w końcu włączyć piąty bieg i pewnie podążać drogą zmian – mówił. I jednocześnie ostrzegał: – Rada tej kadencji przejdzie do historii. Pytanie tylko: jak. Możecie się zapisać w podręcznikach jako parlament, który dokonał rzeczy niemożliwych. Albo też – nie daj Boże – zostaniecie zapamiętani jako parlament, który funkcjonował tylko przez rok. W rzeczywistości jest to wasz-nasz okres próbny. Uwierzcie mi, ja już wiem, że rozwiązanie Rady nie jest takie straszne. Mam gorącą nadzieję, że do tego nie dojdzie.

Wszyscy politolodzy ostrzegali, że tak zbudowana partia może przysporzyć więcej kłopotów niż pożytku. I po części tak się stało. Dmytro Razumkow, wówczas bliski współpracownik Zełenskiego, wylicza grzechy założycielskie partii:

– Kiedy tworzyliśmy Sługę Narodu, popełniliśmy sporo błędów, które wynikały głównie z pośpiechu. Mieliśmy za mało czasu na zbudowanie partii. Trafiło do niej zbyt wielu niewłaściwych ludzi, przypadkowych. Albo zwykłych karierowiczów, takich, co się tułają po różnych projektach politycznych. Albo tych, co się podczepili pod sukces. Jednak nie to było najgorsze. Najgorsze było to, że szybko pojawili się oligarchowie i wzięli pod skrzydła takich nieopierzonych, niedoświadczonych aktywistów, którzy z dnia na dzień stali się deputowanymi Werchownej Rady – opowiada Dmytro Razumkow.

Co nie znaczy, że wielu z tych ludzi nie było za rzeczywistymi zmianami. Podobała im się idea, jaką głosił Zełenski.

– Chcieliśmy wspólnie wymyślić nowe patenty na naszą przyszłość. Bez szufladkowania: ty jesteś prorosyjski, a ty banderowiec – mówi mi Mykyta Poturajew ze Sługi Narodu. – Zależało nam, żeby zasypać te podziały. Nie ma żadnej prorosyjskiej Ukrainy, tak jak nie ma faszystowskiej. Jest po prostu Ukraina, która pragnie być normalnym państwem. Zachód nas przyjmie?

Okej. Pragniemy wstąpienia do UE i do NATO. Nie przyjmą nas? Okej, damy radę sami, nie będziemy szli inną drogą, tylko drogą demokracji i wolnego rynku. O to dziś walczymy przeciw Rosji. O to, że nie chcemy dyktatury. I taka jest Sługa Narodu: wyraża marzenia większości Ukraińców.

Turborząd

Dla samego Zełenskiego, który miał już wygodną większość w parlamencie oraz własny rząd, dopiero teraz zaczyna się okres spełniania obietnic wyborczych. Wszyscy są ciekawi, co zrobi, i oczekują zmian. Już przed pierwszym posiedzeniem parlamentu Zełenski podpisuje kilkanaście projektów ustaw reformatorskich, ale głosowana jest jedna, choć symboliczna: o zniesieniu immunitetu deputowanym w sprawach przestępstw pospolitych. „Za" jest zdecydowana większość: 363 posłów.

We własnym gabinecie nowy prezydent zaczyna od symbolicznego zerwania ze starym poprzez zmianę nazwy „administracja prezydenta" na „kancelaria prezydenta Ukrainy". Na jej czele staje Andrij Bohdan, do niedawna prawnik oligarchy Ihora Kołomojskiego, ten, który trzy lata wcześniej w restauracji w Odessie przekonywał Zełenskiego do startu w wyborach.

Do swojego biura oraz do rządu Zełenski wprowadza wielu znajomych, w tym ludzi ze Studia Kwartał 95, co wywołuje natychmiastową krytykę. Media wyliczyły, że wśród jego bliższych i dalszych współpracowników oraz pracowników na stanowiskach rządowych znalazło się niemal 30 osób powiązanych w przeszłości ze Studiem, począwszy od jego doradcy Serhija Szefira (współwłaściciela Kwartału 95) i Andrija Jermaka (szefa kancelarii prezydenta, którego kancelaria prawna obsługiwała Studio Kwartał 95). Inny dawny współwłaściciel Kwartału, Iwan Bakanow, został szefem Służby Bezpieczeństwa Ukrainy, a Jurij Kostiuk (scenarzysta Kwartału 95) zastępcą szefa biura prezydenta. To zaledwie kilka nazwisk, a były też osoby połączone więzami rodzinnymi czy przyjaźni.

Opozycja grzmi o nepotyzmie – miał zwalczać, a sam wprowadza znajomych na stanowiska. Zełenski twierdzi, że do zmian potrzeba nowych ludzi, nieskalanych starą polityką. A jego nominaci właśnie tacy są, w dodatku wielu z nich sprawdziło się w trudnym przedsięwzięciu, jakim było Studio Kwartał 95. Za zatrudnieniem ludzi, których zna z wcześniejszego biznesu, kryje się jeszcze inna idea. Zełenski przez całe zawodowe życie pracował w kreatywnym zespole, który wspólnie szczegółowo ustalał pomysły, strategie, treść wypowiedzi, nawet miejsce tych wypowiedzi. W podobny sposób chce działać jako prezydent. Nigdy nie był politykiem, nie zna innych metod, a te, które stosował dotychczas, przyniosły mu sukces. Być może dlatego postanowił się otoczyć sprawdzonymi osobami z Kwartału 95.

Aleksander Kwaśniewski wraz ze swoją grupą polityków z inicjatywy YES spotykał się z Zełenskim po wyborach prezydenckich. Jego zdaniem nominacje Zełenskiego można było oceniać w dwojaki sposób:

– Z jednej strony jego siłą było to, że dysponował zespołem ludzi nowych, a więc jeszcze nieopatrzonych, nieskorumpowanych, niezdemoralizowanych, ale z drugiej strony – pozbawionych doświadczenia – mówi Kwaśniewski. – I to był problem. Pamiętam spotkanie z początku jego prezydentury, kiedy na konferencji gościliśmy ministrów jego rządu. Przychodzili w adidasach, kurtkach. To byli młodzi ludzie i często się na nich patrzyło jak na radę uczelnianą uniwersytetu czy politechniki, a nie członków rządu. I oczywiście po drodze musieli popełnić mnóstwo błędów, bo nie zawsze te decyzje personalne były trafne, niemniej było widać, że Zełenski się stara. Myślę, że w pierwszym roku prezydentury rzeczywiście chciał to życie polityczne odnowić, nawet ryzykując, że sporo ludzi się nie sprawdzi – uważa Kwaśniewski.

– Zełenski jest człowiekiem kolektywu – tłumaczy mi Mykyta Poturajew ze Sługi Narodu. – Wiesz, jak wyglądały próby w KWN, potem w Kwartale 95? Siadali, robili burzę mózgów, wymyślali żarty i skecze, potem to odgrywali parę razy i szli na scenę. Tak samo Zełenski postępował w polityce. Zbiera się ekipa, wieczorem dyskutują, jak rozwiązać problem, jak ruszyć do przodu z jakimś tematem. Jak napisać przemówienie? Co mówić w mediach? Ustalają, kto co powie, co ogłosi prezydent, trenują to parę razy i następnego dnia wychodzą z tym do mediów albo jadą na spotkania dyplomatyczne. Tak się robi politykę. Kolektywnie. Nie ma mowy o indywidualnym działaniu – opowiada Poturajew.

Antin Borkowski, znany ukraiński dziennikarz i komentator telewizji Espreso, przypomina sobie, że Zełenski zawsze lubił mieć kontrolę nad przekazem.

– Jeśli nie przećwiczył danego tematu, to go unika i za nic nie da się wciągnąć w rozmowę. W czasie kampanii 2019 roku tak było z kwestią wojny w Donbasie. Jego ekipa strategów założyła, że Zełeński ma w ogóle nie rozmawiać o tej wojnie – przekonuje Borkowski. Za przykład podaje sytuację z debaty z Poroszenką jeszcze w trakcie kampanii wyborczej. – Kiedy Poroszenko chciał się dowiedzieć, jak rywal widzi rozwiązanie sytuacji w Donbasie, jakie ma plany wobec Rosji, Zełeński ciągle udzielał jednej odpowiedzi: wojnę trzeba zakończyć, Ukraina jest jedna, Ukraińcy są jednością, wojnę zakończę poprzez rozmowy, a nie walkę.

– Na scenie, kiedy był aktorem, w pełni panował nad swoją kreacją. Kiedy prowadził kampanię wyborczą, jego PR-owcy zbudowali machinę: apki internetowe, strony, kanały w Telegramie i Facebooku oraz nagrania na YouTube. Woleli to od wywiadów z mediami. Potem, jako prezydent, już nie zawsze mógł unikać mediów. Musiał czasem robić konferencje prasowe, wolał jednak organizować je na swoich zasadach. Na przykład w parku albo w wielkiej knajpie z burgerami – mówi mi Borkowski.

Jednym z działań Zełenskiego, charakterystycznych dla tego okresu pracy, było ogłoszenie konkursu na jego rzecznika prasowego. Nowy prezydent zapowiedział to osobiście i na Facebooku:

– Jeśli znasz co najmniej trzy języki – ukraiński i angielski są obowiązkowe – jeśli masz doświadczenie w pracy w dziennikarstwie czy sferze publicznej, jeśli gotów jesteś do pracy 24/7, wyślij swoje CV pod adres, który pojawi się pod pierwszym komentarzem do tego wideo. I zaczniemy robić to razem – zachęcał w nagraniu opublikowanym w sieciach społecznościowych. Spośród kilku tysięcy nadesłanych kandydatur Zełenski wybrał Julię Mendel, 33-letnią wówczas dziennikarkę ze stażem w kilku stacjach telewizyjnych, współpracującą z zachodnimi redakcjami – Spiegel Online, CNBC – pierwszą ukraińską dziennikarkę, która wygrała udział w programie szkoleniowym World Press Institute, uczestniczyła również w programie solidarnościowym Lecha Wałęsy.

Pierwszego maja 2019, podczas nagrywania wideo o poszukiwaniu rzecznika prasowego, Zełenski zdradził, który polityk jest dla niego wzorem i przedstawił swoje *credo* na najbliższe lata: – W dzisiejszej dacie jest pewna symbolika: 230 lat temu odbyła się inauguracja pierwszego prezydenta USA, Jerzego Waszyngtona. Nie porównuję się z tym wielkim politykiem, bo jest jeszcze za wcześnie, ale pozwólcie, że go zacytuję: „Pracuj wciąż nad tym, aby w twej piersi był żywy ten płomyk niebiańskiego ognia, który nazywa się sumienie". Właśnie to wam, Ukraińcy, obiecuję bez względu na wasz wybór. Obiecuję pracę, obiecuję, że was nie zawiodę – zapewnił Zełenski.

Ekipa Zełenskiego już na początku swoich rządów zdaje sobie sprawę, że jeśli nie zacznie sprawnie wprowadzać obiecanych zmian, to wyborcy, którzy obdarzyli ich tak wielkim kredytem zaufania, równie szybko mogą się od nich odwrócić. Pracują więc tak jak w Kwartale 95: kilkanaście godzin na dobę. Codziennie, a właściwie każdego wieczora aż do nocy, odbywają się narady ścisłego grona współpracowników, podczas których wymyślane są nowe inicjatywy. Przypomina to trochę polskie lata 90., kiedy nieraz obrady rządu kończyły się późnym wieczorem lub w nocy. Brak doświadczenia politycznego sprawia, że czasami padają pomysły fantastyczne i nie zawsze realne czy zgodne z prawem. Dmytro Razumkow, który działał wraz z Zełenskim w kampanii wyborczej, a później został przewodniczącym parlamentu z ramienia Sługi Narodu, wspomina niezwykły entuzjazm pierwszych miesięcy urzędowania Zełenskiego.

– Kiedy został prezydentem, na wielu pierwszych [...] spotkaniach z najbliższymi współpracownikami panowała euforia, padały słowa niedowierzania, że wygraliśmy. Jakby to była zabawa. Jednocześnie [...] był wyczuwalny rewolucyjny nastrój. Media ochrzciły to [terminem] „turborczim". Chodziło o to, że ludzie Zełenskiego (Andrij Bohdan, Bakanow, Szefirowie) i on sam prześcigali się w pomysłach, co by tu szybko zreformować – mówi Razumkow.

Pracowali na okrągło. Andrij Bohdan w wywiadzie z Dmytro Gordonem powie, że wówczas sypiał trzy godziny na dobę. Może nawet nie tyle dlatego, że tak dużo czasu spędzał w kancelarii prezydenta, ile przez adrenalinę towarzyszącą tamtym rewolucyjnym dniom.

Zełenski również funkcjonował na wysokich obrotach. W rozmowie z dziennikarzami „Ukraińskiej Prawdy" [„Ukrainska Pravda"] mówił, że wraca do domu późnym wieczorem. Przed snem ogląda film lub serial. Bardzo podobał mu się na przykład *Ozark* na Netfliksie. Po 20–40 minutach zasypia.

– Wstaję o szóstej trzydzieści, jemy śniadanie i szykujemy Kiryła do szkoły. A potem sport – bo muszę też dbać o ciało – opowiadał Wołodymyr Zełenski. – Najczęściej biegam lub pływam, ewentualnie ćwiczę na siłowni albo nawet gram w ping-ponga. Ważne, żeby się ruszać. Cztery–pięć razy w tygodniu uprawiam sport – mówił. Później zaczynał się dzień pracy.

Dmytro Razumkow, który po kilku miesiącach poróżnił się z ekipą Zełenskiego i ich drogi się rozeszły, wspominał ten „turboreżim" tak:

– Czasem, jak stamtąd wychodziłem późno w nocy, kręciło mi się w głowie. Tam pojawiały się tak abstrakcyjne pomysły, że zastanawiałem się, czy oni za bardzo nie odjeżdżają. Na przykład przenieść administrację do innego budynku – całkiem poważnie rozważany – żeby symbolicznie odciąć się od przeszłości. Połowa wysiłków była nakierowana na to, by odciąć się od przeszłości. Pokazać nową Ukrainę. Ja jestem człowiekiem przywiązanym do prawa. Chciałem reform, ale w granicach prawa. Kiedy o tym mówiłem, podnosił się krzyk: „Co tam prawo, prawo jest złe, trzeba je zmienić!".

Jeszcze przed startem w wyborach prezydenckich Zełenski mówił, że podoba mu się system szwajcarski, w którym to ludzie w referendach decydują o sprawach dotyczących ich życia. Według Razumkowa w ekipie prezydenta Zełenskiego panowało głębokie przekonanie, że ludzie zawsze będą po jego stronie. Jedno z takich parareferendów zorganizowano w czasie wyborów samorządowych 2020 roku, kiedy wyborcy mieli odpowiedzieć równocześnie na pięć pytań od prezydenta, między innymi o legalizację leczniczej marihuany czy wolną strefę ekonomiczną w Donbasie.

– Przestrzegałem, że ten przedziwny sondaż nie ma mocy prawnej, ośmieszy prezydenta, jest niepotrzebny. Ale nie słuchali – mówi Razumkow.

W ramach turboreżimu biuro prezydenta narzucało szybkie tempo reform. Razumkow przypomina, że właśnie z biura prezydenta płynęły prośby do frakcji Sługi Narodu w parlamencie, by taśmowo produkować ustawy i potem taśmowo głosować. Jego zdaniem przez to nawet wielkie reformy rozłaziły się później w szwach – na przykład reforma rynku rolnego, którą trzeba było zmieniać wiele razy na poziomie komisji parlamentarnych.

Amerykański koszmar

Zełenski – jak mówią ukraińscy politycy – szybko uczył się polityki. Jednak na początku swoich rządów mimowolnie trafił w oko cyklonu polityki amerykańskiej. Przed wiele miesięcy, właściwie aż do zbliżającej się wojny wywołanej przez Rosję, nazwisko „Zełenski" kojarzyło się w Stanach Zjednoczonych z jedną sprawą – tak zwaną aferą naciskową Donalda Trumpa.

25 lipca 2019 roku, zaledwie kilka dni po wyborach parlamentarnych, w których miażdżące zwycięstwo

odniosła Sługa Narodu, partia Zełenskiego, odbyła się rozmowa telefoniczna między prezydentem Ukrainy a Donaldem Trumpem, ówczesnym prezydentem Stanów Zjednoczonych. Ukraina czekała wówczas na odblokowanie przez administrację Trumpa 391 milionów dolarów pomocy finansowej, która każdego roku była przyznawana przez Kongres USA, zarówno w ramach wsparcia gospodarki, jak i na modernizację armii.

Kilka tygodni po rozmowie prezydentów anonimowy oficer wywiadu ujawnił, że Trump miał naciskać na Zełenskiego, by ukraińska prokuratura rozpoczęła śledztwo wobec Huntera Bidena. To syn Joego Bidena, który był potencjalnym rywalem Trumpa w kampanii przed wyborami prezydenckimi 2020 roku.

Hunter Biden od 2014 do 2019 roku był członkiem zarządu ukraińskiej spółki energetycznej Burisma Holdings. Przeciwko tej spółce toczyło się w Ukrainie dochodzenie w sprawie o korupcję, ale dotyczyło okresu, zanim znalazł się w niej Biden junior. W rozmowie z Zełenskim Trump prosił o wznowienie sprawy i prześwietlenie Huntera Bidena. – Dużo się mówi o synu Bidena, [...] a wiele osób chce wiedzieć więcej. Jeśli mógłbyś coś zrobić z prokuratorem generalnym, byłoby wspaniale. [Joe] Biden chwalił się, że wstrzymał oskarżenia, więc jeśli możesz się temu przyjrzeć... To coś paskudnego – mówił Trump.

Według oficera wywiadu była to forma nacisku na prezydenta Zełenskiego – w zamian za odmrożenie transzy pomocy rozpocznij śledztwo, które uderzy w syna wyborczego przeciwnika, a pośrednio w samego Joe Bidena.

Zełenski przekonywał na jednej z konferencji prasowych, że nie czuł presji. Jednak w rozmowie z Trumpem stwierdził, że nowy prokurator generalny będzie w stu procentach jego człowiekiem i zbada sprawę, o której mówi Trump, aby się upewnić, czy śledztwo wokół firmy Burisma było przeprowadzone uczciwie.

W Stanach Zjednoczonych wybuchła afera. Demokraci zarzucali Trumpowi, że próbował wykorzystać przywódcę obcego kraju do wywarcia wpływu na proces wyborczy w USA, co jest złamaniem przysięgi prezydenckiej. Spikerka Izby Reprezentantów, Nancy Pelosi z Partii Demokratycznej, ogłosiła, iż stanowi to podstawę do wszczęcia procedury impeachmentu wobec prezydenta Trumpa. 18 grudnia 2019 roku Izba Reprezentantów przegłosowała przedstawione Trumpowi dwa zarzuty: jeden oskarżający go o nadużycie władzy, a drugi – o utrudnianie prac Kongresu. Trump stał się trzecim w historii prezydentem USA postawionym w stan impeachmentu.

Zełenski był wściekły. Nie ze względu na kłopoty amerykańskiego prezydenta, ale na to, że administracja Trumpa upubliczniła stenogram całej półtoragodzinnej rozmowy. Znalazły się tam dyskusje nie tylko o sprawie syna Bidena, ale także o braku należytego wsparcia ze strony Niemiec i Francji dla Ukrainy w kwestiach Donbasu i rosyjskiej agresji na wschodzie. Ujawnienie tej rozmowy komplikowało sytuację międzynarodową Ukrainy i mogło wpłynąć na przyszłe relacje z USA.

Podczas wizyty Zełenskiego w Waszyngtonie we wrześniu, już po wybuchu afery, kamery nagrały wymowną scenę z konferencji prasowej obu prezydentów. Trump zwraca się do Zełenskiego: – Mam nadzieję, że spotkasz się z Putinem i rozwiążecie wasz problem. To byłoby wielkim osiągnięciem. Wiem, że starasz się to osiągnąć. – Zełenski siedzi z wyraźnym wyrazem niesmaku na twarzy. W ogóle nie odwraca głowy ku Trumpowi. Jakby go nawet nie słuchał. Jego wzrok błądzi gdzieś po sali.

Później w wywiadzie dla stacji HBO Zełenski powie, że w trakcie słynnej rozmowy z Trumpem nie było żadnych nacisków, bo Ukraina jest wolnym państwem i choć jest mniejsza od USA, będzie działać niezależnie. – Jedna rzecz była nie do przyjęcia – oznajmił. – To, że zapis tej rozmowy został upowszechniony. Ja nigdy bym do tego nie dopuścił – podkreślił.

Afera nie służyła relacjom z Ameryką. A Zełenski przechodził przyspieszony kurs międzynarodowej dyplomacji. „Washington Post" zamieścił komentarz Anne Applebaum pod wymownym tytułem „Amerykanie, witajcie na ukraińskim bagnie". W konkluzji autorka pisała, nawiązując do Zełenskiego i serialu *Sługa narodu*, że oto nastąpił zwrot akcji: „Myśleliśmy, że historia Zełenskiego dotyczyła ukraińskiej korupcji. Teraz jednak mamy opowieść o amerykańskiej korupcji, albo być może o postępującej ukrainizacji amerykańskiej polityki. Czy w następnym odcinku wiralowe wideo doprowadzi do władzy amerykańskiego reformatora?" – pytała.

Obietnica pokoju

Tego typu sytuacje oraz brak odczuwalnej poprawy życia zwykłych Ukraińców sprawiały, że ogromne poparcie dla Zełenskiego zaczęło spadać. Jednak zanim do tego doszło, prezydent mógł ogłosić spełnienie – choć niekompletne – jednej z ważnych obietnic jeszcze z kampanii prezydenckiej. Zobowiązał się wtedy, że doprowadzi do zakończenia wojny w Donbasie i powrotu ukraińskich jeńców z rosyjskiej niewoli. Pytany, w jaki sposób zamierza osiągnąć porozumienie z Putinem, Zełenski mówił wówczas w sposób dość naiwny, że zbiorą się delegacje Rosji i Ukrainy, każda przyniesie własną listę oczekiwań dotyczących zakończenia wojny w Donbasie i gdzieś pośrodku się spotkają, negocjując kompromis.

Ludzie w to uwierzyli, choć stanowisko Kremla było całkowicie odmienne.

– Na Kremlu sądzili początkowo, że pochodzącym ze wschodniej Ukrainy, z rosyjskojęzycznego środowiska Zełenskim, aktorem bez doświadczenia politycznego, łatwo będzie sterować. Później okazało się, że tak nie jest – mówi Michał Kacewicz. Zresztą po wyborze Zełenskiego na prezydenta Putin nawet nie zadzwonił do niego z gratulacjami.

Pierwszy połowiczny sukces nowy prezydent mógł ogłosić na początku września 2019 roku, kiedy udało się wynegocjować z Rosją częściową wymianę jeńców wojennych z Donbasu. Do Ukrainy wróciło 35 osób, wśród nich znany i ceniony reżyser Ołeh Sencow, pojmany przez Rosjan pod zarzutem terroryzmu jeszcze w 2014 roku na Krymie, po jej nielegalnym anektowaniu przez Moskwę, i skazany na 20 lat łagru. Jego uwolnienia domagał się świat, między innymi Europejska Akademia Filmowa, Amnesty International, a aktor Daniel Olbrychski napisał list otwarty w jego sprawie. List poparło wielu Rosjan. Obietnicę oswobodzenia Ołeha Sencowa zawarto nawet w ostatnim sezonie serialu *Sługa narodu*. Teraz została spełniona.

Zełenski i jego współpracownicy szukali kolejnych inicjatyw, aby pokazać, że działają w kwestii Donbasu. Powstał pomysł nowych inwestycji po ukraińskiej stronie granicy podzielonego regionu, mających pokazać mieszkającym na terenach zajętych przez separatystów, że bardziej opłaca się jedność z Ukrainą.

Sukces związany z wymianą pierwszych więźniów miał jednak cenę: ukraińscy wojskowi musieli wycofać broń z trzech odcinków frontu. Wielu osobom w Ukrainie to się nie spodobało. Jesienią 2019 roku Zełenski wybrał się więc na linię graniczną w regionie ługańskim, gdzie ochotnicy ukraińscy nie chcieli złożyć broni.

Był 29 października, chłodny dzień wilgotnej jesieni. I jedna być może z trudniejszych wizyt prezydenta Zełenskiego w pierwszych miesiącach jego urzędowania.

Helikopterem dotarł do miejscowości Zołotc już po zmroku.

– Zapraszamy na kolację – powiedział dowódca jednego z oddziałów strzegących granicy. W ścisku, na ławce przed ustawionym w czworokąt stole Zełenski jadł kotlety z kaszy gryczanej i popijał herbatę z plastikowego kubka, siedząc ramię w ramię z żołnierzami.

– Smaczne – pochwalił na koniec i po spotkaniu z dowództwem pojechał do domu, w którym miał przenocować.

Wizytę pokazywał ukraiński kanał Siogodni. Miejscem noclegu prezydenta był zwykły dom we wsi z wynajętym na jedną noc pokojem. Właściciel był w szoku, kiedy po otwarciu drzwi zobaczył najpierw uzbrojonych w karabiny z długimi lufami wojskowych, a za nimi Zełenskiego. Gospodarz przedstawił się prezydentowi. Uścisnęli sobie dłonie. Zełenski siadł w kuchni za stołem przykrytym ceratą.

– Nie wiedział pan, komu wynajmuje pokój? – zapytał.

– Nie – przyznał wciąż nieco zmieszany właściciel domu. – Znaczy, że nasze służby dobrze pracują – roześmiał się Zełenski. – A pan mieszka w tym domu?

– Tak.

– To znaczy, że razem będziemy tu nocować?

– Znaczy, ja mogę do sąsiadów pójść, jeśli trzeba – powiedział gospodarz.

– No jakże, nie trzeba! Przecież to pański dom! – roześmiał się Zełenski i zapytał gospodarza: – A czego wam tutaj najbardziej potrzeba?

– Ciszy i spokoju. Tej wojny już wszyscy mamy dość – usłyszał.

Prezydent pokiwał głową w zadumie. Uścisnął dłoń gospodarza i poszedł do pokoju – zwykłego, ze starym łóżkiem przykrytym kołdrą, z małym telewizorkiem i szafką, na której stał pluszowy miś.

– Ale jest też i DVD – uśmiechnął się Zełenski. – W porządku.

Jego wizyta w Zołotem wywołała poruszenie. Następnego poranka Zełenski przeszedł się po wsi, witając się i rozmawiając z ludźmi, odwiedzając szkołę, w której nauczycielki mówiły o traumatycznych, wojennych przeżyciach uczniów. Kiedy podszedł do grupy kobiet ze wsi, te nie kryły radości z wizyty. I prosiły, wręcz błagały:

– Zaprowadźcie tu pokój! Prosimy! Nawet nie tyle dla nas, co dla naszych dzieci i wnuków.

– Zrozumiałem, będzie pokój – poważnie odparł Zełenski. Teraz czekała go najtrudniejsza misja: rozmowa z ochotnikami, którzy nie chcieli się wycofać. Przy starym, drewnianym domu – posterunku ochotników, na którym wymalowano farbą wielki napis „Ukraina" – Zełenski dyskutował z ideowcami, którzy wcale nie czuli respektu przed prezydentem i nie zamierzali usunąć broni. Musiał pokazać, że jest twardy.

Po dłuższej wymianie argumentów jeden z przywódców ochotników rzekł do Zełenskiego:

– Słyszeliśmy pańskie obietnice demilitaryzacji i tak dalej. Chcielibyśmy to wszystko przedyskutować i sformalizować.

– Co?! Ty chcesz ze mną formalizować stosunki?! – odpowiedział wyraźnie poruszony Zełenski.

– Podpiszmy memorandum – odpowiada bojownik.

– Ja z tobą?! – nie dowierzał Zełenski. – Nie możesz mi stawiać żadnego ultimatum. Posłuchaj: jestem prezydentem tego kraju. Mam czterdzieści dwa lata. I nie jestem frajerem. Powiedziałem: wywieźcie stąd broń.

Wycofanie broni z trzech odcinków granicy było elementem porozumienia z Moskwą i warunkiem tego, by po trzech latach przerwy Putin zgodził się na negocjacje w tak zwanym formacie normandzkim, czyli na spotkanie przywódców Ukrainy, Rosji oraz Niemiec i Francji w sprawie zakończenia wojny w Donbasie.

Zełenski dopiął swego. Na początku grudnia 2019 roku w Pałacu Elizejskim po raz pierwszy miał okazję spotkać się z Putinem. Dyskusja czwórki polityków za zamkniętymi drzwiami przeciągnęła się o ponad dwie godziny.

– Staliśmy tam, wszyscy już zniecierpliwieni, delegacje oficjalne razem z dziennikarzami, i zastanawialiśmy się, jakie będą wyniki – opowiadała później pierwsza dama Ukrainy Ołena Zełenska.

Kiedy uczestnicy rozmów wyszli, na ich twarzach nie było widać zadowolenia. Rozmowy nie przyniosły tego, czego spodziewali się eksperci i sam Putin: ustępstwa strony ukraińskiej. W związku z tym uzgodniono jedynie kolejną turę wymiany jeńców wojennych do końca 2019 roku.

Czy za brakiem ustępstw ze strony ukraińskiej stał fakt, że opinia publiczna w kraju była im przeciwna? Według obserwatorów ukraińskiej sceny politycznej mogło tak być. Jak mówi Antin Borkowski, gospodarz studia Espreso West, ekipa Zełenskiego już od czasu kampanii wyborczej działała, posiłkując się badaniami opinii.

– Ukraińscy dziennikarze doskonale wiedzą, że ekipa Zełenskiego codziennie się zbiera i analizuje, o czym mówią i myślą Ukraińcy. Zastanawiają się, jaki temat im wrzucić, żeby przestali narzekać, żeby odwrócić uwagę od niewygodnych dla władzy tematów. Oni codziennie dostają sondaże, czasem bardzo szczegółowe, dotyczące poszczególnych członków ekipy albo pojedynczych posunięć czy wypowiedzi prezydenta – dodaje.

Tak czy inaczej, Zełenski pokazał wtedy Ukraińcom, Moskwie i opinii międzynarodowej, że nie będzie tańczył, jak zagra mu Putin. Nie było to wypełnienie obietnicy wyborczej, nie zaprowadził pokoju, wciąż ginęli ludzie w Donbasie, czego chciał za wszelką cenę uniknąć, ale Ukraina nie zgodziła się na żadne ustępstwa, które oznaczałyby uznanie bezprawnej agresji rosyjskiej.

Spadek zaufania

Pomimo turboreżimu, w jakim pracuje gabinet Zełenskiego, nie wszystko idzie gładko. Sklecona naprędce i z przeróżnych elementów partia Sługa Narodu powoli pęka. Zaczyna się też podkupywanie jej posłów, co komplikuje sytuację w parlamencie – dochodzi do tarć. Na początku 2020 roku Zełenski rozstaje się ze swym najbliższym dotąd współpracownikiem, szefem biura, Andrijem Bohdanem. Okres współpracy, zaczęty podczas pamiętnego spotkania w Odessie, kończy się, oficjalnie z powodu różnic w pomysłach na dalsze działania. Później jednak w wywiadzie dla „Ukraińskiej Prawdy" Zełenski powiedział, że doszło do konfliktu w zespole jego doradców. Media pisały, że skonfliktowany z Bohdanem był Andrij Jermak, znajomy Zełenskiego jeszcze z czasów Kwartału 95. Zełenski sugerował, że Bohdan nadużywał władzy. Z kolei sam Bohdan oświadczył, że musiał odejść, gdyż mówił niewygodne rzeczy, a prezydent lubił w tym czasie słuchać tylko tych, którzy mu przytakiwali. Michał Kacewicz uważa, że główną przyczyną zwolnienia Bohdana były naciski amerykańskiej administracji, która nalegała, by prezydent odciął się od ludzi zbyt silnie kojarzonych z oligarchą Kołomojskim.

– Przez te dziewięć miesięcy pracy w biurze Zełenskiego naprawdę chcieliśmy zrobić bardzo dużo – opowiadał później Bohdan w rozmowie z Dmytro Gordonem. Uznał, że zwolniono go dlatego, że miał swoje zdanie i nie zgadzał się z najbardziej fantastycznymi pomysłami, przedstawianymi podczas zebrań drużyny Zełenskiego. W tej rozmowie Bohdan oskarżał Zełenskiego, że prezydent chciał się otoczyć tylko takimi osobami, które mu się nie sprzeciwią. Dlatego rozpatrywano nietrafione pomysły. Bohdana na stanowisku szefa biura zastąpił Andrij Jermak, z którym Zełenski zna się jeszcze od czasów Kwartału 95.

W tym czasie notowania Zełenskiego jednak już mocno pikują. Nie ma śladu po 73-procentowym poparciu, jakie uzyskał w wyborach. Chociaż Zełenski nadal jest liderem sondaży, kredyt zaufania do niego spada o połowę. Ludzie nie widzą poprawy sytuacji. Na to wszystko nakłada się jeszcze wybuch pandemii COVID-19 i konieczność wprowadzania ograniczeń. Dochodzi do tarć pomiędzy prezydentem a merami wielu miast, którzy nie chcą się godzić na narzucane obostrzenia, powodujące kłopoty lokalnych biznesów.

Jesienią 2021 roku ekipa Zełenskiego wpada na pomysł promocji szczepień przeciw COVID-19: „Tysiąc hrywien za szczepienia". I też nie wszyscy są zadowoleni. Wspomniany „tysiąc hrywien" można bowiem było otrzymać od państwa i przeznaczyć właściwie tylko na rozrywkę: kluby fitness, podróże, kina. O ile w dużych miastach pomysł wydawał się sensowny, o tyle w mniejszych ludzie zarabiający 2000–3000 hrywien miesięcznie (280–320 złotych) pytali, dlaczego nie mogliby tych pieniędzy przeznaczyć na dowolny cel.

Podobnie było z programem „Państwo w smartfonie", dzięki któremu Ukraińcy otrzymali dostęp do wielu usług bezpośrednio z telefonu. To pozwalało omijać biurokrację, tak uprzykrzającą życie. Jednak – jak wskazały badania – pomimo szeroko zakrojonego programu cyfryzacji, aż 30 procent Ukraińców wciąż posługuje się zwykłymi komórkami, nie smartfonami. Dla wielu z tych osób fundamentalnym pytaniem było raczej, za co kupić smartfon.

Mimo tej krytyki płynącej ze strony biedniejszej części społeczeństwa, program unowocześnienia państwa, jaki Zełenski przedstawiał jeszcze w kampanii wyborczej, przynosił efekty. Powołane przez niego ministerstwo cyfryzacji doprowadziło na przykład do tego, że Ukraina stała się pierwszym krajem na świecie, który zalegalizował paszporty elektroniczne i zrównał je z papierowymi. Wiele spraw można załatwić przez telefon, niekoniecznie trzeba się fatygować do urzędu. To nie tylko skraca czas, ale też pozwala uniknąć osławionego systemu *wziatek*, czyli łapówek.

– Drugi rok prezydentury był bardziej rozczarowujący, bo oczekiwania wobec Zełenskiego i rządu były wyższe. Spodziewano się, że już coś potrafią, że będą działali, a z tą pragmatyką rządzenia było różnie. Wygrał wybory, uzyskując siedemdziesiąt trzy procent, a teraz rankingi spadały poniżej trzydziestu procent. Ciągle był numerem jeden wśród potencjalnych kandydatów, ale element zachwytu wyraźnie mijał – ocenia Aleksander Kwaśniewski.

Zełenski walczył o poparcie. Władza go nie zmieniła. Być może stał się bardziej twardy, jednak cały czas w relacjach ze zwykłymi ludźmi skracał dystans, zachowywał się jak dobry znajomy. Na jeden z gospodarskich objazdów po kraju w czerwcu 2020 roku zaprosił dziennikarzy „Ukraińskiej Prawdy".

– Jakim człowiekiem stał się pan w ciągu tego roku? Bardziej skrytym? Ostrożnym? – zapytali go dziennikarze w czasie podróży służbową limuzyną do wsi Dawidkowicze.

– Wszystkiego po trosze. Troszeczkę bardziej skrytym i ostrożnym – odparł Zełenski. – Chociaż ostrożnym nie do końca – zawahał się. – Zrozumiałem tylko, że nie wszystko jest takie czarno-białe. Pomagasz ludziom, a później inni chcą cię wykorzystać, choć im wsparcie się nie należy. Stałem się w takich okolicznościach bardziej ostrożny – wyjaśnił. – A ludziom bardzo ufam – dodał. – Mam setkę pracowników w kancelarii prezydenta, wielu z nich nie znam, ale muszę im ufać, chyba że zrobią coś złego. Mam zresztą przy sobie bliskich – Jermaka, Szefira – dodał.

Kiedy kolumna prezydencka dotarła do wsi Dawidkowicze, przed sklepem spożywczym kłębił się tłum. Zełenski wysiadł z samochodu i krzyknął:

– Na co czekacie? Na towar?

– Na pana. Niech pan podejdzie, chcemy pana zobaczyć! – odpowiadali ludzie.

Kiedy podszedł, na czoło wysunęły się kobiety:

– Mało pieniędzy, panie prezydencie – żaliły się.

– Wiem, że mało. Będzie więcej, dajcie nam tylko trochę czasu.

Z tłumu słychać było też głosy:

– Jakich to czasów doczekaliśmy. Jeszcze nigdy prezydent do naszej wsi nie przyjechał.

– Może nie zapraszaliście? – odpowiedział Zełenski.

Ludzie zaczęli wyliczać potrzeby wioski. Jedni mówili, że potrzebny by był klub kultury, inni – że cerkiew.

– To klub czy cerkiew? – spytał skonsternowany Zełenski. Jedna ze starszych mieszkanek zatrzymała go i odczytała swój wiersz na cześć prezydenta.

– Cała nasza wieś życzy, żeby był pan zdrowy, szczęśliwy, podobnie, jak cała pana rodzina. Daje pan nam nadzieję – deklamowała.

Takimi wyjazdami czy świetnymi wystąpieniami na konferencjach Zełenski wciąż potrafił budować swoją popularność i walczyć o poparcie.

– On ma to we krwi. Ogromne doświadczenie sceniczne sprawia, że nigdy nie czuje tremy. Ale moim zdaniem wiele tematów ma doskonale „przećwiczonych", to znaczy trenuje przed lustrem albo z jakimiś ludźmi różne odpowiedzi na konferencje prasowe czy do wywiadów – stwierdza Antin Borkowski. – Nie ma w tym nic złego. Widać jednak, że jeśli nie przećwiczył danego tematu, to go unika i za nic nie da się wciągnąć w rozmowę – dodaje.

Dziennikarze zauważają unikanie niewygodnych kwestii. Również i to, że podczas konferencji Zełenski bywa zirytowany. Konflikt z mediami zaostrzył się także z powodu rzeczniczki prasowej Julii Mendel, wyłonionej w konkursie w mediach społecznościowych. Dziennikarze zaczęli się skarżyć, że Mendel rozstawia ich po kątach, jednych wpuszczała na konferencje prasowe, innych nie. Jeszcze w 2019 roku miała się kłócić z dziennikarzem „Radia Swoboda", który chciał zapytać o domniemane niejasne interesy Andrija Bohdana, szefa kancelarii prezydenta. I miała go wtedy odepchnąć.

– Dla nas, dziennikarzy, to był szok. Zapaliła się czerwona lampka, że „ekipa Ze" to żadni tam otwarci demokraci, lecz dobrze się wcześniej kamuflująca kolejna odsłona [...] zamordyzmu. Ludzie, którzy szanują tylko wazeliniarzy, a wobec krytyków potrafią być brutalni – mówi o ówczesnych odczuciach świata mediów Antin Borkowski.

Zełenski po dwóch latach odwołał Mendel. Ale wtedy konflikt „Bankowej" (ulica, przy której jest siedziba prezydenta w Kijowie) z mediami już się zaostrzał. Według Borkowskiego sam Zełenski również go nie łagodził. Podczas konferencji dawał do zrozumienia, że nie interesują go opinie dziennikarzy, że dla niego liczy się tylko lud. – Takim tanim populizmem nie zjednał sobie naszych serc – dodaje Borkowski.

Dziennikarze zaczęli przekonywać opinię publiczną, że ekipa Zełenskiego codziennie roztrząsa, o czym mówią, myślą Ukraińcy, i debatuje, jaki temat im wrzucić, żeby odwrócić uwagę od niewygodnych dla władzy spraw.

Testem działania nowego prezydenta i jego partii Sługa Narodu miały być wybory samorządowe w październiku 2020 roku. Ten test oblali. Kandydaci partii Zełenskiego nie zdobywają fotela mera żadnego dużego miasta obwodowego. Pomimo wygranej w kilku radach obwodowych, nigdzie nie mogą rządzić samodzielnie, gdyż nie uzyskują potrzebnej większości. Widać, że polityka „nowych twarzy" Sługi Narodu przestaje działać, a brak odczuwalnych efektów ponadrocznych rządów Zełenskiego wywołuje rosnące rozgoryczenie wyborców.

Koniec z oligarchami

O skali spadku poparcia wobec Zełenskiego najdobitniej świadczą wyniki sondażowe. Według pracowni Statista niespełna rok po wyborach, w lutym 2020 roku, Zełenski cieszył poparciem – 52,4 procent. To wciąż dużo, choć już o wiele mniej niż w dniu wyborów, kiedy uzyskał ponad 73 procent głosów. Już po dwóch latach prezydentury, w marcu 2021 roku, poparcie spadło do zaledwie około 32 procent, a jesienią 2021 oscylowało wokół 28–30 procent. – Sondaże mogą czasowo być niższe, jednak Zełenski i jego sztab widzieli wyraźny trend spadkowy. Chcieli temu przeciwdziałać i między innymi temu miała służyć ustawa antyoligarchiczna. Spodziewali się, że to się spodoba społeczeństwu – uważa Michał Kacewicz.

– Demokracja to prawo i równość. Podpisałem ustawę antyoligarchiczną, która radykalnie zmienia relacje między wielkim biznesem a politykami. Teraz wszyscy gracze ekonomiczni będą równi wobec prawa i nie będą mogli kupować sobie przywilejów politycznych. Nie pozwolimy łamać prawa! – ogłosił Zełenski na Twitterze w listopadzie 2021 roku.

Zamieścił również swoje zdjęcie w marynarce i bez krawata, gdy siedząc w prezydenckim skórzanym fotelu z zielonym obiciem, podpisuje ustawę. To był finał ogłoszonej osiem miesięcy wcześniej batalii o przeforsowanie takiego zapisu. Zgodnie z nim miał powstać rejestr oligarchów zarabiających co najmniej milion razy więcej niż wynosi minimalna pensja (wtedy było to prawie 2400 hrywien – około 360 złotych), mających znaczny wpływ na media i uczestniczących w życiu politycznym.

Na mocy ustawy oligarchowie dostali zakaz dokonywania wpłat na rzecz partii politycznych, uczestniczenia w prywatyzacjach na dużą skalę, a na urzędników służby cywilnej – w tym prezydenta – nałożono obowiązek składania deklaracji o kontaktach z oligarchami.

W ten sposób Zełenski chciał udowodnić, że spełnia główny punkt programu, z którym szedł do wyborów.

A być może także przeciąć powracające spekulacje o jego związkach z oligarchą Ihorem Kołomojskim. W medialnym świecie Ukrainy panowało przekonanie – wbrew temu, co powtarzali Zełenski i sam Kołomojski – że to jemu Zełenski zawdzięcza karierę.

– To Kołomojski przekazał mu pieniądze, wprowadził w świat polityki i dużego biznesu, dał pewność, że może odegrać wielką rolę nie w telewizyjnym show, lecz w historii – przekonuje Antin Borkowski. Według niego relacje z Kołomojskim są jednym z tematów tabu, które ustala ekipa prezydenta. – W początkowej fazie prezydentury nie należało poruszać kwestii powiązań „ekipy Ze" ze środowiskami byłej Partii Regionów, z Rosją. Potem rozmydlano kontakty z oligarchą Ihorem Kołomojskim. I w ogóle oligarchami. Doszło do tego, że Serhij Szefir, jeden z bliskich ludzi Zełeńskiego, wymykał się po kryjomu na spotkania z Rinatem Achmetowem, najbogatszym człowiekiem w Ukrainie, który przysyłał po niego limuzynę. Niestety, za Szefirem jeździli dziennikarze – opowiada Borkowski.

Faktem jest jednak, że Wołodymyr Zełenski po wyborze na prezydenta odcinał się od Kołomojskiego. Oligarcha próbował sugerować w wywiadach, że będzie wywierać wpływ na sprawy kraju, czego zapowiedzią miało być mianowanie jego prawnika, Andrija Bohdana, na szefa kancelarii prezydenta. Nic takiego jednak nie nastąpiło. Plotki odżyły, kiedy Kołomojski i Zełenski spędzali sylwestra 2021 roku w jednym hotelu Radisson Blu w kurorcie w Bukowelu w ukraińskich Karpatach. Później w wywiadzie Kołomojski twierdził, że się z prezydentem nie widział, bo nocowali w innych skrzydłach hotelu.

– No, trudno w coś takiego uwierzyć – mówi Antin Borkowski.

– On był bardzo blisko z Kołomojskim, który niewątpliwie finansowo pomagał mu w kampanii – mówi Aleksander Kwaśniewski.

Dodaje jednak, że Zełenski potrafił oderwać się od oligarchy. – Przecięcie przez Zełenskiego relacji z Kołomojskim świadczyło, że jest to człowiek dzielny, który nie ma takiego strachu, że oto, ryzykując konflikt ze swoim dotychczasowym niejako sponsorem, coś traci – uważa Aleksander Kwaśniewski.

Ustawa antyoligarchiczna ponownie podzieliła drużynę Zełenskiego. Dmytro Razumkow, który budował kampanię Zełenskiego, a później był przewodniczącym Sługi Narodu, wreszcie przewodniczącym Werchownej Rady, wskazał wiele nieścisłych zapisów w ustawie i został w wyniku tej krytyki odwołany.

– W pewnym momencie zacząłem się czuć izolowany. Przestawali zapraszać mnie na późnowieczorne posiedzenia i burze mózgów w biurze prezydenta. Nie zaprosili na zamknięte, wyjazdowe imprezy Sługi Narodu w Truskawcu we wrześniu 2021 roku – wspomina Razumkow.

Nie bez znaczenia w całym sporze Zełenskiego z Razumkowem był zapewne fakt, że ten ostatni korzystnie wypadał w wewnętrznych sondażach. Zełenski natomiast wciąż tracił poparcie, co wynikało z rozczarowania społeczeństwa, które nie widziało szybkiej poprawy swojego bytu. Oczekiwania wobec Zełenskiego, rozbudzone w wyniku serialu *Sługa narodu*, nie zostały zaspokojone. Marzenia o tym, że prosty człowiek wejdzie do polityki i odmieni ją pstryknięciem palcami, nie mogły się spełnić.

Zapytany, jak by określił rządy Zełenskiego do wybuchu wojny, Dmytro Razumkow odpowiada:

– To idealista, chce dobrze dla Ukrainy, ale czasem strasznie się miota, słuchając doradców. Kiedy w jakichś sprawach nie ma własnego zdania albo kompetencji, przychyla się do opinii, które brzmią dla niego atrakcyjnie, nowatorsko, co nie znaczy, że są realistyczne.

Czy jest zdolny do wprowadzenia rządów twardej ręki? – Każdy polityk jest do tego zdolny – odpowiada Razumkow. – Zwłaszcza w warunkach tak ciężkich jak dziś w Ukrainie. A on w dodatku jest przekonany, że on i jego grupa mają rację i odrzuca słowa krytyki. Jego współpracownicy nie uważają innych, spoza „ekipy Ze", za zainteresowanych rozwojem Ukrainy, obroną kraju.

Niestety, mają tendencję do wykluczania oponentów – dodaje były współpracownik Zełenskiego.

Wołodymyr Hrojsman, były premier Ukrainy, którego Zełenski odwołał po swoim zwycięstwie wyborczym swej partii Sługa Narodu, tak mówi o prezydencie:

– W mojej ocenie to wybitnie inteligentny polityk, który bardzo szybko się uczy. W kontaktach z ludźmi szybko skraca dystans. Potrafi również sprawiać wrażenie, że jest zasadniczy, że trzyma się swoich pryncypiów.

Hrojsman, podobnie jak wielu komentatorów życia politycznego w Ukrainie, uważa, że problemem nie jest sam Zełeński, lecz ludzie, jakimi się otacza: – Trudność polega na tym, że on ufa tylko kumplom, z którymi trzymał całe życie. Te chłopaki z Zaporoża, Krzywego Rogu i Dniepra od lat są przy nim. On im wszystko wybaczy, wszystko da. Ludziom spoza tego kręgu szalenie trudno wkupić się w jego łaski.

Pomruki wojny

Ostateczna rozgrywka z oligarchami odbywała się już w czasie, kiedy przy granicach Ukrainy z Rosją i Białorusią grupowały się wojska rosyjskie. Amerykański wywiad donosił o 150 tysiącach żołnierzy rosyjskich i ogromnej ilości ciężkiego sprzętu bojowego. Do tego dochodziło 50 tysięcy bojowników z separatystycznych republik donieckiej i ługańskiej.

To była nie pierwsza taka demonstracja siły przy granicy z Ukrainą, podobna odbyła się wiosną 2021 roku. Tym razem jednak wywiad amerykański był przekonany, że Władimir Putin – wbrew oficjalnym komunikatom o manewrach – szykuje prawdziwe uderzenie na Ukrainę. Zełenski być może otrzymał już takie ostrzeżenie wcześniej, gdy we wrześniu 2021 roku spotkał się z prezydentem Joe Bidenem.

Nie spełniły się oczekiwania Putina, że Zełenski – aktor czy komik – okaże się miękkim prezydentem i pójdzie na ustępstwa wobec Moskwy. Na linii Waszyngton–Kijów uruchomiono dyplomatyczną gorącą linię. Wołodymyr Zełenski nagle musiał mówić rodakom więcej o potencjalnym, zbliżającym się zagrożeniu wojną niż o reformach. Zabiegał też wśród krajów zachodnich o przysyłanie wsparcia wojskowego.

– W razie eskalacji ze strony Rosji mamy tylko jedną opcję – mówił w grudniu 2021 roku po spotkaniu z sekretarzem generalnym NATO Jensem Stoltenbergiem. – Cena tej eskalacji będzie wysoka, choć nikt nie chce ofiar, utraty życia ludzkiego – dodawał.

Przez kolejne tygodnie, kiedy stawało się jasne, że Putin da rozkaz do ataku, Zełenski skupił się na utrzymaniu wysokiego morale Ukraińców. Temu jeszcze przed wojną służyły jego komunikaty tonujące strach przed atakiem.

W lutym 2022 roku, kilka dni przed atakiem, już wiedział, że dojdzie do napaści. Podczas apeli w mediach społecznościowych był coraz poważniejszy, znikał typowy dla niego wcześniejszy luz.

16 lutego był typowany jako data potencjalnego ataku. Kiedy jednak do niego nie doszło, wszyscy – łącznie z zagranicznymi liderami – zaczęli ostrzegać Zełenskiego, by nie jechał na konferencję bezpieczeństwa w Monachium, która miała się odbyć 19 lutego. Przewidywano nawet, że może dojść do zamachu na jego życie przygotowanego przez rosyjskich najemników. Zełenski rad nie posłuchał. Mówił, że musi dopilnować, by wszyscy w demokratycznym świecie dokładnie rozumieli, co się dzieje w sprawie Ukrainy. I chyba właśnie od tej konferencji zaczął wyrastać na wielkiego lidera. Nie tylko w oczach swego narodu.

Zełenski wyszedł na mównicę hotelu Bayerischer Hof, w którym odbywała się konferencja, a słuchały go osoby mające olbrzymi wpływ na dalsze losy świata. Wśród nich między innymi wiceprezydent USA Kamala Harris, sekretarz stanu USA Antony Blinken, dyrektor zarządzająca MFW – Kristalina Georgieva, Bill Gates, sekretarz generalny ONZ António Guterres, kanclerz Niemiec Olaf Scholz, szefowa Komisji Europejskiej Ursula von der Leyen, przewodniczący Banku Światowego David Malpass, szef NATO Jens Stoltenberg, premierzy Polski – Mateusz Morawiecki, Wielkiej Brytanii – Boris Johnson, prawowita prezydent Białorusi Swiatłana Cichanouska.

Zełenski wykorzystał swój talent i doświadczenie człowieka występującego na scenie od lat szkolnych.

– Będę mówił w mojej ojczystej mowie, więc proszę, załóżcie słuchawki – zaczął. – Zaczekam piętnaście sekund, bo chciałbym, żeby wszyscy od początku rozumieli, co będę mówił – dodał, nawiązując przy tym relację z publicznością. Mowę, którą wygłosił, uznano za jedno z najważniejszych wystąpień przywódcy kraju w XXI wieku.

– Ukraina chce pokoju. Europa chce pokoju. Świat mówi, że nie chce wojny. A Rosja? Że nie chce napadać. Ktoś z nas kłamie – rozpoczął przemówienie Zełenski.

Mówił dalej, że zaledwie przed dwoma dniami był na linii demarkacyjnej w obwodzie donieckim.

– Po jednej stronie tej linii znajduje się przedszkole, a po drugiej pocisk rakietowy, który w to przedszkole uderzył. Po jednej znajduje się szkoła, a po drugiej pocisk, który trafił w szkolne boisko. Spadł w pobliżu trzydzieściorga dzieci, które szły... Nie, nie do NATO. Szły do szkoły. [...] Niektóre z nich szły może na lekcję historii. I kiedy na szkolnym boisku pojawia się lej po bombie, to one zadają pytanie: czy świat zapomniał o swoich błędach z dwudziestego wieku? Do czego prowadzi polityka powściągliwości? Tak pytanie „Po co umierać za Gdańsk?" przerodziło się w konieczność umierania za Dunkierkę i dziesiątki innych miast w Europie. I w miliony straconych istnień ludzkich – wypominał Zełenski światowej elicie zebranej w Monachium.

Pytał, jak to się stało, że świat pozwolił na to, by w Europie XXI wieku znowu wybuchła wojna – która toczy się na wschodzie Ukrainy od 2014 roku – i by umierali ludzie? I dlaczego trwa ona dłużej niż II wojna światowa?

– Jak dopuściliśmy do największego kryzysu bezpieczeństwa od czasów zimnej wojny? – zastanawiał się Zełenski. – Dla mnie jako prezydenta kraju, który stracił część terytorium, stracił tysiące ludzi i na którego granicach znajduje się obecnie sto pięćdziesiąt tysięcy rosyjskich żołnierzy, masa sprzętu i ciężkiej broni, odpowiedź jest oczywista. Architektura światowego bezpieczeństwa jest krucha i wymaga naprawy. Zasady, na które świat zgodził się kilkadziesiąt lat temu, już nie działają – mówił.

Przypomniał Memorandum Budapesztańskie z 1994 roku, które miało zagwarantować Ukrainie ochronę w zamian za zrzeczenie się broni nuklearnej, przypomniał porozumienia mińskie, normandzkie, na mocy których Rosja miała zaprzestać ostrzału linii granicznej w Donbasie. Wypomniał NATO obietnice otwartych drzwi, które jednak dla Ukrainy pozostały zamknięte. Przypomniał też, jak dwa lata wcześniej, podczas konferencji monachijskiej, wszyscy bili brawo Angeli Merkel, która mówiła, że trzeba pozbierać kawałki rozbitego świata i ułożyć je na nowo. Na oklaskach się skończyło.

I apelował do świata:

– Wspierajcie przemiany w naszym kraju. Ustanówcie Fundusz Stabilności i Odbudowy dla Ukrainy, program Lend-Lease, dostawy najnowszej broni, maszyn i sprzętu dla naszej armii – armii, która chroni całą Europę.

A teraz najważniejsze: o trzech dziewczynkach z Kijowa. Jedna ma dziesięć lat, druga sześć, a trzecia dopiero rok. Dziś straciły ojca. O szóstej rano czasu środkowoeuropejskiego, kiedy oficer ukraińskiego wywiadu kapitan Anton Sydorow zginął w wyniku ostrzału artyleryjskiego – zabronionego przez porozumienia mińskie. Nie wiem, o czym myślał w ostatniej chwili życia. Z pewnością nie wiedział, jakie wymogi trzeba spełnić, aby zakończyć wojnę. Ale już zna odpowiedź na pytanie, które zadałem na początku. Wie, kto z nas kłamie – kończył Zełenski.

Do światowej elity politycznej i finansowej zebranej tamtego wieczora w monachijskim hotelu jeszcze nikt tak nie przemawiał. Bodaj nikt nie zwracał się tak – poprzez transmisje medialne – również do ludzi na całym świecie. Trudno powiedzieć, jaki efekt wywarły słowa Zełenskiego na liderach światowych, z pewnością jednak od tego przemówienia zaczął przeciągać na swoją stronę społeczeństwa różnych krajów.

Cztery dni później, 23 lutego, kiedy ataku ze strony Rosji spodziewano się lada chwila, Zełenski wystąpił ponownie – tym razem w przemówieniu do Rosjan, nagranym na tle mapy Ukrainy wraz z Krymem i okupowanymi terytoriami donieckim i ługańskim:

– Dziś zainicjowałem połączenie telefoniczne z prezydentem Federacji Rosyjskiej. Efekt? Cisza w słuchawce. Chociaż to w Donbasie powinno być cicho. Dlatego chcę zaapelować do wszystkich obywateli Rosji, nie jako prezydent, lecz obywatel Ukrainy – mówił Zełenski po rosyjsku.

– Dziś nas od was rozdziela dwa tysiące kilometrów wspólnej granicy. Przy tej granicy stoją dziś wasze wojska. Około dwustu tysięcy żołnierzy, tysiące jednostek sprzętu wojskowego. Wasze przywództwo zezwoliło im na atak na terytorium innego kraju. Ten atak może stać się początkiem wielkiej wojny na kontynencie europejskim – przemawiał ponuro Zełenski.

Mówił, że Ukraina prawdziwa i ta, którą pokazuje Rosjanom państwowa telewizja, to dwa różne kraje.

I prawdziwy nie jest ten, który widać w rosyjskiej stacji.

– Mówią wam, że jesteśmy nazistami. Jak można nazywać nazistami naród, który stracił osiem milionów istnień ludzkich w walce z nazistami? Jak można nazywać nazistą mnie? Powiedzcie to mojemu dziadkowi, który przeżył wojnę jako żołnierz piechoty w sowieckiej armii, a umarł jako pułkownik w wolnej Ukrainie.

Zełenski mówił, że Ukraina nie chce wojny. Jeśli jednak ktoś zechce zabrać ukraińską ziemię, będzie odbierał życie dorosłym, dzieciom, to Ukraina będzie się bronić.

– Będziemy się bronić, nie atakować. Atakując, będziecie widzieć nasze twarze, nie nasze plecy. Wojnę mogą powstrzymać ludzie – mówił dalej Zełenski. – Zwykli ludzie, ojcowie, matki. Wiem, że tego mojego przemówienia nie pokaże rosyjska telewizja. Obywatele rosyjscy powinni je jednak zobaczyć. Powinni poznać prawdę. A prawda jest taka, że trzeba się zatrzymać, dopóki nie jest za późno. I jeśli rosyjska władza nie chce rozmawiać z nami, może będzie rozmawiać z wami. Czy Rosjanie chcą wojny? Odpowiedź na to pytanie należy tylko do was, obywatele Federacji Rosyjskiej – zakończył Zełenski.

To była jego ostatnia przemowa przed rosyjskim uderzeniem. Przeczuwał, że być może już najbliższa noc na zawsze zmieni Ukrainę i Europę. A wraz z tym zmieni się także i jego życie. Jak to się stało, że w ciągu zaledwie kilku przedwojennych tygodni z próbującego stawić czoło wyzwaniom codzienności modernistycznego prezydenta zaczął przeistaczać się w przywódcę czasu wojny? Wydarzenia, których kandydując na urząd na pewno się nie spodziewał, popchnęły jego prezydenturę w nieznanym kierunku.

ROZDZIAŁ VII

Ołena

Od młodzieńczej miłości do Pierwszej Damy

W TYM ROZDZIALE

Z żoną Ołeną jest całe dorosłe życie, bo zaczęli się spotykać, gdy miała 18 lat. Nie wiedział, jak ją poderwać. Pomógł mu kolega, który zaproponował, że pożyczy od dziewczyny kasetę wideo. Ostatecznie to sam Zełenski podszedł do Ołeny.

Razem pracowali też w studenckim kabarecie. Po ośmiu latach związku wzięli ślub. W następnym roku pojawiła się córeczka Ołeksandra, a dziewięć lat później syn Kirył.

Ołena mówi, że mąż samodzielnie podejmuje decyzje. Gdyby jej słuchał, nie wystartowałby w wyborach. Z drugiej strony Zełenski podkreśla, że w kluczowych kwestiach radzi się żony i ma ona ogromny wpływ na jego życiowe wybory.

Zaangażowała się w projekty społeczne na rzecz dzieci. Podczas podróży zagranicznych wspierała męża, używając mody jako dyskretnej metody promocji Ukrainy. A gdy wybuchła wojna, stanęła z nim ramię w ramię.

20 maja 2019 roku, inauguracja prezydenta Wołodymyra Załenskiego. Deputowani biją brawo uśmiechniętemu, nowo wybranemu prezydentowi, ale jego żona, Ołena Zełenska, ma zasmuconą twarz. Patrzy, jakby nie słyszała oklasków, jakby myślami błądziła gdzie indziej albo pytała siebie: „Co ja tutaj robię? Gdzie nas to zaprowadzi?"

Ubrana w elegancki kremowy kostium, siedzi w drugim rzędzie trybuny honorowej sali Rady Najwyższej Ukrainy. Po jej lewej stronie rodzice Zełenskiego, po prawej były prezydent Leonid Krawczuk, dalej byli prezydenci Leonid Kuczma, Wiktor Juszczenko i niedawny rywal z kampanii wyborczej jej męża – ustępujący z urzędu Petro Poroszenko. Są też przedstawiciele państw sąsiednich: prezydent Litwy Dalia Grybauskaitė czy szef polskiego MSZ Jacek Czaputowicz, który ma miejsce tuż za Zełenską.

Siedzący po prawej stronie Leonid Krawczuk spostrzega jej zagubienie i próbuje ją rozbawić. Pochyla się ku niej.

– Opowiadał anegdoty z czasu swoich rządów, nieznane, humorystyczne historyjki związane z najwyższym urzędem Ukrainy – mówiła Ołena w wywiadzie udzielonym Natalii Mosejczuk, prowadzącej program *VIP z Natalieju Mosejczuk*, w którym popularna ukraińska dziennikarka zadaje swoim gościom istotne, choć często niewygodne pytania. Słuchając opowiastek Krawczuka, Ołena zaczyna się uśmiechać.

– Nie byłam wtedy smutna. Byłam zmartwiona – wyjaśniała w wywiadach. – Martwiłam się, bo wiedziałam, że teraz nasze życie się zmieni. Wszystko się zmieni. Wiedziałam, z jakimi trudnościami przyjdzie nam się mierzyć.

Pierwsze napotkała już tam, w Radzie Najwyższej, podczas inauguracji. Na trybunie honorowej było przecież wielu rywali politycznych jej męża. Ludzi, którzy w kampanii próbowali obrzucić ich oboje błotem, czy to publicznie, czy za sprawą insynuacji w mediach społecznościowych. Zresztą wcześniej kabaret jej męża również nie oszczędzał na scenie ani Poroszenki i jego żony, ani innych polityków.

Ołena mogła się czuć nieswojo, ale ani ona nie witała się z nimi, ani oni z nią. Wszyscy unikali patrzenia jej w oczy, nikt poza Krawczukiem nie próbował też nawiązać z nią kontaktu.

Kolejne dni pierwszej damy nie były łatwiejsze. Właściwie nikt jej nie zapoznał z nową rolą i nowymi zadaniami. Żona ustępującego prezydenta, Maryna Poroszenko, nie powierzyła jej formalnie obowiązków, podobnie zresztą jak i Poroszenko nie przekazał ich Zełenskiemu. Ołena Zełenska wszystkiego w nowej funkcji musiała nauczyć się sama. I była zagubiona. Przez pierwsze tygodnie po objęciu urzędu przez jej męża pierwsza dama była niewidoczna. Aż media zaczęły dopytywać: „Gdzie jest Ołena Zełenska?"

Później odzyska inicjatywę: jako pierwsza dama zaangażuje się w promocję programów na rzecz zdrowego żywienia czy przełamywania barier, na jakie dzieci natykają się w szkołach. Będzie błyszczeć za granicą podczas oficjalnych wizyt i na spotkaniach z pierwszymi damami innych krajów. Stanie się jedną z najszykowniejszych prezydentowych, porównywaną do Michelle Obamy. Będzie prowadzić dyplomację modową, promując ukraińskich projektantów.

Wtedy jednak, w dniu inauguracji, czuła po prostu, że nic już nie będzie takie jak wcześniej. Skończyło się jej dawne życie i to, do czego była przyzwyczajona przez lata związku z Wołodymyrem Zełenskim i pracy w kabarecie Kwartał 95.

Młodość

Ołena Kijaszko i Wołodymyr Zełenski są rówieśnikami. Ona jest 12 dni młodsza, urodziła się 6 lutego 1978 roku. Pomimo że chodzili do tego samego gimnazjum nr 95 i uczyli w równoległych klasach, w czasach szkolnych nie poznali się bliżej. On jej nie zauważał, ona jego pewnie tak – był przecież szkolną gwiazdą – jednak wtedy nie mieli okazji nawiązać przyjacielskich relacji.

Mieszkali na tym samym osiedlu, oboje urodzili się w rosyjskojęzycznych rodzinach, pielęgnujących podobne zwyczaje. Ołena dopiero w drugiej klasie szkoły podstawowej zaczęła się uczyć ukraińskiego, zresztą w ogóle była – podobnie jak Wołodymyr – pilną uczennicą.

Osobiście poznali się dopiero na pierwszym roku studiów. Ona w Krzywym Rogu studiowała architekturę na politechnice, a on prawo w Instytucie Ekonomicznym.

– Przepiękna Ołena pojawiła się kiedyś u nas w Instytucie i oczywiście Wołodymyr zwrócił na nią uwagę – opowiadał przyjaciel Zełenskiego Ołeksandr Pikałow w programie telewizji TSN (Telewizyjna Służba Nowyn). – Mówi do mnie: „Piękna dziewczyna, co tu zrobić, żeby ją poznać, zaprzyjaźnić się?"

Pikałow od razu miał prosty pomysł:

– Ja pod byle pretekstem pożyczę od niej kasetę z jakimś filmem, a ty oddasz – zaproponował. Ostatecznie to Zełenski podszedł do dziewczyny, kiedy niosła kasetę. Powiedział, że bardzo chciałby obejrzeć ten film i zapytał, czy może go pożyczyć.

– Nie miało znaczenia, że oglądałem go już z piętnaście razy. Ważne, że aby oddać kasetę, musiałem wziąć od niej numer telefonu. I tak zdobyłem kontakt – opowiadał później w programie *Kwartał i jego drużyna*.

– Szłyśmy z koleżanką ulicą, podeszła grupa chłopaków, Wołodymyr wśród nich. Później do siebie dzwoniliśmy, a w końcu zaczęliśmy się spotykać – wspominała ten moment Ołena w wywiadzie dla BBC Ukraina.

Mieszkali niedaleko siebie. Przychodził codziennie po południu pod jej klatkę schodową w bloku w dzielnicy Murasznik i czekał, aż Ołena będzie wychodzić z psem. Potem spacerowali i rozmawiali.

Z punktu widzenia Zełenskiego był jednak pewien szkopuł: Ołena już miała chłopaka. Wołodymyr ułożył plan działania. Starał się oczarować dziewczynę, używając całego swojego uroku. Kiedy poszedł do konkurenta, żeby się rozmówić, uzgodnili, że to Ołena powinna wybrać, z którym chce być. A oni jej decyzję zaakceptują.

Ołena nie była początkowo zainteresowana Wołodymyrem. Nie szukała nowego związku. To sprawiało, że Zełenski jeszcze bardziej pragnął zdobyć jej serce. I jak zwykle, gdy stawia sobie jakiś cel, był w tym konsekwentny i uparty. – Nigdy nie miałem problemów z dziewczynami, a tu nagle taki twardy orzech do zgryzienia – opowiadał w wywiadzie dla „Obozrevatela". – Byłem ciekawy Leny i chciałem ją zdobyć. A później to uczucie przerodziło się w gorącą miłość.

Ołena ostatecznie również wybrała Wołodymyra. Miała 18 lat, przy nim poczuła się szczerze i gorąco kochana. Widziała, że Wołodia pała do niej niezwykłym uczuciem. I w końcu dopiął swego. – Bo czego więcej trzeba, by podbić serce dziewczyny? – wspominała w wywiadzie dla BBC.

Wkrótce zaczęli się nie tylko spotykać, ale i wspólnie pracować w studenckim kabarecie. Razem osiągali sukcesy w kabaretowej lidze KWN. Ołena początkowo także występowała na scenie, ale z czasem zajęła się głównie pisaniem scenariuszy do skeczów.

– Wołodymyr zawsze lubił stać w świetle kamer, na pierwszym planie, a ja wolałam tkwić w cieniu – mówiła w wywiadach.

Oboje skończyli studia z bardzo dobrymi wynikami. Ołena została architektem, lecz w wyuczonym zawodzie nie przepracowała ani jednego dnia, podobnie zresztą jak jej przyszły mąż, absolwent prawa po Instytucie Ekonomicznym. Oboje byli zajęci karierą artystyczną. Ciągle mieli próby, szlifowali scenariusze, jeździli na występy. Nie było czasu na życie osobiste.

Mijały lata i Ołena zapragnęła, by się pobrali.

– Jeszcze nie teraz. Ciągle nie ma mnie w domu – odpowiadał Wołodymyr. Był – i jest – pracoholikiem. Wracał z pracy o dziesiątej, jedenastej wieczorem, a od rana znów rzucał się w wir obowiązków. Wiedział, że kiedy się ożeni, zaraz na świat przyjdą dzieci, i obawiał się, że wtedy albo je zaniedba, albo nie będzie mógł aż tak poświęcać się pracy.

– Wszyscy dużo pracowaliśmy. W końcu nasze kobiety powiedziały, że pora brać ślub – opowiadał w jednym z wywiadów przyjaciel Zełenskiego i współpracownik w kabarecie Ołeksandr Pikałow. Ten, który wpadł na pomysł, jak za pomocą kasety wideo poznać Ołenę z Wołodymyrem. W Kwartale były trzy pary i uzgodnili, że pobiorą się tydzień po tygodniu. To był sierpień, a chcieli zdążyć przed połową września, kiedy Zełenski miał wyjechać, żeby zdobyć nowe kontrakty dla ich zespołu.

– Ustaliliśmy grafik: Sasza Pikałow z Iriną pobierają się 29 sierpnia, ja z Ołeną – 6 września, a Wadim Pierwiercew z Anią – 13 września. Gdybyśmy wtedy mieli w Kwartale tylu ludzi co teraz, moglibyśmy urządzać wesela cały rok – śmiał się Zełenski w 2014 roku.

Wszystko nastąpiło w przełomowym 2003 roku. To wtedy Zełenski rozstał się ostatecznie z kabaretową ligą KWN i jej promotorem Aleksandrem Masljakowem i postanowił stworzyć własny biznes rozrywkowy. Wybrał się z Ołeną na romantyczny film.

– Kiedy wyszliśmy z kina, zobaczyłem jakiegoś ojca, który bawił się ze swoim dzieckiem – wspominał Zełenski po latach w programie o Studio Kwartał 95. – Powiedziałem, że chciałbym mieć dzieci. Ołena odpowiedziała, że również by chciała. Uzgodniliśmy, że w takim razie musimy się pobrać – opowiadał Zełenski.

Ołena była szczęśliwa, chociaż nie mogła zakładać, że ją i jej przyszłego męża czeka wielka kariera w show-biznesie, ani tym bardziej że jej mąż zostanie kiedyś prezydentem, ona zaś pierwszą damą Ukrainy. Wtedy niewiadomą była nawet ich najbliższa przyszłość.

Na wieść o planach małżeńskich mama Ołeny wzięła córkę na rozmowę i zapytała:

– Jesteś pewna, że chcesz za niego wyjść?

– Tak.

– A co on będzie robił? KWN się zakończył i co dalej?

– On coś wymyśli, nie obawiaj się.

– No dobrze, skoro tak mówisz... Dobrze – odpowiedziała matka, choć nie do końca przekonana.

Szóstego września 2003 roku, w szarym garniturze i z bukietem białych kwiatów w dłoni, Wołodymyr Zełenski w towarzystwie rodziców oraz kilkorga przyjaciół z zespołu Kwartał 95 pojawił się pod swoim blokiem. Wyruszał po narzeczoną. Ołena czekała na niego, ubrana w białą suknię z różowawymi kwiecistymi wzorami, w welonie na głowie. Oboje szczęśliwi, roześmiani. Tego dnia, po ośmiu latach związku, wreszcie wzięli ślub. Świadkami zostali Sasza Pikałow z żoną Iriną. Na wesele, zorganizowane w budynku kręgielni, przyszło ponad sto osób. Byli rodzice młodych, ale także duża grupa przyjaciół z Kwartału 95.

Zełenski opowiadał, że Sasza Pikałow, miłośnik harleyów i starych amerykańskich samochodów, specjalnie dla nich pożyczył chryslera, którym pojechali do ślubu. Zobaczył auto na ulicy w Krzywym Rogu i zapytał kierowcę, czy pożyczyłby samochód jego przyjacielowi na ślub. I tak się stało.

– Zaraz po ślubie, kiedy zaszłam w ciążę, mama przekonała się, jak Wołodymyr się mną opiekuje, jak mnie kocha i dba o mnie. Sam remontował nasze pierwsze mieszkanie w Krzywym Rogu, przychodził do szpitala – opowiadała Ołena Zełenska w rozmowie z jedną z czołowych dziennikarek ukraińskiej telewizji 1+1 Natalią Mosejczuk. – W końcu mama tak go polubiła, że trudno było rozróżnić, czy to ja jestem jej córką, czy on jej rodzonym synem.

Dzieci

Młodzi małżonkowie pomieszkali razem zaledwie kilka tygodni. Później Wołodymyr pojechał do Kijowa, a Ołena dołączyła do niego dopiero po pewnym czasie. Zgodnie z wcześniejszymi przewidywaniami

Wołodymyra szybko, bo w lipcu 2004 roku, urodziła się ich córka Ołeksandra, zdrobniale – Sasza.

– Kiedy urodziłam, lekarz wziął córkę na ręce i pokazał przez okno. Wiedział, że pod szpitalem stoi mój mąż – opowiada Ołena w filmie *Kwartał i jego drużyna*. – A ja na to z żalem: „Niech mi pan ją pokaże, gdzie pan ją niesie?" – wspominała z uśmiechem Ołena.

Wołodymyr już w czasie ślubu powiedział, że chciałby, żeby ich dziecku nadać imię na cześć jego ojca Ołeksandra. Po rosyjsku to imię zarówno w rodzaju męskim, jak i żeńskim zdrabnia się do „Sasza".

Chociaż, jak mówiła Ołena, zespół Kwartału 95 był dla niej i jej męża drugą rodziną, teraz musieli więcej czasu poświęcać dziecku. Kwartał odnosił sukcesy, tworzył nowe skecze, filmy, seriale, zaś Ołena została główną scenarzystką Studia Kwartał 95. Pisała scenariusze do *Wieczornego Kwartału*, a także do nowego programu *Kobiecy Kwartał* [*Żenskij kwartał*]. Tworzyła również skecze do *Wieczornego Kijowa* i współpracowała przy programie *Rozśmiesz komika*.

To była praca zespołowa. Jak sama mówiła w wywiadzie dla BBC, nie zdarzało się w Kwartale 95, by jedna osoba napisała cały scenariusz. Zawsze jest potrzebna druga opinia, zatem cały zespół nanosił uwagi, współpracownicy mówili, co jest dobre, a co nie. Musiała się mocno zaangażować w pracę, co zawsze sprawiało jej wielką satysfakcję. Wołodymyr był jeszcze bardziej zajęty ciągłymi próbami i wyjazdami w trasę. Zatrudniali nianię do dziecka, później też do drugiego – w 2013 roku urodził im się syn Kirył.

Z ich synem związana jest historia, która rzuca nieco więcej światła na stosunek obojga Zełenskich do wiary. Oboje pochodzili z rodzin, które nie były religijne, zresztą w ZSRR, kiedy dorastali, praktyki religijne były źle widziane. W dodatku Wołodymyr pochodzi z rodziny o korzeniach żydowskich, a Ołena nie była nawet ochrzczona. Pomimo tego postanowili ochrzcić swoje drugie dziecko – syna Kiryła. W dodatku na miejsce chrztu wybrali historyczną, siedemnastowieczną cerkiew św. Eliasza w dzielnicy Podoł, gdzie już w X wieku stała pierwsza na terenie Kijowa, drewniana cerkiew pod tym samym wezwaniem. Według części przekazów właśnie nieopodal niej odbył się chrzest Rusi Kijowskiej i to stamtąd chrześcijaństwo rozprzestrzeniło się na całą Ruś.

Podczas chrztu malutki Kirył zachowywał się spokojnie. Ojciec trzymał go na rękach, towarzyszyła mu Ołena i dziewięcioletnia wówczas Sasza. W ceremonii uczestniczyli także mieszkający w Kijowie rodzice Ołeny, brakowało natomiast rodziców Zełenskiego. Wszystko odbyło się w gronie przyjaciół. Zanim jednak doszło do chrztu dziecka, należało ochrzcić matkę. Ołena wybrała na swoją chrzestną Lenę Krawiec, koleżankę ze Studia Kwartał 95.

– Bardzo się ucieszyłam, że Ołena mnie poprosiła. To było takie miłe – mówiła w wywiadach Krawiec. Przy okazji Krawiec i jej mąż zostali chrzestnymi Kiryła.

Zełenscy byli już wtedy bardzo zamożni. Mieli kilka mieszkań, jedno w ścisłym centrum stolicy, i dom pod Kijowem, ich majątek sięgał kilku milionów dolarów. Dzieci posłali do prywatnej Nowopeczerskiej Szkoły w Kijowie, gdzie roczne czesne wynosi 10 tysięcy dolarów. To nowoczesny, świetnie wyposażony kompleks edukacyjny w jednym z nowych osiedli ukraińskiej stolicy, niedaleko Ogrodu Botanicznego.

Nastoletnia Sasza bardziej przypomina temperamentem ojca niż matkę. Rezolutna, śmiała, lubi być w centrum uwagi. W 2016 roku, kiedy miała 12 lat, wraz z matką zrobiły ojcu niespodziankę: Sasza wystąpiła w popularnym programie rozrywkowym *Rozśmiesz komika*.

Sasza, która chodziła wtedy do piątej klasy szkoły podstawowej, miała rozśmieszyć ojca i jego kolegę z zespołu Jewgienija Koszewoja. Zełenski, który już wcześniej słyszał o ambicjach artystycznych córki, sprzeciwiał się jej występom na profesjonalnej scenie. Matka i córka ukartowały więc całą sprawę.

– Tata myśli, że jestem w szkole – mówiła tuż przed programem roześmiana dziewczynka. Nie miała zupełnie tremy, pomimo licznej publiczności w studio, ogromnej wrzawy i bijących po oczach kolorowych reflektorów. – Kiedy wyjdę na scenę, będę troszkę czuła strach, może radość. Ale bardzo jestem ciekawa, jak to będzie – mówiła.

Zaskoczony widokiem córki Wołodymyr Zełenski omal nie spadł z krzesła, kiedy powiedziała, że bycie córką Zełenskiego jest straszne, bo się boi, że w wieku 16 lat zmieni jej się głos i zacznie mówić tak jak tata. W innym żarcie nawiązała do słynnej piosenki z bijącego rekordy popularności serialu *Sługa narodu:* – Tato, śpiewasz, że kochasz swoją ojczyznę, swoją żonę, swego psa, a nic nie ma tam o córeczce. – Dowcipkowała dalej: – Właśnie pojawił się w sieci nowy wideoblog. Prowadzi go Zełenski. Dlaczego? Bo Zełenski teraz wszystko prowadzi. – W kolejnym skeczu mówiła: – Nie brakuje mi taty w domu. Kiedy chcę z nim pobyć, włączam telewizję 1+1 i widzę mojego ojca.

Sasza zupełnie nie okazywała tremy, a jej żarty śmieszyły ojca, jak również publiczność, bo było w nich ziarno prawdy. Zełenski rzeczywiście angażował się w tym czasie w mnóstwo projektów i późno wracał do domu. Jeździł też ciągle na tournée. Kiedy jednak był w domu, spędzał czas z dziećmi. Siedział przy łóżku Saszy, aż zasnęła, myślał o jej przyszłości. Podobnie było z Kiryłem. Na wyłączność dzieci miały rodziców zawsze w czasie rodzinnych wczasów, a te najczęściej wypadały zimą.

– Latem jest mnóstwo nagrań, występów, bardzo trudno wtedy zorganizować urlop – mówiła Ołena

Zełenska w wywiadzie dla Natalii Mosejczuk. Zazwyczaj wyprawiali się zimą na narty, chociaż Ołena wciąż nie nauczyła się dobrze jeździć. Kiedy mąż z dziećmi szli na stok, ona organizowała sobie inne zajęcia.

Podczas pamiętnego występu telewizyjnego Sasza powiedziała, że chciałaby zostać producentem filmowym jak tata, jednak rodzice wcale nie planowali dla niej kariery w show-biznesie. Dorośli, którzy dzięki ogromnemu wysiłkowi odnieśli sukces w jakiejś dziedzinie, wiedzą, jak ciężką pracą zostały okupione ich osiągnięcia, i w sposób naturalny chcą oszczędzić swoim dzieciom podobnego losu. Być może dlatego zarówno Ołena, jak i Wołodymyr Zełenscy niechętnie widzieliby córkę w tej branży.

– Sasza już wystąpiła w filmie, mam jednak nadzieję, że nie pójdzie dalej tą drogą – mówiła Ołena Zełenska w wywiadzie dla Mosejczuk, gdy została pierwszą damą. – Młodszy Kirył ma jeszcze szansę na normalne dzieciństwo: zabawy z innymi dziećmi, sport, zajęcia w szkole muzycznej bez zwracania na siebie niepotrzebnej uwagi.

Sasza, uzdolniona humanistycznie, w wieku 17 lat postanowiła, że będzie studiować w kraju, chociaż wiele jej koleżanek i kolegów ze szkoły myśli o studiach zagranicznych.

– My na nią nie naciskaliśmy. Sama tak zdecydowała i bardzo się cieszę, bo chciałabym, żeby była blisko, będę mogła o nią zadbać – mówiła Ołena Zełenska Natalii Mosejczuk w maju 2021 roku.

Nie nalegają również na córkę w kwestii wyboru kierunku studiów. Zełenski nie chce wywierać na nią presji, jaką czuł ze strony własnych rodziców, gdy kończył szkołę.

– Wołodymyr podchodzi do tego spokojniej. Dał jej dużą swobodę: „Wybieraj sama, co chcesz studiować" – dodaje Ołena Zełenska. Saszy opłacali jedynie korepetycje z matematyki i języka ukraińskiego, bo córka uznała, że z tych przedmiotów potrzebuje dodatkowych zajęć.

W październiku 2021 Wołodymyr Zełenski potwierdził dziennikarce Katerynie Osadczy, w programie telewizyjnym *Życie świeckie* [*Switske Żytia*], że Sasza ostatecznie zdecydowała się studiować w Ukrainie, również dlatego, że ojciec jest prezydentem tego kraju. – Chce studiować stosunki międzynarodowe, a konkretnie międzynarodową ekonomię, chociaż – jak ją znam – to wydaje mi się, że jeszcze może zmienić zdanie – mówił z uśmiechem Zełenski.

Wybory

W życiu Ołeny, pełnym wrażeń ze Studia Kwartał 95, pierwsze symptomy zmian pojawiły się już w 2014 roku, po rosyjskiej agresji na Krym i region doniecki. Wojna, a z nią polityka, wkroczyły z butami w życie każdego mieszkańca Ukrainy. Na wschodzie kraju toczyły się walki ze wspieranymi przez Rosję separatystami. W regionie Doniecka i Ługańska ginęli ludzie – wojskowi i cywile, dochodziło do mordów i gwałtów.

– Kiedyś Wołodymyr wrócił do domu mocno przybity doniesieniami z frontu. Prosiłam, żeby nie okazywał zdenerwowania dzieciom – wspominała Ołena w jednym z wywiadów. Coraz więcej rozmawiali o polityce, o przyszłości kraju i dzieci. Jak mówił Zełenski w wywiadach, pragnęli, by mogły dorastać i realizować swoje pasje w państwie spokojnym, nowoczesnym, rozwijającym się tak, jak kraje zachodnie. Częściej rozmawiało się o tym także w gronie przyjaciół ze Studia Kwartał 95. A serial *Sługa narodu* przenosił ich marzenia o nowej Ukrainie na ekran. Kiedy w grudniu 2017 roku z inspiracji Zełenskiego powstała partia o tej samej nazwie – Sługa Narodu – stało się jasne, że polityka na dobre zagości w domu Ołeny i Wołodymyra.

Zełenski w wielu wypowiedziach podkreśla, że we wszystkich kluczowych sprawach radzi się żony i ma ona ogromny wpływ na jego wybory życiowe. Ołena twierdzi, że jest nieco inaczej: nigdy nikogo nie słuchał i słuchać nie zamierza. – Owszem, mąż często pyta o zdanie, ale sam podejmuje decyzję. – Tak było, gdy w 2018 zaczął mówić, że rozważa kandydowanie na prezydenta Ukrainy w kolejnym roku. Ołena zaprotestowała i zdecydowanie odradzała start w wyborach.

– Zwariowałeś, Wowa? Jestem temu absolutnie przeciwna – oznajmiła, gdy tylko usłyszała o tym pomyśle.

– Dlaczego?

– Bo to całkowicie zmieni nasze życie. Nie jesteś politykiem, a trzeba będzie się zderzyć z całą brudną stroną polityki – mówiła. Powtarzała, że zdecydowanie sprzeciwia się kandydowaniu. Wołodymyrowi odradzali to również rodzice. Ołena widziała jednak, że mąż jest zdeterminowany.

– Inni byli aktorzy, Schwarzenegger i Reagan, odnieśli sukcesy w polityce – przypominał.

Nie było sensu dyskutować. Uznała, że i tak go nie przekona, i postanowiła dokładniej poznać argumenty męża. Zaczęła więc pytać o motywy, rozmawiać o tym, czego on chce.

– Kiedy zdałam sobie sprawę, że Wołodymyr naprawdę wie, co zamierza zrobić, to stałam się spokojniejsza. Czasami ktoś działa i podejmuje decyzje pod wpływem otoczenia. Ale kiedy zrozumiałam, że w tym wypadku tak nie jest, że to naprawdę jego postanowienie, nie pozostało mi nic innego, jak go po prostu wspierać, zamiast od tego odwodzić. Postanowiłam mu pomagać, aby wszystko okazało się łatwiejsze niż mogłoby być – wyznała Ołena Zełenska w wywiadzie dla BBC.

Jak postanowiła, tak zrobiła. Musiała tylko przeżyć jeszcze jedno zaskoczenie. Nie wiedziała, że film z nagraniem, na którym jej mąż ogłasza zamiar kandydowania na prezydenta, ukazał się w wieczór sylwestrowy 2018 roku. Nie oglądała tego dnia telewizji, byli całą rodziną na nartach we Francji. O północy z Wołodymyrem wypili szampana i poszli spać.

Kiedy rano sięgnęła po smartfon, zobaczyła, że wszyscy dyskutują tylko o tym.

– Dlaczego nic mi nie powiedziałeś? – zwróciła się z pretensją do męża.

– Nic ci nie powiedziałem? Kochanie, zapomniałem – odparł.

Być może chciał ją zaskoczyć. W każdym razie wideo, podczas którego zgłasza swoją kandydaturę, Zełenski nagrał wcześniej, gdy był w trasie z zespołem. Z Ołeną nie widzieli się aż do sylwestra. Czekała ją więc niespodzianka.

Zaczęło się to, czego Ołena się spodziewała: ostre ataki konkurencji politycznej. Na wierzch wyciągano związki z oligarchą Ihorem Kołomojskim, który miał finansować kampanię jej męża, nagłaśniano informacje o ich bogactwie. Media publikowały jej deklarację majątkową, w której widniało, że jest właścicielką dwóch mieszkań i współwłaścicielką trzech innych lokali, ma mercedesa S 500 4MATIC, a także luksusowe gadżety, zegarki Breguet i Piaget oraz biżuterię Graff. Z deklaracji wynikało również, że jeszcze w 2013 roku, czyli przed zajęciem Krymu przez Rosjan, na atrakcyjnych warunkach kupiła od oligarchy Ołeksandra Buriaka stutrzydziestometrowy apartament w Liwadii niedaleko Jałty. Media wyliczyły, że cena była dwukrotnie niższa od rynkowej.

Zełenscy nie komentowali tych sensacji. Zresztą deklaracje podatkowe publikowali, zanim Zełenski postanowił kandydować na prezydenta. Nigdy też nie kryli, że są zamożni dzięki sukcesowi Studia Kwartał 95 oraz filmów, jednak artykuły miały pokazać, że są znacznie bogatsi i żyją na zupełnie innym poziomie niż zdecydowana większość społeczeństwa.

Dziennikarze Radia Swoboda przeprowadzili śledztwo, z którego wynikało między innymi, że Wołodymyr Zełenski lokował pieniądze w spółkach zarejestrowanych na Cyprze oraz robiących interesy w Rosji i pozbył się udziałów dopiero po ogłoszeniu startu w wyborach. Rozpuszczano też insynuacje, jakoby Zełenski był narkomanem. I oczywiście pojawiało się mnóstwo hejtu w mediach społecznościowych.

– To śmieszne, o czym wie każdy, kto nas zna, ale rozumiem, że muszą wymyślać różne zarzuty, żeby atakować konkurenta – mówiła Ołena Zełenska. I doradzała mężowi, żeby podczas kampanii jak najmniej udzielał się w mediach tradycyjnych, nie ma bowiem wystarczającego doświadczenia politycznego. Akurat z tej rady Wołodymyr skorzystał.

Jednak i sama Ołena Zełenska stała się obiektem zarzutów. Przed drugą turą wyborów prezydenckich, w kwietniu 2019 roku, w jednym z portali publikujących nazwiska podżegaczy i osób sprzyjających prorosyjskim separatystom w Donbasie pojawiło się nazwisko Ołeny Zełenskiej. Powodem był post, jaki żona Wołodymyra retweetowała w mediach społecznościowych jeszcze w 2014 roku. Podała dalej wpis separatystów, którzy prosili o przesyłanie materiałów wideo na temat ruchów ukraińskich wojsk w Donbasie i za każdy filmik o długości co najmniej minuty oferowali 15 tysięcy rubli. Co prawda szybko ten post wycofała, jednak jego kopie zostały.

Ołena tłumaczyła, że wspomniany post podała dalej, gdyż była oburzona ogłoszeniem separatystów i chciała pokazać ich perfidię. Kiedy zrozumiała, że mogło to zostać opacznie zrozumiane, skasowała go. Już po wyborach usunięto jej nazwisko z portalu publikującego dane kolaborantów, a ta sytuacja nie przyniosła jej mężowi szkody w głosowaniu. Cała sprawa udowodniła jednak, że miała rację, kiedy spodziewała się brutalnych ataków i zmiany ich dotychczasowego życia w związku z kandydowaniem męża na prezydenta.

Pierwsza Dama

Fala hejtu, brutalna kampania wyborcza i zatroskanie o przyszłość męża prezydenta, a także swoją i dzieci sprawiły, że po wyborach oraz pamiętnej inauguracji w Radzie Najwyższej Ukrainy Ołena Zełenska wycofała się z życia publicznego. Nadal pracowała jako scenarzystka dla Studia Kwartał 95, przejęła udziały męża w jego firmach. Mijały tygodnie, a pierwszej damy niemal nie było widać ani w mediach, ani nawet w oficjalnych kanałach prezydenckiej informacji.

Formalnie Zełenska nie musiała się zresztą pokazywać. W Ukrainie nie ma oficjalnej instytucji Pierwszej Damy, nie ma przypisanych jej obowiązków ani tym bardziej biura czy personelu. Wszelka aktywność żon prezydenta – na przykład Maryny Poroszenko, jej poprzedniczki, zależy wyłącznie od nich. Ołena Zełenska, pomimo że miała za sobą karierę aktorki w kabarecie Kwartał 95, nie lubiła stać w świetle jupiterów.

– Nie powiem, że występowanie publiczne czy komunikacja z mediami są dla mnie stresujące. Wolę jednak pozostawać za kulisami. Mój mąż jest zawsze na pierwszym planie, a ja nie jestem duszą towarzystwa, nie lubię opowiadać dowcipów. To nie w moim stylu – mówiła Ołena Zełenska w wywiadzie dla magazynu „Vogue Ukraine" kilka miesięcy po tym, jak została pierwszą damą.

Media – tak czy inaczej – wciskały się w życie jej rodziny. Zaczęły brać na warsztat hasła wyborcze Zełenskiego. Wśród nich to, że prezydent i jego rodzina nie powinni mieszkać w rządowym pałacu, lecz w swoim mieszkaniu. Jeszcze kilka dni przed wyborami

2019 roku Zełenski mówił, że rezydencje prezydenckie należy przeznaczyć na ośrodki dla dzieci czy sanatoria, ewentualnie traktować jak obiekty muzealne.

Krótko po wyborze Zełenski polecił jednak przeprowadzenie remontu rządowej daczy w Koncza-Zaspie pod Kijowem, do której po renowacjach wprowadził się z rodziną. Dacza to właściwie pałac wśród zieleni na zamkniętym i chronionym terenie. Mieszkał tam jeszcze prezydent Wiktor Janukowycz, ten, który po Majdanie w 2014 roku i agresji rosyjskiej na Krym i Donbas uciekł z Ukrainy. Wnętrza olśniewały przepychem, począwszy od złotych zasłon przez wielkie żyrandole po marmurowe wanny – luksus w stylu niektórych nowobogackich wschodnich oligarchów. „Kosmetyczny remont" wnętrz pałacu, jaki zlecił Zełenski, polegał na usunięciu całego złota i marmurów i stworzeniu przytulnego, znacznie skromniejszego wnętrza. Dziennikarze sprawdzili, że remont kosztował 310 tysięcy hrywien (według ówczesnego kursu 43 tysiące złotych).

Ołena Zełenska tłumaczyła się w programie *VIP* Natalii Mosejczuk, że wcale nie chcieli zamieszkać w tej daczy, jednak ze względu na bezpieczeństwo głowy państwa nie mogli pozostać u siebie, w prestiżowej dzielnicy Kijowa.

– Przez wiele tygodni sprawdzaliśmy, czy da się dostosować nasze mieszkanie do wymogów ochrony. Okazało się, że nie – opowiadała. I przyznawała, że w pierwszym okresie po wyborze męża na prezydenta często zadawała sobie pytanie: „Boże, kiedy wreszcie będzie spokój?".

– Zawsze działo się coś niezwykłego – przypominała. Miała mniej czasu dla dzieci, a wszechobecna ochrona sprawiała, że miała go również coraz mniej dla siebie. – Kiedyś dysponowałam swoją prywatną przestrzenią w samochodzie. Teraz i to mi odebrano, gdyż jestem bezustannie pilnowana. Jedynym miejscem, do którego nikt mi nie wchodzi, stała się łazienka – mówiła.

Tak jak się spodziewała jeszcze przed wyborami, oboje jako para prezydencka byli pod ciągłym ostrzałem medialnym. W połowie 2020 roku nadeszło kolejne uderzenie. Kręgi politycznych rywali Zełenskiego wypuściły plotkę o romansie prezydenta z jego rzeczniczką prasową Julią Mendel. Jako dowód domniemanego romansu miały posłużyć zdjęcia. Między innymi to, na którym widać uśmiechniętego Zełenskiego w fotelu, a za nim Mendel, trzymającą dłoń na oparciu fotela. Działo się to w czasie, kiedy Ołena Zełenska zachorowała na COVID i zniknęła z mediów, przestała też zamieszczać wpisy w mediach społecznościowych. Rozpuszczano plotki, że Mendel jest w ciąży z Zełenskim, co okazało się nieprawdą. Przeciwnicy prezydenta zaczęli jednak mówić o „drugim Clintonie". Zarówno otoczenie prezydenta, jak i sama Julia Mendel zdementowali plotki o romansie.

W końcu po długich tygodniach milczenia Ołena Zełenska zamieściła post na Instagramie. O ile wcześniej publikowała tam wiadomości dotyczące swoich inicjatyw jako pierwszej damy, o tyle tym razem wrzuciła po prostu zdjęcia domowych kotów, dając znać, że ma dość tych wszystkich dyskusji, plotek i brudu wylewającego się na nią i jej rodzinę.

– Rozumiem, że ktoś, kto stoi za tymi trollami, chce wzburzyć moje uczucia po to, żeby przeze mnie spróbować rozchwiać emocjonalnie prezydenta. Oczekuje, że będę szlochać w domu. Muszę go rozczarować: mogę sobie popłakać, ale to nijak nie wpłynie na nastrój mojego męża. Chwilami po prostu śmieję się z tego – mówiła w wywiadzie z Natalią Mosejczuk. – Mogę wykrzyczeć negatywne emocje, i to normalne. Mnie można krytykować, i to także normalne. Krytyka bywa pożyteczna. Ale nigdy się nie zgodzę, by zaczepiali moje dzieci lub rodziców. To niegodziwe, nie do przyjęcia. Tak być nie może – dodała.

Po wyborach pojawiły się też problemy w szkole u Saszy, która nagle znalazła się w centrum uwagi. Także za sprawą obraźliwych komentarzy w mediach społecznościowych.

– Ołeksandra najpierw protestowała: „Dlaczego wybraliście mi takie życie? Ja tego nie chcę!". No, ale co zrobić. Jakoś się przyzwyczaiła – mówiła, wzdychając, Ołena Zełenska w programie *VIP*. Dodała, że ich mały syn Kirył jest odcięty od tych zewnętrznych informacji i cieszy się z nowej sytuacji.

Po długich tygodniach od inauguracji Ołena uznała, że nie ma wyjścia i musi zaangażować się publicznie. Pomimo początkowych wahań, wątpliwości i żalu, że będzie mieć teraz mniej czasu na pisanie scenariuszy dla Kwartału 95, postanowiła zacząć realizować zadania pierwszej damy. Podkreśla, że to jej osobisty wybór, gdyż nie ma żadnych obowiązków w tej kwestii. Być może zajęło jej to tak dużo czasu, gdyż przed wyborami w ogóle z mężem nie rozmawiali o jej przyszłej roli? Po zaprzysiężeniu Wołodymyr był zajęty organizacją własnych działań.

– Mogłabym dalej żyć swoim życiem, trzymając się z dala od problemów i ataków medialnych, ale postanowiłam wesprzeć męża. Prezydentura nie jest dla niego łatwa na poziomie emocjonalnym, potrzebuje kogoś, kto będzie w pobliżu. Chcę go podtrzymywać na duchu swoją obecnością, stać z nim ramię w ramię podczas oficjalnych wizyt, pozować fotografom z całego świata – i nie psuć zdjęcia – mówiła z uśmiechem dziennikarzom magazynu „Vogue".

Dyplomacja

Uznała, że jako kobiecie i matce najbliższe jej będzie zaangażowanie się w projekty społeczne na rzecz dzieci. Sztandarowym programem stała się poprawa jakości żywienia dzieci w ukraińskich szkołach, walka z otyłością i chorobami związanymi z układem pokarmowym. Postanowiła również kontynuować akcję zapoczątkowaną przez poprzedniczkę, Marynę Poroszenko, na rzecz integracji dzieci i młodzieży ze szczególnymi potrzebami oraz usuwania barier.

– Dorastałam w Krzywym Rogu, mieszkam w tym kraju całe życie i rozumiem, ile mamy problemów. Ale zamiast chwytać się wszystkiego, mój zespół postanowił się skupić na konkretnych zadaniach: zdrowiu dzieci, równych szansach dla wszystkich Ukraińców i dyplomacji kulturalnej – wyjaśniała w wywiadzie dla „Vogue'a" pod koniec pierwszego roku prezydentury męża. Zrozumiała, że rolą pierwszej damy jest, mówiąc dzisiejszym językiem, bycie swego rodzaju influencerką i inicjatorką nowych przedsięwzięć społecznych.

Już kilka miesięcy po wyborach Załenska zaczęła aktywnie działać na rzecz poprawy żywienia w szkołach. Panowały tam standardy jeszcze z czasów sowieckich i serwowano prawie niejadalne dania – tradycyjne kotlety z kartoflami lub kaszą. Dzieci tego nie chciały. Jak zauważała pierwsza dama, przez pięć dni w tygodniu, zamiast jeść zdrowe posiłki w stołówkach, uczniowie biegają do sklepików koło szkoły po słodycze i inne niezdrowe produkty. – Nic dziwnego – stwierdziła Zełenska – że najczęstszymi schorzeniami wśród dzieci są choroby układu pokarmowego.

Pierwsza dama Ukrainy nie miała jednak ani budżetu, ani personelu. Postanowiła wykorzystać własną rosnącą popularność. Promowała akcję na swoich kanałach w mediach społecznościowych. Wciągnęła dziennikarzy. Do biur prezydenckich zapraszała uczniów na debaty dotyczące żywienia w szkole. Zorganizowała też ministerialny okrągły stół, podczas którego uzgodniono przekazanie 400 milionów hrywien na wyposażenie szkolnych stołówek. Zdobyła wsparcie UNICEF, we współpracy z którym nakręciła dla młodzieży filmy dotyczące zdrowego odżywiania. Zaangażowała znanego dietetyka Jewgena Kłopotenko do opracowania specjalnego jadłospisu dla szkół, liczącego 160 zdrowych dań.

Nowe menu wprowadzono wiosną 2021 roku. Ołena Zełenska osobiście promowała tę reformę, odwiedzając szkolne stołówki, które przestawiły się na nowe posiłki, i razem z dziećmi siadała do obiadu, mówiła, dlaczego warto jeść zdrowe rzeczy i dlaczego brokuły czy inne warzywa są lepsze od kiełbasek, cukru i soli. Na jednym z filmów pojawiła się z Kłopotenką w szkolnej stołówce. Zjedli z dziećmi posiłek, opowiadali o przygotowanych potrawach. Wizerunkowo akcja była sukcesem, chociaż sama Zełenska przyznawała, że marzy jej się podobny system, jaki jest w Japonii, gdzie w każdej szkole jest dietetyk dbający o należyte żywienie uczniów.

Ołena Zełenska wspominała Japonię nieprzypadkowo. W październiku 2019 roku uczestniczyła z mężem w oficjalnej wizycie w Tokio. Wydarzenie transmitowała telewizja. Było deszczowe popołudnie, kiedy czarna limuzyna z prezydentem Ukrainy i jego żoną zajechała przed pałac cesarski. Przybyli, aby wziąć udział w obchodach intronizacji cesarza Naruhito. Zełenski był ubrany w czarny smoking, Ołena wystąpiła w kanarkowej sukni do kostek. Po półgodzinnej uroczystości prezydent Ukrainy podziękował za zaproszenie na ceremonię, która odbyła się według historycznego rytu, i podkreślił wagę pielęgnowania tradycji narodowych.

Ołena Zełenska niewątpliwie dodawała szyku mężowi, jednak zdjęcia z ceremonii wywołały w Ukrainie medialną burzę. Pisano, że żółty kolor sukni pierwszej damy to afront wobec gospodarzy. Niektórzy przekonywali, że podczas oficjalnych uroczystości kolor ten jest zarezerwowany dla rodziny cesarskiej. Ci, którzy tak pisali, pomylili jednak tradycje dworu japońskiego z chińskim. Po podróży do Tokio ukraińska para prezydencka otrzymała notę ambasady japońskiej w Kijowie stwierdzającą, że „strój Pierwszej Damy podkreślał szacunek Ukraińców dla kultury Japonii". Przy okazji już wtedy okazało się, że Ołena Zełenska ma kolejny pomysł na prowadzenie dyskretnej dyplomacji jako pierwsza dama. To dyplomacja modowa.

– Stosując modę jako sposób komunikowania się, pracujemy nad spełnieniem wymagań protokołu podczas wszystkich naszych podróży – argumentowała. Jej zdaniem moda może być narzędziem miękkiej dyplomacji podczas wizyt państwowych i podróży międzynarodowych. Wykorzystała to jako sposób na promocję ukraińskich projektantów i branży modowej oraz opowiedzenie światu o Ukrainie. Elementem tej właśnie miękkiej dyplomacji była także wizyta w Japonii. Zarówno żółtą suknię na oficjalną ceremonię cesarską, jak i błękitną na uroczystą kolację uszyła ukraińska pracownia. W podkreślających jej urodę kostiumach od ukraińskich projektantów Zełenska jeździ z mężem na wszystkie oficjalne wizyty: do Paryża, Berlina, Brukseli, Londynu czy Waszyngtonu. Podkreśla, że za stroje nie płacą podatnicy. Ona zarabia we własnych biznesach wystarczająco dużo, by móc zapłacić za swe ubrania. Spotyka się z pierwszymi damami, wszędzie robi świetne wrażenie.

W kolejnych miesiącach Ołena Zełenska jeszcze bardziej rozwinęła aktywność. Latem 2020 roku zorganizowała w Ukrainie szczyt pierwszych dam i dżentelmenów z 11 krajów, aby wspólnie zastanowić się nad sposobami przezwyciężania problemów społecznych na świecie. Jesienią media pisały o kolejnym sukcesie – dzięki jej staraniom Ukraina uzyskała oficjalny status członkowski w Partnerstwie Biarritz – to międzynarodowa inicjatywa na rzecz wyrównywania szans i równouprawnienia kobiet i mężczyzn. Kontynuowała plan integracyjny zapoczątkowany przez Marynę Poroszenko. W listopadzie 2020 roku przedstawiła projekt porozumienia pomiędzy dużymi firmami ukraińskimi na rzecz znoszenia barier. Z jej inicjatywy w kwietniu 2021 roku, a więc dwa lata po wyborze jej męża na prezydenta, Gabinet Ministrów zatwierdził Narodową Strategię Tworzenia Przestrzeni Bez Barier w Ukrainie do 2030 roku.

Już dawno minął czas z początku prezydentury jej męża, kiedy Zełenska nie mogła się odnaleźć w roli pierwszej damy. Teraz starała się być bardzo aktywna. Promowała język ukraiński, między innymi poprzez wprowadzanie przewodników w języku ukraińskim w muzeach na świecie. I cały czas była obserwowana. Właśnie podczas oficjalnego prezentowania przewodnika ukraińskiego w Wersalu Zełenska wystąpiła w skromnych czarnych spodniach i trampkach od Louisa Vuittona. Część internautów ją za to skrytykowała. „Gdzie jest stylista pierwszej damy? Trampki na oficjalną wizytę?" pisano. Jej biuro przypominało, że w Wersalu nie należy nosić butów na obcasach. Zresztą Zełenska miała własny styl i nie przejmowała się tego typu komentarzami.

– Czytam komentarze w mediach społecznościowych – przyznała. – Po to choćby, żeby wiedzieć, co jest aktualnie ważne dla ludzi, o czym się dyskutuje. Poza tym krytyka bywa przydatna – mówiła. Jednak nauczyła się odsiewać hejt od normalnej oceny.

Pytana, czy ma ikonę stylu wśród innych pierwszych dam, Zełenska zaprzecza. Najwyraźniej nie chce być porównywana do nikogo. Jednak przyznaje, że bliższy jej jest wizerunek i postawa Michelle Obamy niż Melanii Trump. Docenia szykowność i świetny styl Melanii, jednak chętniej porozmawiałaby z Michelle Obamą.

– Wydaje mi się, że Michelle jest bardziej ludzka i to jest główna cecha, którą Wołodymyr stara się wnieść do ukraińskiej polityki. Chodzi o to, abyśmy nie zapomnieli być zwykłymi ludźmi i nie robili sobie portretów, które mają zawisnąć w każdym biurze – mówiła w wywiadzie dla BBC.

Zełenska chce nie tyle naśladować inne osoby publiczne, ile od każdej z nich czegoś się nauczyć. Po wizycie w Paryżu i rozmowie z Brigitte Macron była zainspirowana słowami pierwsze damy Francji: „Nie zważaj na to, co inni mówią o tobie. Pamiętaj, że to twoje życie, i żyj tak, jak sama uważasz". W jednym z wywiadów wyznała również, że stara się brać za wzór znajomą, która jest bardzo miła i życzliwa wobec otoczenia, ma dla każdego czas, a jednocześnie okazuje wewnętrzną siłę i determinację, by walczyć, podczas gdy Ołena na jej miejscu już dawno by się poddała. A jeśli chodzi o urodę, chciałaby po 60. roku życia wyglądać jak Meryl Streep.

Ołena Zełenska pomimo wielu wątpliwości i wahań w końcu przyjęła rolę pierwszej damy i dotychczas pełniła ją z dużymi sukcesami. Czy czerpie z tego radość i satysfakcję? Ukraiński dziennikarz Serhij Rudenko w jednym ze swoich wideoblogów przypomniał, że

Ołena Zełenska nie chciała, by jej mąż szedł do polityki. I wie, że kiedyś jego prezydentura się zakończy, a wraz z tym jej rola pierwszej damy.

– Możliwe, że wtedy zobaczymy Ołenę Zełenską znowu szczęśliwą i uśmiechniętą – stwierdził Rudenko. Było to oczywiście jeszcze przed wojną.

Wpływ na politykę

Po pierwszych, niepewnych miesiącach widać było, że Ołena Zełenska oswoiła się z rolą pierwszej damy. Sama przyznała, że wcześniej była raczej osobą skrytą, niezbyt towarzyską, jednak powoli doceniała plusy wynikające z aktywności pierwszej damy. Media szybko zaczęły dociekać, jaki ma wpływ na decyzje prezydenta. Przeciwnicy polityczni Zełenskiego starali się przedstawić go jako osobę podatną na sugestie najbliższego otoczenia. Może więc ulega również żonie?

Zełenską zaczęto porównywać do Raisy Gorbaczowej, żony ostatniego przywódcy ZSRR. Mówiło się, że Gorbaczowa miała duży wpływ na męża, który także dzięki niej podejmował decyzje związane z pierestrojką. Gorbaczow z żoną wielokrotnie pokazywali się razem, okazywali sobie uczucia nawet publicznie, tak jak to czynią Zełenscy.

Zapytana wprost w programie *VIP*, gdzie się zaczyna jej wpływ na prezydenta i gdzie się kończy, Ołena odpowiada Natalii Mosejczuk:

– Tam, gdzie się zaczyna, tam się kończy. Rozumiem, że takie opinie się pojawiają, bo Wołodymyr w wywiadach mówi, że mam bardzo duży wpływ na jego decyzje. Za każdym razem, kiedy on powie coś takiego, powtarzam mu później: „Co ty opowiadasz?" – I przypomina, że przecież stanowczo sprzeciwiała się jego kandydowaniu na prezydenta, a on i tak zrobił po swojemu.

– Możliwe, że mam jakiś wpływ. Możliwe, ale na swego męża, a nie na prezydenta. Nie sugeruję mu niczego, co dotyczy jego pracy, ponieważ, mówiąc uczciwie, uważam, że nie mam wystarczającej wiedzy. Zatem mogę mu jako mężowi coś doradzić, ale to też nie znaczy, że on mnie posłucha – tłumaczy. W wywiadach podkreśla również, że nie ma kompetencji politycznych, by zabierać głos w sprawach należących do prezydenta.

– Zełenska nie nadużywa swojej funkcji, nie zwraca na siebie uwagi. Jednocześnie pomaga mężowi i sprawuje wszystkie funkcje, które powinny pełnić pierwsze damy – oceniał ją po dwóch latach ukraiński politolog Wołodymyr Fesenko. Jego zdaniem jest doskonałym przykładem nowoczesnej, wyemancypowanej kobiety, która zachowuje się godnie i właściwie reprezentuje swój kraj.

Zełenscy oczywiście dyskutują w domu o sprawach pracy i polityki. Również o ludziach otaczających prezydenta.

– Może powiem czasami, co o kimś myślę, ale zastrzegam, że ja nie znam tych ludzi do końca. Nie wtrącam się, myślę, że on ma lepszy ogląd – mówiła w wywiadzie dla *VIP* Ołena Zełenska. Przyznała, że dobierając współpracowników, Wołodymyr kieruje się podobnymi kryteriami jak ona: najpierw patrzy, czy ktoś jest dobrym człowiekiem, bo dobry człowiek może stać się również dobrym profesjonalistą. A jeśli ktoś jest profesjonalistą, ale złym człowiekiem, to z takiej mieszanki trudno uzyskać coś pozytywnego. Co nie znaczy, że wszystkie osoby w otoczeniu prezydenta przypadły Zełenskiej do gustu.

– Nie ma w pobliżu prezydenta osób, których bym nienawidziła. Po prostu nie do wszystkich czuję sympatię, ale to moje osobiste wrażenia. Nie wiem, na ile ci ludzie są przydatni, może pomagają – mówiła w wywiadzie dla Natalii Mosejczuk. I chociaż zaprzecza, jakoby prezydent Zełenski kierował się jej opiniami, trudno sobie wyobrazić, by myśleli inaczej w kluczowych sprawach. Choćby takich, jak kwestia podziałów w społeczeństwie, wyliczania, kto jest lepszym, a kto gorszym Ukraińcem, kto mówi w języku ukraińskim, a kto po rosyjsku. Ołena pochodzi z Krzywego Rogu, gdzie większość mieszkańców posługuje się rosyjskim, bo przecież do kombinatów metalurgicznych od lat 50. przyjeżdżały tysiące robotników z różnych części ZSRR. Wtedy obowiązywał język rosyjski.

– Ale to nie znaczy, że oni są innymi, gorszymi Ukraińcami – przekonuje. – Nie podoba mi się tendencja dzielenia ludzi na dobrych i złych Ukraińców, na rodowitych i nierodowitych. Tak nie wolno. Mamy wiele regionów i podkreślanie różnic nie prowadzi do niczego dobrego. Należy szukać tego, co jest podobne, co nas łączy – mówiła w tym samym wywiadzie telewizyjnym.

Nie da się ukryć, że Zełenska jako pierwsza dama ociepla wizerunek prezydenta. Wypowiadała się o tym, czego prezydent pragnie. Jeszcze przed rosyjską agresją z lutego 2022 roku mówiła, że dla Zełenskiego głównym celem jest zaprowadzenie pokoju w Donbasie. Mówiła, że Wołodymyr bardzo przeżywa to, że giną tam ludzie, że codziennie śledzi informacje z Donbasu, prowadzi długie rozmowy z ministerstwem obrony. I głęboko wierzy, że uda się zakończyć walki.

Wojna

Ta wiara okazała się płonna. Nie wiadomo, czy Wołodymyr Zełenski przekazywał żonie sygnały, które sam otrzymywał u schyłku 2021 i na początku 2022 roku, że agresja Rosji na Ukrainę jest już tylko kwestią tygodni.

Szóstego lutego 2022 roku, w 44. urodziny pierwszej damy, Zełenski zadedykował jej wiersz, który umieścił na swoim oficjalnym kanale na Instagramie: „Moja kochana. Dzisiaj są twoje urodziny. Tyle chciałbym powiedzieć... Ale nie jesteśmy tu sami. Jak zawsze ostatnimi czasy. Więc postaram się, bardzo ostrożnie, ale ty mnie zrozumiesz". Wiersz jest pełen wykropkowanych miejsc, jednak można bez trudu się domyślić, o co chodziło Wołodymyrowi:

Ja ciebie... Cóż, bardzo...
Ja bez ciebie... W żaden sposób...
Mamy takie cudowne... Dwoje...
....
Tak jak było pierwszego dnia..., przez wszystkie te lata
ty i ja...
Ty rozumiesz, że mi bez ciebie...
Kochanie moje, z dniem urodzin, życzę ci bardzo...
Nie wiem, jak inni, ale my rozumiemy siebie nawzajem.

Kiedy publikował ten wiersz, amerykańskie władze jawnie ostrzegały już, że Władimir Putin podjął decyzję o napaści zbrojnej na Ukrainę. Zabiegi dyplomatyczne nic nie dawały.

Nieco ponad tydzień później, 14 lutego, prezydent zamieścił na Instagramie kolejny post z żoną. Ona z bukietem kwiatów, on złożył jej życzenia z okazji Dnia Zakochanych. Ucałowali się i życzyli miłości wszystkim Ukraińcom, także miłości do ojczyzny. Ołena uśmiecha się, ale można dostrzec, że trawi ją jakiś niepokój. Media informowały, że atak na Ukrainę może się rozpocząć już w ciągu najbliższych dwóch dni. Zełenski podkreślił w tym krótkim nagraniu, że oboje są w Kijowie i tu pozostają. Może już wtedy podjęli decyzję, że w przypadku wojny nie opuszczą kraju – ani prezydent, ani jego rodzina. Pewien cień smutku czy zadumy na twarzy Ołeny może świadczyć, że już wiedzieli – pisały o tym nawet światowe media – iż w przypadku wojny Załenski i jego rodzina staną się celem numer jeden dla rosyjskich agresorów.

Jeszcze długo przed wybuchem wojny Ołena mówiła, że marzy o spokoju. Chciałaby znaleźć ustronne miejsce, w którym częściej będzie z dziećmi, a w przyszłości zajmie się wnukami. Marzyła też o powrocie do regularnego pisania scenariuszy dla Studia Kwartał 95. Teraz wszystko trzeba było odsunąć na bok.

– Mamy w rodzinie jednego kapitana, który skierował nasz statek na wzburzone morze. Nie wiem, co on dalej przygotuje. Może jeszcze jakąś niespodziankę? – zastanawiała się w połowie 2021 roku w rozmowie z Natalią Mosejczuk.

Tę ponurą niespodziankę przyniosło życie wraz z sygnałem syren i odgłosami wybuchów rosyjskich rakiet w Ukrainie o brzasku 24 lutego 2022 roku. Ołena Zełenska, która 6 września 2003 roku, wychodząc za mąż za zdobywającego wówczas sławę twórcę kabaretu, ani przez moment nie sądziła, że w przyszłości podejmie się trudnej roli pierwszej damy, teraz musiała sprostać jeszcze trudniejszemu wyzwaniu – być pierwszą damą czasu wojny. Została z dziećmi w kraju, podobnie jak jej mąż. I znajduje ponownie rolę, jaką chce odegrać: podobnie jak mąż, stara się podtrzymywać morale Ukraińców w wojennym czasie, a jednocześnie apelować do świata o wszelką pomoc, zwłaszcza humanitarną. Ma miliony obserwujących w mediach społecznościowych, tylko na samym Instagramie 2,8 miliona. Już pierwszego dnia publikuje podnoszący na duchu, emocjonalny wpis, zilustrowany flagą Ukrainy: „Moi drodzy! Ukraińcy! Patrzę na was wszystkich. Wszystkich, których widzę w telewizji, na ulicach, w internecie. Widzę wasze posty i filmy. I wiecie co? Jesteście niesamowici! Jestem dumna, że mieszkam z wami w tym samym kraju! Mówi się, że wielu ludzi to tłum. Ale nie u nas. Bo wielu Ukraińców to nie tłum. To jest armia! Dziś nie będzie we mnie paniki, nie będzie łez. Będę spokojna i pewna siebie. Moje dzieci patrzą na mnie. Będę obok nich. I obok mojego męża. I z wami".

Ósmego marca 2022 roku, odpowiadając na prośby mediów o wywiady, publikuje długi tekst na Instagramie, w którym opisuje ostrzał ludności cywilnej, zrujnowane życie wielu Ukraińców, brak możliwości wydostania się spod ognia. „Zwracają się do mnie przedstawiciele mediów całego świata z prośbą o wywiad. Chcę wszystkim odpowiedzieć od razu. To jest moje świadectwo z Ukrainy" – pisze Zełenska, opatrując post swoim zdjęciem i wyraźnym angielskim napisem, niby pieczęcią: „I Testify"– „Zaświadczam".

„Nie można uwierzyć w to, co wydarzyło się nieco ponad tydzień temu. Mój kraj był spokojny, a miasta, miasteczka i wsie tętniły życiem. 24 lutego obudziliśmy się z ogłoszeniem rozpoczęcia wojny. Czołgi przekroczyły granicę ukraińską, w naszą przestrzeń wdarły się samoloty. Miasta zostały otoczone wyrzutniami rakiet. Zapewniam, że wbrew zapewnieniom kremlowskich propagandystów, którzy nazywają tę inwazję «operacją specjalną», jest to zabijanie ludności cywilnej! – pisze wstrząśnięta. – Nasze kobiety i dzieci mieszkają teraz w schronach i piwnicach. Zapewne widzieliście te zdjęcia z metra w Kijowie i Charkowie, gdzie ludzie leżą ze swoimi maluchami i zwierzętami. Dla niektórych – spektakularne ujęcia, ale dla Ukraińców to nowa straszna rzeczywistość.

Nasze dzieci uczą się w piwnicach. I tam się rodzą, bo szpitale położnicze musiały przenieść się pod ziemię. Pierwsze dziecko wojny, które widziało nie spokojne niebo, lecz betonowy strop piwnicy, urodziło się pierwszego dnia inwazji. Teraz mamy dziesiątki dzieci, które nigdy w życiu nie zaznały spokoju.

Zaświadczam, że ta wojna jest prowadzona przeciwko ludności cywilnej nie tylko za pomocą ostrzału: ludzie, którym zależy na stałym leczeniu, nie mogą liczyć na właściwą opiekę. Czy łatwo jest wstrzykiwać insulinę w piwnicy? I brać leki na astmę pod ostrzałem? Nie wspominając o tysiącach pacjentów z rakiem, którym odroczono chemioterapię i radioterapię" – alarmuje świat Ołena. Zamieszcza również zdjęcia dzieci, które zginęły od rosyjskich bomb i pocisków:

„Polina z Kijowa. Zginęła podczas bombardowań na ulicach stolicy wraz z rodzicami i bratem. Jej siostra jest w ciężkim stanie. Alicja z ukraińskiego miasta Ochtyrka nie skończyła jeszcze ośmiu lat. Zginęła podczas bombardowania, mimo że dziadek chronił ją swoim ciałem. 18-miesięczny Kirył z Mariupola został zabrany przez ojca do szpitala, też znajdującego się pod ostrzałem. Lekarze nic nie mogli zrobić. Arsenij, 14 lat. Szrapnel trafił go w głowę. Medycy nie zdołali do niego dotrzeć – trwał ostrzał, Arsenij wykrwawił się na śmierć. Zofia, sześć lat. Zabita w samochodzie wraz ze swoim półtorarocznym bratem, matką i dziadkami. Rodzina próbowała opuścić Nową Kachowkę. Muszę o tym mówić!" – woła w mediach społecznościowych.

24 marca, miesiąc po rozpoczęciu rosyjskiej inwazji, pisze: „Obudziliśmy się w innej rzeczywistości, gdzie wojna zawitała do naszego domu. Na wojnie czas biegnie inaczej. Jesteśmy o dziesięć lat starsi. Nauczyliśmy się rozróżniać odgłos pocisków od innych dźwięków. Nie mamy do czynienia tylko z rosyjskim najeźdźcą – mamy do czynienia ze zbrodniarzami wojennymi, którzy celowo zabijają cywilów. Zabijają dzieci". A było to jeszcze przed ujawnieniem potworności, których dopuścili się Rosjanie w Buczy i innych okupowanych miejscowościach.

Zełenski – i być może cała rodzina – w czasie wojny są celem rosyjskich najemników. Opisuje to brytyjski „The Times". Zamachy udaremniają służby specjalne i ukraińskie wojsko. Jednak ze względów bezpieczeństwa prezydent pozostaje oddzielony od swojej rodziny. To kolejna trudna sytuacja dla Ołeny i dzieci.

To na jej barki spadło więc wyjaśnienie dzieciom tragedii, jaka dotyka Ukraińców i ich kraj. Zapytana przez Taylora Antrima, pisarza i dziennikarza magazynu „Vogue", w jaki sposób mówi o tym 17-letniej Saszy i 9-letniemu Kiryłowi, Ołena odpowiedziała: – Dzieciom nie trzeba niczego tłumaczyć. Widzą wszystko, jak każde dziecko w Ukrainie, choć z pewnością nie powinny tego widzieć. Dzieci są bardzo uczciwe i szczere. Nie można niczego przed nimi ukryć. Najlepsza jest prawda. Omówiliśmy wszystko, próbowałam odpowiedzieć na ich pytania. Dużo rozmawiamy, bo mówić, co boli, a nie dusić strach w sobie, to sprawdzona strategia psychologiczna. To działa. – Tak Ołena radzi sobie w tym trudnym czasie.

Na początku marca Zełenski powiedział w wywiadzie, że z żoną widział się raz, w czasie pierwszych dni wojny. Zapytany przez dziennikarzy, z którym z przywódców krajów, dzwoniących do niego regularnie, najlepiej mu się rozmawia podczas wojny, odpowiada: – Z moją żoną.

VIII

Ataman

Od prezydenta do przywódcy

W TYM ROZDZIALE

Wywiad USA zdobył informacje, że Rosjanie spróbują porwać lub zabić Zełenskiego. Amerykanie zaoferowali mu pomoc w ewakuacji. Jednak prezydent odmówił. Już następnego dnia ogłosił, że i on, i jego rodzina, zostają w Kijowie.

Ze swojego przekazu uczynił w czasie wojny broń, kto wie, czy nie równie potężną jak ta militarna. Od pierwszych dni wojny rozmawia z przywódcami wolnego świata. Apeluje o wsparcie polityczne, broń i nakładanie dalszych sankcji na Rosję.

W swoich przemówieniach do Kongresu, Europarlamentu, Bundestagu czy Izby Gmin odwołuje się do emocji zwykłych ludzi oraz do ikonicznych zdarzeń z historii. Próbuje ponad głowami polityków zbudować międzynarodowe wsparcie społeczne dla Ukrainy.

Stał się symbolem walki o wolność dla całego demokratycznego świata. Rozważania ekspertów, czy postawą bardziej przypomina Churchilla czy Havla, pokazują, że już teraz stał się legendą. Dopiero przyszłość pokaże, czy zmienił bieg historii.

Pierwsze rosyjskie pociski spadły na stolicę Ukrainy 24 lutego 2022 roku o godzinie 4.50 rano. Wołodymyr Zełenski przebywał w tym czasie w prezydenckiej rezydencji w Kijowie.

– Kiedy się zaczęło, byłem w domu, z żoną i dziećmi. To oni mnie obudzili. Powiedzieli, że słyszeli głośne wybuchy – opowiadał Zełenski miesiąc później w wywiadzie dla tygodnika „The Economist". Dopiero po kilku minutach odezwał się rządowy telefon. – Otrzymałem sygnał z kancelarii, że trwa atak rakietowy. Oczywiście wiedzieliśmy, że Rosjanie mogą zaatakować. Zaskoczyła nas jednak skala tego ataku. Myślę, że kiedy to nastąpiło, nikt, dosłownie nikt nie wiedział, co robić – mówił w tym wywiadzie.

– „Zaczęło się". To wszystko, co powiedział – opowiadała Zełenska w kwietniu w wywiadzie dla magazynu „Vogue" o pierwszych minutach wojny. – Nie powiedziałabym, że to była panika, może zamieszanie. „Co powinniśmy zrobić z dziećmi?" – „Czekaj – powiedział – dam ci znać. Na wszelki wypadek weź niezbędne rzeczy i dokumenty". I wyszedł z domu – dodaje żona prezydenta.

Zełenski kazał zawieźć się do siedziby administracji prezydenta przy ulicy Bankowej. Zwołał posiedzenie Rady Bezpieczeństwa Narodowego i Obrony Ukrainy.

– Pierwszą rzeczą, którą zrobiliśmy, było wprowadzenie stanu wyjątkowego, a kilka dni później ogłosiliśmy stan wojenny – opowiadał Zełenski.

Na czas wojny ze względów bezpieczeństwa Zełenscy musieli się rozdzielić. Rodzina prezydenta została objęta ochroną i ukryta. Budynek przy Bankowej stał się prawdziwą twierdzą. Okoliczne ulice zamknięto. Na posterunki ściągnięto żołnierzy, snajperów, wozy bojowe i artylerię przeciwlotniczą.

Rosyjskie rakiety spadały na Kijów, śmigłowce usiłowały dokonać desantu na podkijowskie lotnisko w Hostomlu. Od czasów II wojny światowej miasto nie przeżyło takiego bombardowania. Zełenski był zagrożony. Przedstawiciele amerykańskiego Departamentu Bezpieczeństwa Krajowego, którzy stale kontaktowali się z biurem prezydenta Ukrainy, donosili, że według danych amerykańskiego wywiadu rosyjskie wojsko dostało rozkaz zabicia lub uprowadzenia Zełenskiego. Rzecznik departamentu stanu USA, były oficer

wywiadu Ned Price, w rozmowie z CNN ostrzegał:
– Prezydent Zełenski uosabia demokratyczne aspiracje i ambicje Ukrainy i narodu ukraińskiego, dlatego też pozostaje głównym celem Rosjan.

Jednak Zełenski nie zamierzał uciekać z kraju. Już dzień po ataku nagrał orędzie do narodu. Ubrany w koszulkę koloru khaki, który odtąd stanie się jego kolorem rozpoznawczym, przemawiał z biura prezydenta:

– Zostaję w stolicy. Moja rodzina jest również w Ukrainie. Moje dzieci są w Ukrainie. Oni nie są zdrajcami, ale obywatelami [...]. Według informacji, które posiadamy, wróg oznaczył mnie jako cel numer jeden, a moją rodzinę jako cel numer dwa. Chcą zniszczyć Ukrainę politycznie poprzez usunięcie głowy państwa.

Zamieścił również w mediach społecznościowych krótkie wideo, nagrane na ulicy Bankowej, tuż przy gmachu będącym siedzibą prezydenta Ukrainy. Na nagraniu pojawił się wraz z najbliższymi współpracownikami: Dawidem Arachamiją – liderem frakcji Sługa Narodu, Andrijem Jermakiem – szefem biura prezydenta, premierem Denysem Szmyhalem i swoim doradcą Mychajło Podolakiem. Wszyscy w bluzach khaki. Zełenski mówi: – Lider partii – tu. Szef biura prezydenta – tu. Premier Szmyhal – tu. Podolak – tu. Prezydent – tu. Wszyscy jesteśmy tutaj. Nasi wojskowi są tutaj, organizacje społeczne – tutaj. Wszyscy jesteśmy tu. Bronimy naszej niepodległości, naszego państwa. Tak będzie nadal. Chwała naszym obrońcom i obrończyniom. *Sława Ukrajini!*

Amerykańska administracja obawiała się szybkiego zajęcia Kijowa przez Rosjan i obalenia demokratycznie wybranego prezydenta. Według różnych analiz miało to zająć raptem 2–3 dni. Powołując się na informacje od oficerów wywiadu, media podawały, że do przeprowadzenia zamachu na Zełenskiego mieli się szykować najemnicy z owianej ponurą sławą Grupy Wagnera, a także bojownicy czeczeńskiego przywódcy Ramzana Kadyrowa. Wagnerowcy, bezwzględni zabójcy wyszkoleni w położonym koło Krasnodaru ośrodku treningowym rosyjskich sił specjalnych, przez wiele lat wyróżniali się okrucieństwem, gwałtami i bestialskimi torturami na polach bitew w Afryce, na Bliskim Wschodzie, jak również w Ukrainie w 2014 roku. Teraz mieli jeden cel: porwać lub zabić Zełenskiego.

Tuż po wybuchu wojny doszło do rozmowy na wysokim szczeblu. Jak podała agencja Associated Press, Departament Obrony USA nalegał, by ewakuować prezydenta z Kijowa.

– Wojna toczy się tutaj. Potrzebuję amunicji, a nie podwózki – uciął dyskusję prezydent Ukrainy.

W tym czasie w popularnych kanałach i mediach społecznościowych propaganda kremlowska już rozsiewała plotki, jakoby Zełenski uciekł z kraju, a armia ukraińska się poddała. Rankiem 26 lutego, dwa dni po wybuchu wojny, Zełenski zamieścił na Twitterze krótki film opatrzony podpisem: „Nie wierzcie fejkom". Nieogolony, wyraźnie niewyspany, w wojskowej bluzie idzie ulicą Bankową w Kijowie, za plecami ma znaną kamienicę z charakterystycznymi chimerami – i mówi stanowczym głosem: – Dzień dobry, Ukraińcy! Pojawia się wiele fake newsów, że składamy broń, poddajemy się. A jest tak: żadnej broni nie składamy, jestem na miejscu, będziemy dalej bronić naszego kraju. *Sława Ukrajini!*

I rzeczywiście: fakt, że Zełenski z rodziną zostali w Ukrainie, podziałał na społeczeństwo niezwykle budująco. To podnosiło Ukraińców na duchu i umacniało ich morale, a jednocześnie potęgowało opór stawiany najeźdźcom. Po tygodniu wojny poparcie dla prezydenta wśród Ukraińców wzrosło z 31 procent w grudniu 2021 do 91 procent. A poziom społecznej dezaprobaty wobec niego spadł z ponad 60 procent do zaledwie 6 procent.

– Uważam, że odniósł wspaniałe zwycięstwo. To prezydent, który nie wyjechał ze stolicy, kiedy tak naprawdę nie było wiadomo, czy w ciągu kilku dni ta stolica nie będzie zajęta – mówi mi Wojciech Jankowski, redaktor naczelny „Nowego Kuriera Galicyjskiego" ze Lwowa.

Wielu Ukraińców, ale też świat, ujrzało nowego Zełenskiego. „Pomyśleć, że do niedawna śmialiśmy się z niego, a teraz jest naszym bohaterem" pisano w mediach społecznościowych. Chodziło o jego rządy przed wojną czy o rolę kabareciarza z czasów Kwartału 95? Nieważne. Jedna z jego współpracownic, która prosi, by nie podawać jej nazwiska, opowiada: – Od naszych żołnierzy w pierwszych dniach wojny usłyszałam: „Jesteśmy gotowi umrzeć za naszego prezydenta". Mówili to, co czują ludzie. Wiesz, w Ukrainie żywy jest mit atamanów, czyli nieustraszonych kozackich przywódców. Myślę, że Zełenski stał się dla nas takim atamanem.

Zełenski powie później w wywiadzie, że ani nikt go nie uczył, ani sam się nie przygotowywał na to, jak prezydent ma postępować w czasie wojny. Działał zgodnie z potrzebą chwili. I ta decyzja o pozostaniu w Kijowie była kluczowa, jak mówi mi Aleksander Kwaśniewski: – To było niezwykle ważne dla morale narodu i państwa ukraińskiego. Jego odpowiedź na propozycję Amerykanów, że gdzieś go przewiozą – „ja chcę broni, a nie podwózki" – przejdzie do historii, zapisana na zawsze wśród najsłynniejszych sentencji politycznych – uważa Kwaśniewski.

W zamknięciu

Zełenski codziennie komunikuje się ze społeczeństwem i ze światem za pomocą krótkich filmów. Nagrań dokonuje w biurze prezydenta, z symbolami państwowymi w tle, aby podkreślić, że jest w swej siedzibie i rządzi. Pokazuje się też w znanych miejscach Kijowa, by unaocznić, że jest w stolicy, zadając kłam kremlowskiej propagandzie.

Jego życie musiało się jednak zmienić. Wcześniej codziennie rano ćwiczył, by zachować kondycję. Teraz na jednym z nagrań opublikowanych w mediach społecznościowych rzucił: – Nie ma mowy o bieganiu. – To była jedna z mniejszych uciążliwości. Większą była rozłąka z rodziną. Miesiąc po ataku w wywiadzie dla grupy dziennikarzy zorganizowanym w budynku przy Bankowej mówił, że z żoną widział się zaledwie raz, kilka dni po wybuchu wojny. Od tamtej pory tylko rozmawiali telefonicznie. Ich dzieci – podobnie jak wszystkie w Ukrainie – szybko dojrzewały, znajdując się w sytuacji ciągłego zagrożenia.

Zełenski i jego współpracownicy pracują wtedy kilkanaście godzin na dobę. Na nagraniach widać, jaki jest zmęczony. Przywódcy świata zachodniego telefonują non stop, zwłaszcza w pierwszych dniach wojny, on sam dzwoni z apelami o wsparcie. Zapytany przez dziennikarzy, co teraz czyta, powiedział, że nic, nawet przed snem, bo kiedy przełoży kartkę, nie pamięta już, co było na poprzedniej stronie.

Obiekty administracji prezydenckiej zmieniono w fortecę, do której wstęp mają tylko najbliżsi współpracownicy, oficjalni goście z innych państw i umówieni dziennikarze. Zełenski często wyznacza spotkania późnym wieczorem – tak jak miał w zwyczaju pracować jeszcze przed wojną. Kiedy po kilku tygodniach wojny przyjął w swej siedzibie dziennikarzy „The Atlantic" – Anne Applebaum i Jeffreya Goldberga – było już ciemno, lecz nie zapalano świateł. Dziennikarze opisywali, że żołnierze prowadzili ich labiryntem mrocznych korytarzy, z ułożonymi wszędzie workami piasku, a drogę oświetlali latarkami. Ukraiński prezydent rozmawiał z nimi w pokoju pozbawionym okien.

Wszystko z uwagi na bezpieczeństwo. Brytyjski dziennik „The Times" już na początku wojny pisał o kilku udaremnionych próbach zamachu. Służby wiedziały, że przygotowywane są następne. Że dla Putina Zełenski pozostaje celem numer jeden.

Słowo – najpotężniejsza broń

Zełenski szybko wchodzi w rolę przywódcy czasu wojny, jednak nie wtrąca się do sposobu prowadzenia działań obronnych. To zostawia generałom. Wielu obserwatorów ukraińskiej sceny politycznej uważa to za wielki plus: gdyby prezydentem był ktoś inny, mógłby ingerować w decyzje wojskowych. A to prosta droga do katastrofy.

Zełenski przyznaje jednocześnie, że nie szykował się do roli przywódcy wojennego. W wywiadzie dla

Spotkanie przywódców: Ukrainy Wołodymyra Zełenskiego, Niemiec Angeli Merkel, Francji Emmanuela Macrona i Rosji Władimira Putina w Pałacu Elizejskim w Paryżu, grudzień 2019

Fot. Charles Platiau/Reuters Pool/Associated Press/East News

Rozmowa telefoniczna prezydenta Zełenskiego z prezydentem USA Joe Bidenem niedługo przed atakiem Rosji na Ukrainę, 28 stycznia 2022

Fot. Ukrainian Presidential Press Official/Associated Press/East News

Demonstracje w Kijowie niespełna dwa tygodnie przed rozpoczęciem bombardowania stolicy Ukrainy przez Rosjan, na transparencie napis „Ukraińcy będą walczyć", 12 lutego 2022

Fot. SERGEI SUPINSKY/AFP/East News

Spotkanie prezydenta z żołnierzami ukraińskich sił zbrojnych w obwodzie donieckim, 17 lutego 2022

Fot. Ukrainian Presidential Press Office/Associated Press/East News

Prezydent przemawia do swoich rodaków z centrum Kijowa dwa dni po ataku Rosjan na stolicę kraju, 26 lutego 2022

Fot. Ukrainian Presidential Press Office/Associated Press/East News

Prezydent Zełenski, premier Ukrainy Denys Szmyhal (z prawej) i przewodniczący parlamentu ukraińskiego Rusłan Stefanczuk (z lewej) po złożeniu podpisu pod wnioskiem o członkostwo Ukrainy w Unii Europejskiej, Kijów, 28 lutego 2022
Fot. AFP PHOTO/UKRAINIAN PRESIDENCY PRESS OFFICE /East News

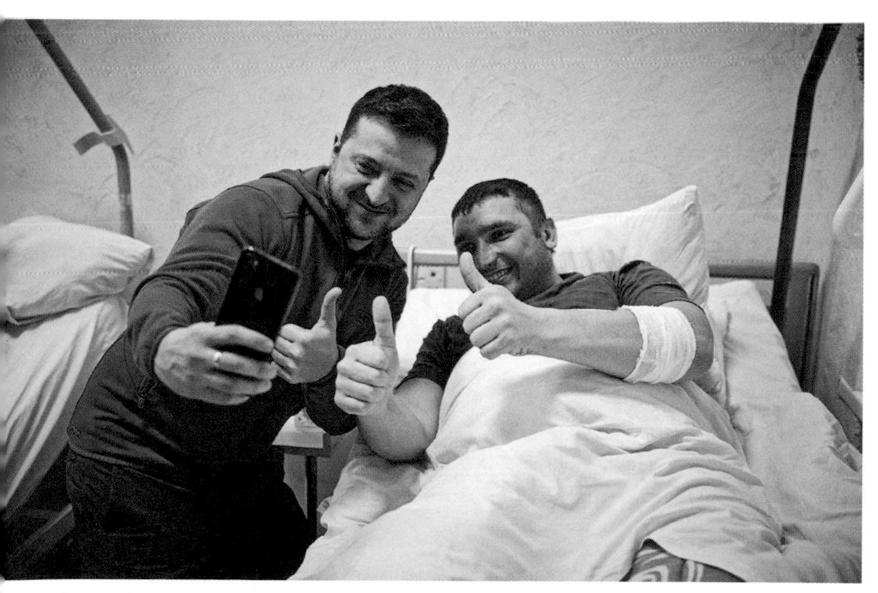

Prezydent odwiedza rannych w szpitalu wojskowym, 13 marca 2022
Fot. Handout/UKRAINIAN PRESIDENTIAL PRESS SERVICE/AFP/East News

Podczas wirtualnego wystąpienia przed Kongresem Stanów Zjednoczonych, 16 marca 2022

Fot. J. SCOTT APPLEWHITE/AFP/East News

Wołodymyr Zełenski przemawia do uczestników demonstracji poparcia dla Ukrainy, Frankfurt, 4 marca 2022

Fot. Michael Probst/Associated Press/East News

Prezydent Zełenski przemawia z atakowanego Kijowa do brytyjskiej Izby Gmin, 8 marca 2022

Fot. Ukrinform/Future Publishing/Getty Images

Przewodnicząca Komisji Europejskiej Ursula von der Leyen oraz Josep Borrell (z lewej), wysoki przedstawiciel Unii do spraw zagranicznych i polityki bezpieczeństwa, z oficjalną wizytą w Kijowie, 8 kwietnia 2022

Fot. Stringer/UKRAINIAN PRESIDENTIAL PRESS SERVICE/AFP/East News

Prezydenci od lewej: Litwy Gitanas Nausėda, Polski Andrzej Duda, Ukrainy Wołodymyr Zełenski, Łotwy Egils Levits, Estonii Alar Karis, 13 kwietnia 2022
Fot. Handout/UKRAINIAN PRESIDENTIAL PRESS SERVICE/ AFP/East News

Oficjalna wizyta przedstawicieli rządów sąsiednich państw Ukrainy w oblężonym Kijowie, od lewej: wicepremier Polski Jarosław Kaczyński, premier Czech Petr Fiala, premier Słowenii Janez Janša oraz premier Polski Mateusz Morawiecki, 15 marca 2022
Fot. Handout/UKRAINE PRESIDENCY/AFP/East News

W trakcie wojny prezydent Zełenski nadal udziela wywiadów w swoim biurze prezydenckim, Kijów, 9 kwietnia 2022

Fot. AP Photo/Evgeniy Maloletka/East News

Brytyjski premier Boris Johnson z prezydentem Ukrainy w centrum Kijowa, 9 kwietnia 2022

Fot. Stringer/UKRAINIAN PRESIDENTIAL PRESS SERVICE/AFP/East News

W Buczy, gdzie żołnierze rosyjscy dokonali masakry ludności cywilnej, 4 kwietnia 2022

Fot. RONALDO SCHEMID/AFP/East News

Przywódca narodu ukraińskiego wciąż wzywa inne państwa do pomocy swoim rodakom, Kijów, 13 kwietnia 2022

Fot. Ukrainian Presidency Press Office/Zuma Press/Forum

„The Economist" powie, że nikt nie może być na to gotowy. – Nie możesz powiedzieć: „Gdybym był prezydentem Ukrainy, to postąpiłbym w taki sposób", ponieważ nie jesteś w stanie wyobrazić sobie, co to wszystko oznacza. Nie jesteś w stanie wyobrazić sobie, jak coś będziesz robić. To przypadek mój, a także wielu ludzi wokół mnie.

Wraz z najbliższym otoczeniem określa zadania dla siebie jako prezydenta i skupia się na nich. Zełenski zajmuje się tym, co potrafi najlepiej. Podtrzymuje na duchu swój naród. Codziennie zamieszcza w mediach społecznościowych krótkie filmy. Podkreśla bohaterstwo obrońców i obrończyń Ukrainy, zapewnia, że ani piędzi ukraińskiej ziemi nie odda Rosji, że wojna będzie wygrana, a kraj odzyska Krym i cały Donbas – tereny, do których ma prawo.

Pomaga mu zespół, który pozostał z nim w biurze przy Bankowej.

– To grupa najbliższych współpracowników, z którymi jeszcze w normalnych czasach robił narady i burze mózgów, znacznie więcej osób niż widać na filmach. Wciąż razem pracują, przygotowują jego przemówienia – opowiada mi jedna z osób z otoczenia prezydenta. Nie tylko oni wspierają Zełenskiemu. Jak przekonuje mnie kijowski politolog Wołodymyr Fesenko, cały wojenny przekaz Zełenskiego to efekt współpracy ze sztabem PR-owców, strategami od komunikacji z USA,

Izraela i oczywiście z ukraińskimi pomocnikami prezydenta. To dlatego jego wojenne wystąpienia poruszają cały świat. Zełenski korzysta ze swego ogromnego doświadczenia i talentu aktorskiego, z faktu, że przed kamerą czuje się jak ryba w wodzie.

– Jest medialny. Jest emocjonalny. Mówi prostym językiem, co nie znaczy, że to nie jest język dopracowany – dodaje Fesenko.

Nikt nie ma wątpliwości, że ukraiński prezydent ze swojego przekazu w czasie wojny uczynił broń – kto wie, czy nie równie potężną jak ta militarna, która opiera się przeważającym siłom Rosji. Od pierwszych dni wojny prawie nie odchodzi od internetowych komunikatorów – Skype'a, Zooma. Rozmawia z przywódcami krajów wolnego świata, przemawia i apeluje: – Potrzebujemy broni i nakładania dalszych sankcji na Rosję, zamkniętego nieba. Jeszcze nie wszystkie sankcje zostały wykorzystane.

Nie waha się mówić brutalnej prawdy liderom krajów NATO czy Unii Europejskiej: – Odbyłem dziesiątki rozmów z przywódcami krajów, które nas wspierają. Za konkretną pomoc dziękujemy. Pytałem ich, kto jest gotowy wojować razem z nami. Szczerze? Nie widzę takich. Kto jest gotowy dać Ukrainie gwarancję wstępu do NATO? Szczerze? Wszyscy się boją. Zapytałem przywódców dwudziestu siedmiu krajów europejskich, czy są z nami i czy Ukraina będzie w NATO. Wszyscy się boją. Nie odpowiadają. A my nie boimy się niczego – oświadczył w pierwszych dniach wojny.

Te zarzuty, wygłoszone prosto w oczy całemu zachodniemu światu i jego elicie politycznej, niosły potężny przekaz. Zełenski podkreślał honor, dumę i odwagę Ukraińców, a jednocześnie, przemawiając z biura prezydenta Ukrainy, grał na nosie Putinowi, który bezskutecznie usiłował go dopaść, zrzucając bomby na Kijów i posyłając tam kolejne oddziały najemników.

W szkole średniej myślał o tym, by studiować dyplomację. To marzenie się nie spełniło – nigdy nie został zawodowym dyplomatą, nawet po wyborze na prezydenta. Jednak w czasie wojny zaczął prowadzić politykę tak wyrazistą i skuteczną, że mogliby się od niego uczyć doświadczeni mężowie stanu. Wprawiał w zdumienie rządy oraz społeczeństwa Europy i Ameryki, od pierwszych dni wojny przemawiając przed parlamentami wielu krajów. Jego wystąpienia były doskonale przygotowane, przemyślane. Każde odnosiło się do tematów, które dla danego społeczeństwa były ważne, poruszały czułe struny narodowej duszy.

Przemówienie przed Parlamentem Europejskim 3 marca 2022 roku Zełenski zaczął od prostych słów, które miały bardzo mocny przekaz: – Wiecie, w ciągu ostatnich dni nie wiem, jak witać się z ludźmi i ich pozdrawiać, bo nie mogę powiedzieć „dzień dobry" czy „dobry wieczór". Nie mogę tak powiedzieć, bo dla niektórych ludzi ten dzień nie jest dobry, a dla innych to jest ich ostatni dzień – mówił do wypełnionej sali. – Nie czytam z kartki, bo era papierowa w moim kraju się skończyła. Teraz mierzymy się z rzeczywistością. Mamy do czynienia z zabitymi ludźmi, z prawdziwym życiem. Wierzę, że dzisiaj oddajemy życie za prawa, za wolność, za pragnienie bycia równymi w Europie.

Mówił o europejskich dążeniach Ukrainy, o tym, że Ukraińcy są Europejczykami, takimi samymi ludźmi, jak mieszkańcy Zachodu, i teraz udowadniają, że należy im się miejsce we wspólnocie europejskiej. Głos tłumacza zaczął się łamać. Słychać było, że płacze, kiedy Zełenski opisywał rosyjski atak rakietowy na Charków, zamieszkany głównie przez ludność rosyjskojęzyczną. Miasto z największą liczbą uniwersytetów w Ukrainie. – Jest tam plac Wolności. Czy możecie sobie wyobrazić, że dziś rano dwa pociski cruise uderzyły w ten plac? Dziesiątki zabitych. To jest cena, jaką płacimy za naszą wolność, naszą ziemię. My udowodniliśmy, że jesteśmy tacy sami jak wy. Udowodnijcie, że jesteście z nami. Udowodnijcie, że nas nie opuścicie. Udowodnijcie, że rzeczywiście jesteście Europejczykami – apelował Zełenski.

Apel był kierowany nawet nie tyle do polityków brukselskich, co do społeczeństw Europy.

– Uznaliśmy, że musimy podkreślać, że nie jesteśmy nikomu podlegli. Chciałem zmienić nastawienie do

Ukrainy, ponieważ, mówiąc szczerze, Ukraińcy są takimi samymi ludźmi, jak ludzie w Stanach Zjednoczonych, Europie czy Rosji. Jesteśmy tacy sami – wyjaśniał Zełenski w rozmowie z „The Economist".

Próbował zmieniać nastawienie do Ukrainy także w parlamentach wielu państw.

– Chciałbym wam opowiedzieć o trzynastu dniach wojny – mówił do brytyjskiej Izby Gmin. – Wojny, którą nie my zaczęliśmy i której nie chcieliśmy. Jednakże my tę wojnę musimy prowadzić. Nie chcemy tracić tego, co mamy, naszego kraju, Ukrainy. Tak samo, jak wy nie chcieliście utracić swego kraju, kiedy naziści rozpętali wojnę, a wy musieliście walczyć o Wielką Brytanię.

Odwoływał się do fundamentów kultury oraz zbiorowej pamięci Brytyjczyków, do Szekspira i Churchilla: – Dla nas pytanie brzmi: „Być albo nie być?". To szekspirowskie pytanie. Przez trzynaście dni można było je zadawać, ale teraz mogę udzielić wam ostatecznej odpowiedzi. Zdecydowanie: „być". I chciałbym przypomnieć słowa, które Wielka Brytania już słyszała, a które są znowu ważne – mówił, nawiązując do przemowy Winstona Churchilla z czasu II wojny światowej: – Nie poddamy się i nie przegramy. Będziemy walczyć do końca, na morzu, w powietrzu. Będziemy nadal walczyć o naszą ziemię, bez względu na cenę. Będziemy walczyć w lasach, na polach, na brzegach, na ulicach.

Dodam, że będziemy walczyć na brzegach różnych rzek i szukamy waszej pomocy, pomocy cywilizowanych krajów – podkreślał Zełenski.

Przemawiając do Kongresu USA, przypominał to, co jest drogie każdemu Amerykaninowi: swobody i wolności obywatelskie, o które teraz muszą się bić Ukraińcy. I to, że najwięcej ofiar powodują w Ukrainie rosyjskie ataki z powietrza. Tak jak i Ameryka największych strat doznała z powietrza: podczas japońskich nalotów na Pearl Harbor w 1941 roku oraz ataku terrorystów na World Trade Center: – Przypomnijcie sobie jedenasty września 2001 roku, gdy zło próbowało obrócić w perzynę wasze miasta, kiedy niewinni ludzie zostali zaatakowani z powietrza. Nie byliście w stanie temu zapobiec. Nasz kraj dzień w dzień doświadcza tego samego, teraz, co noc, od trzech tygodni – mówił Zełenski i apelował o zamknięcie nieba nad Ukrainą. – Czy prosimy o zbyt wiele? – pytał.

Dużo ciepłych słów Zełenski kierował do Polaków. Szczególnie wzruszony był, gdy 11 marca w polskim Sejmie mówił o pomocy zwykłych ludzi okazywanej jego rodakom. Warto te słowa przytoczyć obszernie, bo mogą zapowiadać trwałą zmianę w postrzeganiu niełatwej przecież historii polsko-ukraińskiej:

– Czuję, że stworzyliśmy już niezwykle silny sojusz – zwracał się Zełenski do posłów i senatorów. – Nawet jeśli jest on nieformalny. To jest jednak sojusz, który wyrósł z rzeczywistości, a nie ze słów na papierze. Z ciepła w naszych sercach, a nie z przemówień polityków na szczytach. Ze sposobu, w jaki potraktowaliście naszych ludzi, Ukraińców, którzy uciekli do waszego kraju, aby ujść przed złem, które przyszło na naszą ziemię. Ponad półtora miliona obywateli Ukrainy! Zdecydowana większość to kobiety i dzieci. Nie czują się u was jak w obcym kraju. Przyjęliście ich w swoich rodzinach. Z polską delikatnością i z braterską dobrocią. Chociaż nie prosiliśmy o to, a wy niczego w zamian nie oczekujecie. Tak po prostu jest między krewnymi. Dlatego twierdzę, że już się zjednoczyliśmy. Dziś nie mogę być pewien wszystkich przywódców i narodów europejskich, ale jestem pewien, że będziemy bronić wolności wspólnie z wami – mówił Zełenski.

Wpływ na te słowa miała nie tylko postawa zwykłych obywateli, lecz i to, że także na arenie międzynarodowej Polska została jednym z najbardziej aktywnych adwokatów sprawy ukraińskiej. Zdecydowanie domagała się zaostrzenia sankcji wobec Rosji i niesienia pomocy militarnej Ukrainie. Zełenski nie mógł tego nie zauważyć. – Rozmawiam z Andrzejem codziennie. Chyba najczęściej z wszystkich przywódców – tak prezydent Ukrainy podkreślał swoje relacje z prezydentem Dudą na spotkaniu z dziennikarzami kilka tygodni po wybuchu wojny.

A jeszcze nie tak dawno stosunki między naszymi państwami nie należały do szczególnie ciepłych, głównie za sprawą dzielącej społeczeństwa pamięci historycznej dotyczącej rzezi wołyńskiej. – W 2019 roku, kiedy zostałem prezydentem, wydawało się, że trzeba nam przejść z Polską długą drogę. W naszych wzajemnych relacjach panował chłód. Chciałem szybko przejść tę drogę od chłodu do ciepła. I tak się stało. Bo wiedziałem, jakimi jesteśmy narodami. Że Polacy i Ukraińcy są rodziną – podkreślał Zełenski.

Na dość szybkie polepszenie stosunków mogło wpłynąć obopólne poczucie zagrożenia ze strony Rosji, ale także to, że Zełenski długo przed objęciem prezydentury miał z Polski dobre doświadczenia. Podkreślał, że kiedy przyjeżdżał na koncerty do naszego kraju, nigdy nie spotykał się z prorosyjskimi prowokacjami na widowni. Równie miło wspominał wypady na narty do Arłamowa niedaleko granicy ukraińskiej.

W czasie wojny te relacje jeszcze się zacieśniły. Już 24 lutego, godzinę po pierwszym ostrzale Kijowa, prezydent Andrzej Duda zadzwonił do Zełenskiego ze słowami wsparcia. – Kiedy jest ktoś, kto cię bije zaciekle jak bestia, ważne jest, aby mieć wtedy kogoś, kto ci pomoże. Poda pomocną dłoń, kiedy stopa wroga stanie w twoim domu. Rankiem dwudziestego czwartego lutego nie miałem wątpliwości, kto to będzie. Kto mi powie: „Bracie, twój naród nie zostanie sam z wrogiem".

I tak się stało. I jestem za to wdzięczny. Polscy bracia i siostry są z nami – oznajmiał Zełenski 11 marca w wystąpieniu wideo przed polskim Sejmem. – W ciągu szesnastu dni tej wojny ukraińska duma i polski honor, ukraińska odwaga w walce i polska szczerość w pomaganiu nam pozwalają mi teraz wypowiedzieć bardzo ważne słowa: między naszymi narodami panuje prawdziwy pokój. Pokój między krewnymi – oświadczył.

Mniej ciepłych słów miał Zełenski dla polityków niemieckich. Wyrzucał im w Bundestagu, że zwlekają z podjęciem decyzji o nałożeniu sankcji na rosyjskie surowce energetyczne. Wytykał im, że tyle niemieckich firm – mimo sankcji – wciąż ma powiązania biznesowe z Rosją, która dzięki temu finansuje wojnę: – W ciągu trzech tygodni wojny o nasze życie, o naszą wolność, przekonaliśmy się o tym, co czuliśmy wcześniej. I co prawdopodobnie jeszcze nie wszyscy zauważacie. Znowu żyjecie jak za murem. Nie za murem berlińskim, lecz murem w środku Europy. Murem pomiędzy wolnością a niewolnictwem. I ten mur rośnie z każdą bombą, która spada na naszą ziemię, na Ukrainę. Z każdą niepodjętą przez was decyzją, która – gdyby zapadła – mogłaby zapewnić nam bezpieczeństwo. Tak samo jak nie ma krzesła dla nas przy tym stole. Tak jak wciąż opóźniacie kwestię wstąpienia Ukrainy do Unii Europejskiej. Dla niektórych to polityka. A prawda jest taka, że to kamienie. Kamienie na nowy mur. [...] Były aktor, prezydent Stanów Zjednoczonych Ronald Reagan powiedział kiedyś w Berlinie: „Zburzcie ten mur!". I ja chcę teraz powiedzieć: Kanclerzu Scholz! Zburz ten mur! Daj Niemcom przywództwo, na które zasługują. I z którego będą dumni wasi następcy – apelował Zełenski, przywołując historię tak bliską Niemcom.

Dziesięciominutowym przemówieniem w Knesecie Wołodymyr Zełenski bez wątpienia poruszył Izraelczyków, jednak wywołał też dyskusje i kontrowersje. Pojawiły się głosy dezaprobaty, zwłaszcza ze strony bardziej prawicowych komentatorów, choć zaczął przemowę od narysowania analogii pomiędzy sytuacją Ukrainy, którą chce zniszczyć Rosja, oraz Izraela, żyjącego w ciągłym zagrożeniu ze strony części państw regionu.

– Chciałbym wam przypomnieć słowa wielkiej kijowianki, którą bardzo dobrze znacie. Słowa Goldy Meir – rozpoczął Zełenski, przywołując postać sławnej premier Izraela. – Podobno zna je każdy Żyd, a słyszało też wielu Ukraińców. I z pewnością nie mniej Rosjan: „My chcemy żyć. Nasi sąsiedzi chcą widzieć nas martwymi. To nie zostawia wiele miejsca na kompromis".

Odniósł się do genezy II wojny światowej i Holokaustu. Uwidocznił zbieżność ponurych dat: – Dwudziestego czwartego lutego 1920 roku powstała Narodowosocjalistyczna Niemiecka Partia Robotników (NSDAP). Partia, która unicestwiła miliony istnień ludzkich, spustoszyła całe kraje i próbowała niszczyć narody. Sto dwa lata później, dwudziestego czwartego lutego 2022 roku, wojskom rosyjskim wydano zbrodniczy rozkaz dokonania inwazji na Ukrainę na pełną skalę. Inwazja już pochłonęła tysiące ofiar, pozostawiła miliony bezdomnych i wygnanych – mówił Zełenski.

Poruszenie w Izraelu wywołały następne zdania. Prezydent Ukrainy podkreślał, że Rosja rozpoczęła nikczemną wojnę, której celem jest całkowite zniszczenie narodu ukraińskiego, miast, kultury, wszystkiego, co ukraińskie. – Dlatego mam prawo do tej paraleli i tego porównania naszej historii i waszej historii. Naszej wojny o przetrwanie i II wojny światowej – ciągnął Zełenski. Przypomniał, że w czasie II wojny światowej naziści chcieli likwidować narody i pamięć o nich. Nazwali to „ostatecznym rozwiązaniem kwestii żydowskiej".

– Jestem pewien, że tych słów nigdy nie zapomnicie. Posłuchajcie jednak, jak teraz brzmi przekaz Moskwy. Posłuchajcie, jak powtarzają się tam te słowa „ostateczna decyzja". Ale już skierowane do nas, w „kwestii ukraińskiej". Moskwa mówi, że bez wojny przeciwko nam nie byliby w stanie zapewnić „ostatecznego rozwiązania", rzekomo dla własnego bezpieczeństwa. Tak jak mówiono osiemdziesiąt lat temu.

Apelował o ochronę ukraińskiego nieba za pomocą izraelskiego systemu przeciwrakietowego Żelazna Kopuła.

– Można by długo pytać, dlaczego nie uzyskujemy od was broni. Albo dlaczego Izrael nie nałożył na Rosję ostrych sankcji, dlaczego nie wywiera presji na rosyjski biznes. Odpowiedź nadal należy do was, drodzy bracia i siostry. A wy, lud Izraela, będziecie żyć z tą odpowiedzią – przemawiał nie tyle do przywódców izraelskich, którzy w tym czasie jeszcze próbowali negocjować z Putinem, co do samych Izraelczyków. Uważał, że mediować można między państwami, lecz nie między dobrem a złem. Izrael musi dokonać wyboru, czy popiera Ukrainę, czy Rosję.

Porównanie wojny w Ukrainie do Holokaustu wywołało niezadowolenie dużej części komentatorów. Chociaż po wystąpieniu Zełenskiego ludzie zebrani przed telebimami na ulicach bili brawo, politycy wyrażali sprzeciw. „Doceniam prezydenta Ukrainy i wspieram naród ukraiński sercem i czynem, ale nie da się napisać na nowo strasznej historii Holokaustu – napisał na Twitterze izraelski minister komunikacji Jo'az Hendel. – Ludobójstwa dokonywano także na ziemi ukraińskiej. Wojna jest straszna, ale porównanie do okropności Holokaustu i ostatecznego rozwiązania jest oburzające" – dodał.

Niektórzy komentatorzy pisali, że tak przemawiając, Zełenski nie pomógł sprawie ukraińskiej. On jednak zapewne liczył bardziej na społeczeństwo, które może wywierać nacisk na władze.

W tych, podobnie jak w wielu innych przemówieniach Zełenski świadomie zwracał się do społeczeństw ponad głowami polityków. Przypominając wydarzenia, które budzą emocje zwykłych ludzi, kreując ich nastawienie do Ukrainy, wywierał pośredni nacisk na przywódców.

– To było bardzo przemyślane i bardzo skuteczne wymieszanie argumentów emocjonalnych z argumentami praktycznymi – uważa Aleksander Kwaśniewski. – Jego wystąpienie przed Parlamentem Europejskim – w punkt. Przed Izbą Gmin – w punkt. Przed Kongresem amerykańskim – w punkt. Kiedy on mówi Amerykanom, że nie chcą Ukrainie pomóc w walce o bezpieczeństwo nieba, a przypomina, że najbardziej tragiczne ataki na Amerykę odbyły się z nieba – Pearl Harbor i jedenasty września – wtedy każdy Amerykanin rozumie to przesłanie: dlaczego nie chcecie nam pomóc w sprawach, które dla was okazały się najważniejsze? Jego komunikacja ze światem przyniosła wielkie poparcie dla Ukrainy, zrozumienie, a nawet silne zażenowanie tych wszystkich, którzy tę Ukrainę chętnie by oddali w ręce rosyjskie – dodaje Kwaśniewski.

W parlamencie australijskim zaczął od przypomnienia największego samolotu świata – ukraińskiego AN-225 „Mrija". – W maju 2016 roku tysiące Australijczyków zebrały się na lotnisku w Perth, aby po raz pierwszy zobaczyć ukraińskie Marzenie. „Marzenie" – *Mrija* – to nazwa naszego samolotu AN-225. Po przebyciu prawie piętnastu tysięcy kilometrów samolot dostarczył do Australii pilny ładunek – 130-tonowy generator elektryczny, którego jedna z waszych firm rozpaczliwie potrzebowała. Dostawa drogą morską zajęłaby kilka miesięcy. A ukraiński samolot zrobił to w kilka dni.

Zełenski przypomniał, że „Marzenie" zostało zniszczone przez rosyjskich najeźdźców. Podobnie jak niszczona jest Ukraina. Teraz marzeniem Ukraińców jest przywrócenie pokoju i pokonanie wroga. A do tego potrzeba surowych sankcji na Rosję i dostaw broni dla Ukrainy.

– Drodzy przyjaciele, [dzielą nas] tysiące kilometrów. Ale co ten dystans oznacza dla tych, którzy mają wspólne rozumienie świata?... [...] Kiedy wróg nadchodzi... Kiedy giną dzieci... Kiedy miasta są niszczone... Kiedy na drogach zabijają uchodźców... Kiedy spokojny kraj obraca się w spalone terytorium... Wtedy jakakolwiek odległość znika. Geografia nic nie znaczy. Liczy się tylko człowieczeństwo. Tylko marzenie o powrocie do spokojnego życia.

Przed parlamentem Korei Południowej wystąpił po 47 dniach wojny, kiedy Mariupol był niemal kompletnie zniszczony i pojawiły się informacje o masowych mordach i grabieżach dokonywanych przez Rosjan. – Pamiętacie to z XX wieku – mówił Zełenski o horrorze wojny, o której Koreańczycy nie zapomnieli. – Wiecie, jak to jest bronić swojej ziemi. Pamiętacie, jak w latach pięćdziesiątych zaatakowali was ci, którzy chcieli zabrać wam waszą wolność. Co pozostawiliby z waszej tożsamości, gdyby im się udało? To okropne pytanie. Ale wytrwaliście, świat wam pomógł. Teraz chcemy tego samego – mówił Zełenski.

Japońskim parlamentarzystom dziękował za pomoc dla Ukrainy. – Nasze stolice są oddzielone o osiem tysięcy sto dziewięćdziesiąt trzy kilometry. To oznacza około piętnastu godzin lotu, w zależności od trasy. Jednak ile wynosi dystans pomiędzy naszymi pragnieniami wolności, pomiędzy naszym wspólnym pragnieniem życia, naszym pragnieniem pokoju? Dwudziestego czwartego lutego nie widziałem żadnego dystansu – nawet milimetrowego – pomiędzy naszymi stolicami. Ani sekundy dzielącej nasze uczucia – mówił Zełenski.

Z pewnością przemówienia Zełenskiego były dopracowane w najdrobniejszych szczegółach. I nie musiał już do tych treści dodawać gry aktorskiej. Mówił prosto, jak zwykły człowiek, i również najmocniej trafiał do przeciętnych ludzi.

Sam przyznawał, że celowo próbuje dotrzeć z przekazem do każdego: – Pierwszą rzeczą, którą zrozumiałem, było to, że ludzie, narody, są liderami, a polityczni liderzy, niektórzy z nich, są przegranymi – wykładał swoje *credo* Zełenski w wywiadzie dla „The Economist". – Czasami myślę, że politycy żyją w informacyjnej próżni. Nawet ja, gdybym siedział w biurze i nie wychodził na zewnątrz przez trzy, cztery dni, nie miałbym rzetelnych informacji o tym, co się dzieje na świecie – mówił.

Był komediant, jest legenda

Takie słowa i taka postawa zaczęły budzić podziw. Zełenski stał się bohaterem nie tylko dla swojego narodu, ale dla wszystkich tych, którzy solidaryzowali się z Ukrainą i sprzeciwiali barbarzyńskiej wojnie. Właściwie dopiero teraz świat tak naprawdę dostrzegł Zełenskiego, a dziennikarze przestali nazywać go „komediantem" czy „klaunem". W mediach społecznościowych ludzie nie ukrywają uznania dla Zełenskiego: „On jest moim bohaterem" – pisano od Paryża i Londynu po Los Angeles i Sydney. Wymowny był zwłaszcza wpis jednego z internautów ze Stanów Zjednoczonych: „O takich mężach stanu czytałem tylko w podręcznikach historii. Nie sądziłem, że polityk takiego formatu pojawi się za mojego życia".

W internecie natychmiast nastąpił wysyp memów. Najczęściej powtarzał się ten, w którym na zdjęciach widać było z jednej strony Zełenskiego, a z drugiej światowych liderów. Wszystko opatrzone podpisami: „Komik staje się liderem. Liderzy stają się klaunami". Na innym memie widać słynnego filmowego zabijakę Chucka Norrisa, który dzwoni do Zełenskiego. „Wołodymyr? Mówi Chuck" – zagaja Norris. – „Jak mogę ci pomóc, Chuck?" – pyta Zełenski. O skali jego popularności świadczą też zasięgi w mediach społecznościowych. Dwa miesiące po wybuchu wojny Zełenskiego na Instagramie obserwuje 16,8 miliona osób, przeszło pięciokrotnie więcej niż na przykład prezydenta Francji Emmanuela Macrona i tylko o milion mniej od prezydenta USA Joe Bidena.

Zełenski zdecydowanie zaszedł dalej, niż sam przypuszczał. „Komediant" zaczął budzić respekt światowych przywódców. Ci, którzy odwiedzali go w Kijowie w czasie wojny, z jednej strony okazywali mu wsparcie w imieniu swoich państw, a z drugiej – poprawiali własny wizerunek w oczach potencjalnych wyborców. Tak jak brytyjski premier Boris Johnson, który na początku kwietnia przespacerował się z ukraińskim prezydentem po uliczkach Kijowa. Brytyjskie media pytały, czy to Johnson przybył wspierać Ukrainę, czy raczej Zełenski wspomógł nadszarpnięty w kraju wizerunek brytyjskiego premiera, który wówczas tłumaczył się z hucznych imprez organizowanych w jego biurze w czasie pandemii.

Kilka tygodni przed kwietniowymi wyborami prezydenckimi we Francji głośnym echem odbiła się także sesja zdjęciowa Emmanuela Macrona. Biuro Macrona opublikowało jego zdjęcia w gabinecie, gdzie w swetrze, z kilkudniowym zarostem, z zatroskaną miną pochyla się nad biurkiem. Wszyscy doskonale odczytali, z czyjego wizerunku czerpał inspirację francuski prezydent.

A Zełenski? Zełenski był sobą. Skąd brał siłę? Częściowo odpowiada na to jego bliski współpracownik z partii Sługa Narodu, Mykyta Poturajew: – Zełenski jest typowym Ukraińcem. Bywa emocjonalny. Ma skłonność do przesady, do patosu, czasem nawet do histerii. Był przecież aktorem. Jednak kiedy czuje, że otoczenie go wspiera, to choćby się waliło i paliło, nie upadnie na duchu – mówi obrazowo Poturajew. – On musi czuć, że „widownia" jest z nim, że zespół aktorski jest z nim, że wszyscy doskonale grają swoje role. Gdy jest osamotniony, gdy wszyscy go opuszczają, upada na duchu. Na szczęście cały czas czuje wsparcie ludzi i świata w tej wojnie – opowiada Poturajew. Dlatego tak ważne były rozmowy telefoniczne Załenskiego ze światem, z przywódcami z Zachodu.

Aleksander Kwaśniewski docenia to, jak szybko Załenski nauczył się przywództwa: – On oczywiście dyplomatą nie był, nie jest i pewno nie będzie, natomiast bardzo trafnie wykorzystał moment historyczny. Kiedy bomby spadają na domy mieszkalne, to ma się bawić w dyplomację? Mówi wprost, i dlatego odegrał tak wielką rolę. Nawet ci, którzy woleliby język bardziej dyplomatyczny, nie mogą mu czynić zarzutów, że pod ostrzałem wyrzuca z siebie, co mu leży na sercu – to jest jego siła. On absolutnie ma gen lidera – ocenia Kwaśniewski. Do jednej z delegacji zwrócił sie słowami: „Nie przyjeżdżajcie z pustymi rękami, przywieźcie nam broń, ciasteczek nam nie trzeba".

Przez wszystkie dni wojny Zełenski wielokrotnie podkreśla jednak, że nie jest bohaterem:

– To naród ukraiński jest bohaterem, nie ja – mówi. On tylko wykonuje to, co w danej chwili należy robić.

Na pytanie: dlaczego zatem ludzie w Ukrainie – i na świecie – zmienili opinię o nim, dlaczego zaczęli uważać go za bohatera, Zełenski odpowiada w rozmowie z „The Economist": – Myślę, że już kiedy mnie wybierali, widzieli, że jestem uczciwy w każdej sprawie. Jak mówi mój ojciec: „Kiedy nie wiesz, jak coś zrobić, bądź szczery". I to wszystko. Musisz być szczery, żeby ludzie ci uwierzyli. Nie udawaj. Musisz być sobą. Może ludzie zaczną kochać cię bardziej, gdy zobaczą, że nie jesteś taki silny, a czasami bywasz leniwy. I ważne, aby nie udawać, że jesteś lepszy niż w rzeczywistości.

Ta ojcowska rada rzeczywiście działa. Politolog Wołodymyr Fesenko uważa, że Zełenski lepiej sobie radzi jako wielki pokrzepiciel Ukraińców w ciężkim czasie, jako lider, niż zrobiłby to poprzedni prezydent, jego rywal w wyborach, Petro Poroszenko: – Bo Zełenski to swój chłopak, ktoś, kto rzeczywiście trafia do Ukraińców ze Wschodu, Południa i Zachodu. Choć akurat na Zachodzie mieli chyba najwięcej podejrzeń, że może zawieść i za bardzo ustąpić Putinowi. Ale już sam fakt, że stanowi tak wielki kontrast wobec Putina, to olbrzymi plus – dodaje Fesenko.

Putin – zimny, wręcz bezduszny, patrzący na wszystkich z wyrachowaniem i z dystansem. Zełenski – swój człowiek, likwidujący dystans, jakby znajomy z sąsiedztwa, mówiący tak jak każdy, mający te same bolączki. Najcelniej oddawało to zestawienie dwóch zdjęć: Putin siedzący za długim stołem, oddalony od rozmówców, i Zełenski w schronie otoczony przez swoich żołnierzy, czy też przemawiający do narodu ze stacji kijowskiego metra. Putin – butny i pewny siebie Goliat. Zełenski – Dawid, który ze znacznie skromniejszym wojskiem zadaje ciosy rosyjskiej potędze.

Z każdym dniem wojny wygląda na bardziej zmęczonego, może też starszego niż kilka tygodni wcześniej. Kiedy na przełomie marca i kwietnia 2022 roku świat dowiedział się o dokonanej przez rosyjskich żołnierzy masakrze cywilów w Buczy niedaleko Kijowa, Zełenski pojechał na miejsce, by na własne oczy przekonać się o skali zbrodni. Na zdjęciach widać jego twarz, wykrzywioną bezsilnym, ogromnym bólem. Sprawia wrażenie dziesięć lat starszego niż jeszcze kilka dni wcześniej.

– Nigdy się nie spodziewałem, że będzie aż tak ciężko – powie szczerze w rozmowie z „The Economist". Podczas jednej z konferencji prasowych oświadczył, że podobnie jak każdy odczuwa strach. – Jestem żywą osobą, jak każda istota ludzka. A jeśli ktoś nie bałby się o swoje życie, o życie swoich dzieci, to coś z taką osobą byłoby nie tak. Jako prezydent oblężonej Ukrainy nie mam jednak prawa się bać. – W wywiadzie dla amerykańskiej stacji ABC powie: – Mam nadzieję, że to wszystko skończy się jak w hollywoodzkim filmie – happy endem. – To było jednak, zanim odkryto bestialskie zbrodnie Rosjan na cywilach w Buczy i innych miastach Ukrainy.

Od początku wojny w niezliczonych nagraniach przekonuje Ukraińców, że zwyciężą, jednak coraz wyraźniej widzi, że smak zwycięstwa może być gorzki. Mówił o tym Anne Applebaum i Jeffreyowi Goldbergowi w wywiadzie dla „The Atlantic": – Zbyt wielu Ukraińców zginęło nie w walce, lecz w wyniku tortur. Dzieci doznały odmrożeń, chowając się w piwnicach. Kobiety były gwałcone, starsi umierali z głodu, a na ulicach rozstrzeliwano przechodniów. Jak [po tym wszystkim] ludzie będą mogli cieszyć się ze zwycięstwa? – pytał. I dopowiadał, że skrzywdzeni nigdy nie doświadczą pełnego szczęścia. A od siebie dodał: – Moja córka ma prawie osiemnaście lat. Nie chcę sobie niczego wyobrażać, ale gdyby coś jej się stało, nie czułbym satysfakcji, nawet gdybyśmy odparli wroga i wyrzucili najeźdźców. Szukałbym tych ludzi, aż bym ich dopadł. Dopiero wtedy poczułbym ulgę – mówił. Potem dodał jednak, że należy do cywilizowanego świata i wie, że wymierzenie sprawiedliwości musi być oddane w ręce sądów.

Po słynnych wystąpieniach przed parlamentami różnych krajów Zełenskiego zaczęto nazywać nowym Churchillem. Nie ugiął się przed militarną potęgą wroga, wlał w serca rodaków ducha oporu i wiarę w zwycięstwo, przekonał – czy wręcz zmusił świat – do niesienia pomocy jego państwu, podkreślając, że Ukraina walczy za Europę. Zjednoczył wokół ukraińskiej sprawy opinię publiczną w całym wolnym świecie.

Amerykański biograf prezydentów, Douglas Brinkley, w rozmowie z CNN przekonuje jednak, że Zełenski ma w sobie więcej z Vaclava Havla niż z Churchilla. – Brytyjski premier czasu wojny był już wcześniej doświadczonym politykiem, nie był też czystym demokratą, gdyż wyznawał poglądy imperialistyczne – wyjaśnia Brinkley. Havel natomiast, zanim został przywódcą ruchu antykomunistycznego w Czechosłowacji, a później – prezydentem, był przecież autorem sztuk teatralnych, bliskim ludziom artystą.

– Nikt nie sądził, że dramaturg Havel może stać się wielkim światowym przywódcą, a tak się stało – mówił Brinkley. I dodawał, że w przypadku Zełenskiego analogii można się doszukiwać także w karierze Ronalda Reagana, prezydenta, którego Zełenski cytował podczas swojej mowy inauguracyjnej w maju 2019 roku. – Artyści mają przewagę, ponieważ potrafią komunikować się z ludźmi w niespotykanych okolicznościach. Tego najbardziej potrzeba w czasie kryzysu – podsumował Brinkley.

Witalij Portnikow, ukraiński publicysta i politolog mówi mi, że ukraiński prezydent wykonał to, czego należało się spodziewać po przywódcy: – Zełenski słusznie stał się symbolem oporu wobec rosyjskiej agresji. Tak powinno być. Na Kremlu łudzili się, że Zełenskim da się sterować, że będzie można owinąć go sobie wokół palca przy pomocy oligarchów. Przeliczyli się – dodaje.

Były prezydent Aleksander Kwaśniewski uważa, że za wcześnie, by ocenić, czy Zełenski jest mężem stanu. Z taką opinią trzeba jeszcze poczekać: – On natomiast już jest legendą. I tą legendą pozostanie. Przekonaliśmy się również, że jest wybitnym przywódcą czasu wojny.

Zełenskiego od pierwszych tygodni wojny pozytywnie oceniało także wielu jego wcześniejszych krytyków. Bo pomimo ciągłego zagrożenia, konieczności ukrywania się, w obliczu bolesnych ciosów zadawanych przez wroga potrafi – dzięki charyzmie, instynktowi i odwadze – dotrzeć do ludzi na całym świecie. Zwykłym człowieczeństwem był w stanie poruszyć świat i stawić opór wrogowi. I dlatego pozostanie symbolem dobra, które przeciwstawiło się siłom ciemności, symbolem walki demokracji przeciw imperializmowi i szowinizmowi.

Wołodymyr Zełenski tak naprawdę nie stał się ani nowym Reaganem, ani Churchillem, ani Havlem. Swoją postawą, zwłaszcza w czasie wojny, zapracował na własne nazwisko. Wojna w Ukrainie i jego rola w niej będzie omawiana przez lata. Historia chłopaka z prowincjonalnego Krzywego Rogu, który stanął przed niewyobrażalnie trudnym zadaniem, ciągle jeszcze się pisze. Niezależnie jednak od tego, jak w przyszłości będzie oceniana jego postawa, to jeśli kiedyś znów będzie się porównywać nowe postacie światowego formatu z dawnymi wielkimi przywódcami, w tym zestawieniu znajdzie się nazwisko „Zełenski".

Kwiecień 2022

Podziękowania

„Każdy człowiek jest światem" – pisał szwedzki poeta Gunnar Ekelöf. Wejrzenie choćby w cząstkę tego świata jest wyzwaniem, ale napisanie biografii takiej postaci jak Wołodymyr Zelenski – również przywilejem.

Dziękuję za możliwość realizacji tego pomysłu wydawnictwu Wielka Litera, a w szczególności Pawłowi Fąfarze, wydawcy, który obdarzył mnie pełnym zaufaniem. Wszystkie pomysły, sugestie, uwagi, pytania i wsparcie, które otrzymałem, były nieocenione podczas procesu tworzenia tej książki.

Niemniejsze podziękowania kieruję do redaktor naczelnej wydawnictwa Moniki Mielke i jej zespołu, a w szczególności redaktorek Doroty Jabłońskiej i Małgorzaty Maruszkin – za pomoc redakcyjną, czujne oko, cierpliwość i wszelkie, zawsze celne uwagi. Była to ogromna, a zarazem fascynująca praca.

Michał Kacewicz z telewizji Biełsat, jeden z najlepszych polskich dziennikarzy specjalizujący się w sprawach ukraińskich, także miał wpływ na ostateczny kształt tej książki. Jego pomoc w docieraniu do cennych źródeł informacji i rozmówców wielokrotnie pozwoliła mi odkrywać nowe tropy oraz fakty.

Ogromną wdzięczność jestem winien również wielu moim rozmówcom – z Ukrainy i z Polski, którzy zgodzili się udzielić wywiadów i komentarzy lub przekazać informacje. Bez Waszej przychylności i pomocy ta książka nie mogłaby powstać. Szczególne podziękowania kieruję do rozmówców z Ukrainy, z którymi wywiady zostały przeprowadzone, kiedy na ich miasta spadały rosyjskie bomby.

Na koniec chciałbym gorąco podziękować tym, bez których wsparcia, a także ogromnej cierpliwości i wyrozumiałości, ta książka z pewnością by nie powstała: mojej kochanej żonie Agnieszce oraz dzieciom Kacprowi i Weronice. Wam, kochani, tę książkę pragnę zadedykować.

Materiały źródłowe

Rozmówcy wywiadów przeprowadzonych przez autora

Michał Kacewicz: *Ukraińcy oczekiwali, że Zełenski będzie zbawcą narodu*, Warszawa 15.03.2022

Aleksander Kwaśniewski: *Zełenski już stał się legendą*, Warszawa 17.03.2022

Witalij Portnikow: *Z oceną Zełenskiego należy zaczekać do końca wojny*, 17.03.2022 Warszawa-Kijów

Andrij Zasławski: *Wowa nie był zwykłym chłopcem*, Warszawa-Krzywy Róg, 26.03.2022

Pozostałe źródła

Zełenski W., *Volodymyr Zelensky in his own words*, „The Economist" 27.03.2022 https://www.economist.com/europe/2022/03/27/volodymyr-zelensky-in-his-own-words

Amanpour Ch.,*'The number one target is all of us'. First Lady Olena Zelenska warns no one in Ukraine is safe from Russian forces.* CNN 13.04.2022 https://edition.cnn.com/2022/04/12/europe/olena-zelenska-ukraine-first-lady-amanpour-cmd-intl/index.html

Antonowa E., *Игорь Коломойский — РБК: «Пять лет буду тошнить всем назло» Украинский олигарх — о чатах с Зеленским.* 06.08.2019 https://www.rbc.ru/politics/06/08/2019/5d42dbad9a7947887624fff0.

Antrim T., *Ukraine's First Lady, Olena Zelenska, on Life Under Siege—and How Her Country Is Moving Forward*, „Vogue" 8.04.2022 https://www.vogue.com/article/ukrainian-first-lady-olena-zelenska-on-life-under-siege

Applebaum A., Goldberg J., *Liberation without victory*, rozmowa z Wołodymyrem Zełenskim, „The Atlantic", 15.04.2022 https://www.theatlantic.com/international/archive/2022/04/zelensky-kyiv-russia-war-ukrainian-survival-interview/629570/

Carroll O., *In the war room with Volodymyr Zelensky*, „The Economist", 27.03.2022 https://www.economist.com/1843/2022/03/27/in-the-war-room-with-volodymyr-zelensky

Chawryło K., Iwański T., *Szczyt normandzki bez przełomu.* Ośrodek Studiów Wschodnich. 10.12.2019 https://www.osw.waw.pl/pl/publikacje/analizy/2019-12-10/szczyt-normandzki-bez-przelomu

Chomenko S., Proswirowa O., *Украинский парламент утвердил правительство в „турбо-режиме”* „BBC News Russkaja służba” 30.08.2019 https://www.bbc.com/russian/features-49517322

Chudenko K., *Криворіжанин. Владимир Зеленский про украинскость, смех во время войны и артистов в политике*, „Delfi” 11.07.2017 https://rus.delfi.lv/showtime/news/stars/news/krivorizhanin-vladimir-zelenskij-pro-ukrainskost-smeh-vo-vremya-vojny-i-artistov-v-politike.d?id=49033821

Erman G., *Зеленський – „український Макрон”? Ось що про це думають французи,* 18.04.2019 https://www.bbc.com/ukrainian/features-47960286

Fitri A., *How President Zelensky's approval ratings have surged*, „New Statesman”, 1.03.2022 https://www.newstatesman.com/chart-of-the-day/2022/03/how-president-zelenskys-approval-ratings-have-surged.

Gordon D., *Зеленський: Якщо мене оберуть президентом, спочатку будуть поливати брудом, потім – поважати, а потім – плакати, коли піду*, Gordonua.com 26.12.2018 https://gordonua.com/ukr/publications/zelenskyi-yakshcho-mene-oberut-prezydentom-spochatku-budut-polyvaty-brudom-potim-povazhaty-a-potim-plakaty-koly-pidu-609294.html

Gordon D., *Звільняючи мене, Зеленський сказав: „Ти – як нелюба жінка”. Повний текст інтерв>ю Богдана Гордону,* Gordonua.com 9.09.2020 https://gordonua.com/ukr/publications/zvlnyayuchi-mene-zelenskiy-skazav-ti-yak-nelyuba-zhnka-povniy-tekst-ntervyu-bogdana-gordonu-1517453.html

Iwański T., *Służyć narodowi – cała władza w rękach Zełenskiego.* Ośrodek Studiów Wschodnich. 24.07.2019 https://www.osw.waw.pl/pl/publikacje/komentarze-osw/2019-07-24/sluzyc-narodowi-cala-wladza-w-rekach-zelenskiego

Kacewicz M., *Sługa Narodu miała być z założenia inną partią niż pozostałe*, rozmowa z Mykytą Poturajewem 28.03.2022, Warszawa-Kijów

Kacewicz M., *Zełenski unikał trudnych tematów*, rozmowa z Antinem Borkowskim, Warszawa-Kijów 28.03.2022

Kacewicz M., *Zełenski poradził sobie jako wielki motywator*, rozmowa z Wołodymyrem Fesenko, Warszawa-Kijów 29.03.2022

Kacewicz M., *Zełenski to idealista, chce dobrze dla Ukrainy, ale czasem strasznie się miota, słuchając różnych doradców*, rozmowa z Dmytro Razumkowem, Warszawa-Kijów 29.03.2022

Kacewicz M., *Załenski to bardzo szybko uczący się polityk*, rozmowa z Wołodymyrem Hrojsmanem, Warszawa-Kijów 29.03.2022
Krawiec R., *Владимир Зеленский: Порошенко много раз мне предлагал встречу. Говорил, что можем найти понима* „Ukrainskaya Pravda" 11.06.2020 https://www.pravda.com.ua/rus/articles/2020/06/11/7255137/
Kownir S., *Зеленський зізнався, чому все життя разом саме з Оленою*, „Obozrevatel" 25.06.2021 https://news.obozrevatel.com/ukr/show/people/zelenskij-ziznavsya-chomu-vse-zhittya-razom-same-z-olenoyu.htm
Kucharczyk M., *Ukraina: Trudne decyzje prezydenta Zełenskiego*, „Euractiv.pl" 2.10.2019 https://www.euractiv.pl/section/polityka-zagraniczna-ue/news/ukraina-trudne-decyzje-prezydenta-zelenskiego/
Lisiczin N., *Мама юбиляра Зеленского Римма Владимировна: "Вова штангу бросил из-за роста, а танцы из-за девочки"*, 25.01.2013 https://kp.ua/culture/376696-mama-yubyliara-zelenskoho-rymma-vladymyrovna-vova-shtanhu-brosyl-yz-za-rosta-a-tantsy-yz-za-devochky
Majstrenko W., *У „Танцях із зірками" перемогли Зеленський і Шоптенко* „Gazeta.ua" 27.11.2006 https://gazeta.ua/articles/people-newspaper/_u-tancyah-iz-zirkami-peremogli-zelenskij-i-soptenko/140787
Rana M., *Wolodymyr Zelensky: Russian mercenaries ordered to kill Ukraine's president*, „The Times", 28.02.2022 https://www.thetimes.co.uk/article/volodymyr-zelensky-russian-mercenaries-ordered-to-kill-ukraine-president-cvcksh79d
Rozumowski K., *Кандидатська з економіки. Володимир Зеленський, жарти, ТВ і гроші*, „Mind.ua" 26.03.2019 https://mind.ua/publications/20195469-kandidatska-z-ekonomiki-volodimir-zelenskij-zharti-tv-i-groshi
Rudenko J., Sarachman E. *Активні, молоді, наївні. Чому і як навчались "слуги народу" в Трускавці* „Ukrainska Prawda" 4.08.2019 https://www.pravda.com.ua/articles/2019/08/4/7222746/
Rudenko S., *Zełenśkyj bez hrymu* Wydawnictwo Drim-Art, Kijów 2020
Rudziński L., *Prezydent, który nie wyjechał ze stolicy*, rozmowa z Wojciechem Jankowskim 17.03.2022, Warszawa-Lwów
Sawczuk M., *Зеленський позбувся частки в російському кінобізнесі «Кварталу» на користь свого ж «кварталівця»*, Radio Swoboda" 29.03.2019 https://www.radiosvoboda.org/a/news-schemes-zelenskyy-firma-update/29849799.html
Schnabel T., *How The Velvet Underground Influenced The Velvet Revolution*, KCRW, 29.10.2013 https://www.kcrw.com/music/articles/how-the-velvet-underground-influenced-the-velvet-revolution

Slobodjanik D., *Olena Zelenska on her new life, her program and fashion as an instrument of cultural diplomacy*, „Vogue" 09.2019. https://vogue.ua/Olena-Zelenska-vogue-ua

Szewczenko T., *Чому серіал „Слуга народу" це агітація Зеленського* „Ukrainska Prawda" 25.02.2019 https://blogs.pravda.com.ua/authors/tshevchenko/5c73a178ca5b1/

Szudria A., *„Муравейник" Зеленского: почему Кривой Рог - таки за него* „BBC News Ukraina" 23.04.2019 https://www.bbc.com/ukrainian/features-russian-48025878

Taylor C., *The Khaki president*, „ABC", 16.03.2022 https://www.abc.net.au/news/2022-03-17/volodomyr-zelenskyy-ukraine-leadership-transformed-by-war/100886298

Torop O., *Олена Зеленська: „Після перемоги Вови хочу писати сценарії для 95 Кварталу"* 22.04.2019 https://www.bbc.com/ukrainian/features-47976364

Włodarczyk B., *Ukraiński sługa narodu*, TVP Telewizja Polska S.A. 2020. https://vod.tvp.pl/video/ukrainski-sluga-narodu,ukrainski-sluga-narodu,51640077

Wolf Z., *Zelensky is not Churchill. He's a more unlikely hero*, „CNN", 9.03.2022 https://edition.cnn.com/2022/03/08/politics/zelensky-ukraine-churchill-what-matters/index.html

Associated Press *Live updates: Zelenskyy declines US offer to evacuate Kyiv*. 26.02.2022

https://apnews.com/article/russia-ukraine-business-europe-united-nations-kyiv-6ccba0905f1871992b93712d3585f548

Владимир Зеленский: „слуга народа" и шоу-бизнеса, BBC News Ukraina. 25.01.2019. https://www.bbc.com/ukrainian/features-russian-46999502

Кривий Ріг про свого Зеленського, Hromadske.doc 13.04.2019 https://www.youtube.com/watch?v=ImXSh8B_IO0

Kwartał y eho komanda – 1-6 seryja HD - Dokumentalnыj seryał. „Studio Kwartał 95" październik–listopad 2014 https://www.youtube.com/watch?v=AMBNAvKWrn8

Кто вернулся в Украину и в Россию в рамках обмена — списки „Nowoje Wriemya Ukraina", 7.09.2019 https://nv.ua/ukraine/politics/obmen-plennymi-2019-spiski-lic-podlezhashchih-obmenu-mezhdu-ukrainoy-i-rf-novosti-ukrainy-50041463.html

У трускавецькому «Ріксосі» готуються зустрічати «слуг народу» та президента, „Radio Swoboda", 30.09.2021 https://www.radiosvoboda.org/a/news-truskavets-riksos-sluhy-narodu/31485750.html

Як виглядають діти Зеленського: милі фото з сімейного альбому, „RBK Ukraina" 3.04.2019 https://www.rbc.ua/ukr/styler/vyglyadyat-deti--zelenskogo-milye-foto-semeynogo-1554279425.html

Зеленський в Золотому: ДОБРОВОЛЬЦІ, МІСЦЕВІ, РОЗВЕДЕННЯ „Siegodnia" 27.10.2019 https://www.youtube.com/watch?v=dcsQTwt-pCU.

ЗЕЛЕНСЬКИЙ ЗАРОБЛЯЄ ПОНАД МІЛЬЙОН ДОЛАРІВ ЗА РІК, „Tabłoid – Ukrainska Prawda" 30.12.2011 https://tabloid.pravda.com.ua/news/4efdc351119e3/

Тижня: Олена Зеленська розповіла про свої перші кроки у новому статусі, „ТСН" 24.11.2019. https://www.youtube.com/watch?v=H6850nxbuJo&t=3s

«Квартал 95» відвідав зону АТО, „ТСН" 18.08.2014 https://www.youtube.com/watch?v=XWltrAnBfNs

Israeli lawmakers tear into Zelensky for Holocaust comparisons in Knesset speech, „Times of Israel" 20.03.2022 https://www.timesofisrael.com/israeli-lawmakers-tear-into-zelensky-for-holocaust-comparisons-in-knesset-speech/

Два дні з Володимиром Зеленським: плани, провали, побут, сім>я, графік та захоплення, „Ukrainska Pravda" 9.06.2020. https://www.youtube.com/watch?v=z2mixZ6E1JQ

VIP: Z Natalieju Mosejczuk. Ołena Zełensska. TV 1+1 13.05.2021 https://www.youtube.com/watch?v=67zv3UStqwI

Слуга народа - Постскриптум | Фильм о фильме, 11.12.2015 https://www.youtube.com/watch?v=eSrZ7jHev1A

Первое заседание новой Рады: премьер Гончарук и отмена депутатской неприкосновенности BBC 30.08.2019 https://www.bbc.com/russian/live/news-49498652

Wystąpienia prezydenta Wołodymyra Zełenskiego

Звернення Президента України Володимира Зеленського до парламенту Великої Британії 8.03.2022 https://www.president.gov.ua/news/zvernennya-prezidenta-ukrayini-volodimira-zelenskogo-do-parl-73441

Виступ Президента України Володимира Зеленського в Сеймі Республіки Польща 11.03.2022 https://www.president.gov.ua/news/vistup-prezidenta-ukrayini-volodimira-zelenskogo-v-sejmi--res-73497

Промова Президента України Володимира Зеленського перед Конгресом США 16.03.2022 https://www.president.gov.ua/news/promova--prezidenta-ukrayini-volodimira-zelenskogo-pered-kong-73609.